DE LA LIBERTÉ

DANS LA COLLECTION
AGORA
LES CLASSIQUES

MONTAIGNE
SUR L'ÉDUCATION,
TROIS ESSAIS

JEAN-JACQUES ROUSSEAU
ESSAI SUR L'ORIGINE
DES LANGUES

THÉORIE DE L'ÉVOLUTION,
ASPECTS HISTORIQUES

EDGAR ALLAN POE
EUREKA

LES LOIS DE L'HÉRÉDITÉ
UNE ANTHOLOGIE

AGORA

LES CLASSIQUES

JOHN STUART MILL

De la liberté

Traduit de l'anglais par
Fabrice PATAUT

PRESSES POCKET

Titre original
ON LIBERTY

PREFACE

I

Je serais encore en dessous de la vérité en disant que les français n'aiment pas la philosophie anglo-saxonne, présente ou passée. Il règne indiscutablement un certain mépris dans l'ignorance à laquelle nous nous croyons forcés. Nous lisons un peu Hume, qui, au dire même de Kant, le réveilla de son sommeil dogmatique, et un peu Locke, puisque Leibniz se donna la peine de lui répondre (en français d'ailleurs) dans les *Nouveaux Essais*. Mais nous ne les lisons que très rarement, pour ne pas dire jamais, pour eux-mêmes.

La position de Mill en la matière est particulièrement ingrate. A la différence des auteurs précités, Mill n'eut jamais la chance de bénéficier - si j'ose m'exprimer ainsi - de faire-valoir aussi brillants. Son œuvre n'eut pratiquement aucune influence sur le continent. Dans la direction inverse, l'influence continentale - celle de Comte et par l'intermédiaire du jeune Gustave d'Eichtal, celle de Saint-Simon - reste malgré tout assez superficielle. Il s'agit en réalité plus d'affinités intellectuelles que d'une réelle communauté de pensée ou de projet. Force est de constater que, de notre côté, on ne s'est engagé dans aucun véritable débat avec Mill jusqu'à ce jour. Mais après tout, les choses n'ont pas non plus toujours été satisfaisantes du côté anglo-saxon. Urmson pouvait écrire en 1953[1] que la méconnaissance de la pensée de Mill en Angleterre et aux Etats-Unis était à son comble et qu'on n'y discutait qu'un travestissement de la conception millienne du *summum bonum* et de la défense d'un droit moral à la liberté.

Pourquoi donc lire aujourd'hui un auteur dont les positions utilitaristes en matière d'éthique ont aussi mauvaise presse chez nous, dont la théorie de l'économie politique a été ridiculisée par Marx[2], et dont une partie du système de logique, à savoir l'analyse du nombre entier et

---

1. J.O.Urmson. "The interpretation of the moral philosophy of J.S.Mill" in *Theories of ethics*, P. Foot (ed.), Oxford U.P., Oxford, 1967, pp.128-36.
2. Marx ne tarit jamais de remarques désobligeantes: Mill est le "meilleur interprète" d'un "éclectisme édulcoré", qui cherche à "concilier l'économie du capital avec les réclamations du prolétariat" (*Le capital*, Postface in *Œuvres*, tome 1, Bibliothèque de la Pléiade, Gallimard 1969, p. 175). Son œuvre s'égare "dans les compendiums éclectiques et dans le syncrétisme typique de la littérature économico-politique du dix-neuvième siècle" (*Principes d'une critique de l'économie politique*, in *Œuvres*, tome 2, p. 175).
Ou encore : "Sur un terrain plat, de simples buttes font l'effet de collines; aussi peut-on mesurer la platitude de la bourgeoisie contemporaine d'après le calibre de ses esprits forts" (*Le capital*, I, V, ch. 17 in *Œuvres*, tome 1, p. 1011). Coup de grâce, enfin: Marx finit par qualifier le *Some unsettled questions of political economy* de 1844 de "recherches originales, d'ailleurs peu étendues et peu profondes", à propos desquelles, "on ne sait plus trop quoi admirer, de la naïveté de l'homme ou de celle du public qui l'a pris, en effet, pour Adam Smith, bien qu'il ressemble à ce dernier comme le général William de Kars au duc de Wellington" (*Le capital*, I, III, ch. 2, b , note b, in *Œuvres*, tome 1, p. 665).

des propositions arithmétiques fut si brillamment critiquée par Frege[1]?

Parce que Mill est, à maints égards, notre contemporain. Non seulement d'un point de vue philosophique, mais également - et ceci concerne plus particulièrement le présent essai - au vu de l'histoire récente et de l'actualité. Peut-on éviter de poser la question politique fondamentale de *De la liberté* dans un siècle qui a vécu la forme la plus achevée d'intolérance organisée par un appareil d'Etat et ses institutions, et au moment même où se pose, devant la poussée

---

1. Dans *Les fondements de l'arithmétique* (trad. fr. C. Imbert, Le Seuil, Paris, 1969), Frege critique (i) la thèse selon laquelle les définitions arithmétiques assertent quelque chose de faits empiriques observés (Mill, *System of logic*, livre III, ch. 24, §5; Frege, *Les fondements de l'arithmétique*, §§7-8); (ii) la thèse selon laquelle les lois de l'arithmétique sont des lois inductives (Mill, *loc.cit.*; Frege, *op.cit.*: §§9-10); et (iii) la thèse selon laquelle les nombres seraient quelque chose de physique (Mill, *loc.cit.*; Frege, *op.cit.*: §§23-25.). Sur ce dernier point, Frege ironise lui aussi, sur la définition millienne du nombre; de l'entier naturel 3 par exemple: "(...) quel dommage que Mill n'ait pas décrit les faits physiques sur lesquels reposent 0 et 1!" (Frege, *op.cit.*: §7).

Depuis le *Naming and necessity* de Kripke, il y a un regain d'intérêt pour la théorie millienne des noms propres. Pour Mill, les noms individuels ont une dénotation, mais pas de connotation. Ils n'ont "à strictement parler, aucune signification". Les noms strictement propres ou individuels (i) désignent un seul objet sans lui appliquer d'attribut; (ii) sont des marques qui provoquent dans l'esprit une représentation de l'objet désigné. (J.S.Mill, *Système de logique* I, 2, §5; Kripke, *La logique des noms propres* (trad. P. Jacob et F. Récanati), Les Editions de Minuit, Paris, 1982.)

Pour un aperçu concis de la logique de Mill, on consultera William et Martha Kneale, *The development of logic*, Oxford U.P., 1962, ch.V, sect. 5.

du fondamentalisme, du nationalisme - à l'Ouest comme à l'Est- et de toutes les formes d'intolérance religieuse; et devant le regain de popularité des thèses révisionnistes dont l'infiltration insidieuse dans le public ne fait qu'accroître, non moins insidieusement, la méconnaissance de notre propre histoire[1]; peut-on éviter, donc, de poser le problème de savoir quelles genres d'opinions un individu ou un groupe d'invidu a le droit de rendre publiques: quelle est la nature et l'étendue du pouvoir que la société doit exercer sur l'individu?"

Ce n'est bien évidemment pas la question qui nous choque. Toute théorie politique et toute philosophie du droit se doit de l'aborder. C'est plutôt la réponse qui nous gêne :

> "(...) la seule fin pour laquelle les hommes soient justifiés, individuellement ou collectivement, à interférer avec la liberté d'action de n'importe quel nombre d'entre eux est l'auto protection, (...) d'empêcher de faire du mal à autrui. (...) Le seul aspect de la conduite de quiconque, pour laquelle il doive en répondre à la société est celle qui concerne autrui. En ce qui concerne simplement lui-même, son indépendance est de droit, absolue".[2]

Elle gêne, me semble-t-il, pour deux raisons. D'abord parce que, comme les premiers critiques de Mill n'avaient pas manqué de le faire observer, la réponse présuppose

---

1. Seulement 44 pour-cent des personnes de dix-huit à quarante-quatre ans récemment interrogées dans un sondage du *Monde* savent que la rafle du Vel' d'Hiv' des 16 et 17 juillet 1942 a été effectuée par des policiers français; 52 pour-cent l'attribuent, soit aux SS, soit aux soldats allemands. Voir le *Monde* du 14 juin 1990.
2. Voir, *infra*, pp. 39-40.

implicitement que l'on puisse classer les actions humaines en deux catégories exhaustives: (i) celles qui ne concernent que l'agent et (ii) celles qui concernent l'agent *et* autrui. Il sera aisé de montrer en quoi la distinction est difficile à maintenir.

Deuxièmement - et c'est là pour beaucoup, je crois, le point sensible - parce qu'il semble que le principe de Mill passe à côté de l'idée fondamentale que l'humanité a une finalité, une spiritualité, en d'autres termes, un *sens*, et qu'en réduisant la liberté à un simple élément dans un calcul utilitariste dont le résultat se doit d'être la somme maximale de bonheur pour tous, c'est tout simplement l'humanité elle-même qu'on passe sous silence - un défaut en quelque sorte congénital à toutes les formes d'utilitarisme[1].

D'une certaine manière, le dernier ouvrage d'importance du dix-neuvième siècle à défendre l'utilitarisme fut le *Methods of ethics* de Sidgwick[2]. Le coup fatal fut ensuite porté par Moore dans les *Principia ethica* de 1903[3]. Il est vrai que Moore n'argumentait qu'indirectement contre l'utilitarisme. Il n'y voyait qu'un exemple de plus des trop nombreuses théories morales naturalistes substituant à "bien" une propriété d'un objet naturel ou d'une collection d'objets naturels[4]", et toutes également coupables de la

---

1. On a pu présenter les choses de la manière suivante: l'homme utilitariste rêverait d'être dans la position idéale consistant à rester assis sur une machine produisant une sensation continuelle de plaisir d'une intensité égale (sans pour autant nuire à autrui). Voir J. C. C. Smart, *An outline of a system of utilitarian ethics*, Melbourne, 1961, pp. 11-14.
2. H. Sidgwick, *The methods of ethics*, London, 1874.
3. G. E. Moore, *Principia ethica*, Cambridge U.P., Cambridge, 1903.
4. Moore, *op.cit.*, p. 40.

célèbre *naturalistic fallacy*[1]. L'erreur, pour Moore, consiste en ceci: ce n'est pas parce que deux prédicats peuvent s'appliquer aux mêmes objets qu'ils lui attribuent par là-même légitimement la *même* propriété, ou qu'ils en donnent la *même* description. Les valeurs morales sont logiquement distinctes des faits naturels. On ne peut passer de prémisses portant sur des faits naturels connaissables empiriquement à des conclusions morales évaluatives. C'est pourtant, nous dit Moore, ce à quoi s'engagent ceux qui soutiennent que "bien" signifie "plaisant", "agréable", "promouvant la survie", "promouvant l'intérêt général du plus grand nombre", etc. Il est vrai que, pour Moore, le bien n'est *pas* une qualité naturelle; mais cela ne l'empêche nullement d'affirmer qu'énoncer qu'une chose relève de notre devoir ou qu'elle a une certaine valeur intrinsèque, revient à énoncer un *fait*. Mary Warnock pouvait ainsi écrire en 1960[2] que tous les théoriciens de la morale avaient ceci en commun: la réfutation du naturalisme en éthique.

La tendance s'inversa de manière décisive lorsque, en 1975, W.D. Hudson, développant une suggestion de Philippa Foot[3], proposa l'idée que *certains* faits peuvent justifier des conclusions morales. Non pas tous, mais précisément ceux qui ont trait aux effets de nos actions sur le bonheur et la souffrance (et, pouvons-nous ajouter, sur la liberté des individus à former des opinions et à les exprimer). L'idée que les énoncés moraux prescriptifs et évaluatifs n'ont aucun contenu cognitif réel, qu'ils ne sont ni vrai ni faux, est en réalité compatible avec l'idée que *certains* faits, notamment ceux qui concernent notre bien-

---

1. On trouvera une excellente discussion de la *naturalistic fallacy* de Moore, in A. N. Prior: *Logic and the basis of ethics*, Clarendon Press, Oxford, 1949.

2. M. Warnock, *Ethics since 1900*, Clarendon Press, Oxford, 1960.

3. W.D.Hudson, *Modern moral philosophy*, London, 1970, p. 205.

être, le développement de notre indivualité, etc., justifient au moins en partie des conclusions morales prescriptives ou évaluatives. Autrement dit, il est tout à fait possible d'accepter l'idée qu'on ne peut déduire de manière *stricte* des conclusions prescriptives ou évaluatives à partir de prémisses concernant des faits empiriques et naturels, sans pour autant abandonner l'idée que les faits qui concernent les effets de nos actes sur notre souffrance, notre bonheur, et ceux d'autrui, soient *pertinents* pour le choix des valeurs qui sont prises en compte dans les principes seconds qui déterminent la finalité des actions de tous les agents moraux[1].

II

L'utilitarisme millien n'est d'ailleurs pas nécessairement incompatible avec une certaine forme d'objectivisme en éthique, même si on en défend une interprétation pluraliste à la manière de Wollheim[2]. Comme le fait remarquer Putnam[3], le rejet de l'autoritarisme politique n'implique ni le relativisme, ni le scepticisme moral. On pourrait parfaitement défendre l'individualité des croyances, des désirs et des modes de vie, et même l'excentricité de la conduite individuelle comme valeurs secondes au sens de Wollheim[4], sans pour autant avoir à nier qu'il y a des critères d'acceptabilité rationnelle de ces valeurs. On pourrait même les défendre dans le cadre d'une éthique pluraliste non

---

1. Pour ces valeurs secondes, voir, dans le dossier, la deuxième section de l'article de R.Wollheim pp. (...).
2. Voir, *infra*, dans le dossier, l'article de R. Wollheim, pp. 240-244.
3. *Raison, vérité et histoire*, p. 149.
4. Voir Mill, chap. 3.

hiérarchique, autrement dit dans le cadre d'une éthique où elles ne sont pas analysées en termes de moyens en vue de la maximisation du bonheur ou de l'utilité, et cela sans pour autant être forcés au relativisme ou au scepticisme.

Mill voit d'ailleurs dans la liberté inconditionnelle des opinions et de leur mise en circulation dans le domaine public la condition même de possibilité d'un accord sur ces critères d'acceptabilité rationnelle. La nécessité de la discussion la plus libre de toute opinion, aussi ancrée et aussi fondée soit-elle, n'est donc pas une simple clause réthorique formelle, comme s'il s'agissait simplement et comme par principe, de refuser à quiconque le droit de s'attribuer l'infaillibilité en matière de croyance, dans le seul but de discuter ses opinions, en quelque sorte pour le simple plaisir de la controverse.

> "L'entière liberté de contredire et de réfuter notre opinion est la condition même qui nous justifie à supposer sa vérité pour les besoins de l'action. Et à aucune autre condition un être doué de facultés humaines ne peut raisonnablement être certain qu'il a raison[1]."

Habermas, dans un commentaire sur Peirce, rappelle que dans la perspective percienne, nous devons considérer une opinion fondée et intersubjectivement acceptée comme vraie, aussi longtemps que sa vérité n'a pas été reconnue comme problématique par une expérience imprévue[2]. Comme le dit Peirce lui-même: "L'opinion destinée à être approuvée par chacun des chercheurs est ce que nous entendons par vérité, et l'objet qui est représenté par cette

---

1. Voir, *infra*, p. 53
2. Jürgen Habermas, *Connaissance et intérêt* (trad. fr. de *Erkenntnis und Interesse* par G. Clémençon), Gallimard, Bibliothèque de Philosophie, 1976, p. 126.

opinion est le réel[1]". Mill défend quant à lui une théorie de la vérité que l'on pourrait qualifier d'utilitariste:

> "La vérité d'une opinion fait partie de son utilité (...) aucune croyance contraire à la vérité ne peut être réellement utile[2]."

L'utilité comprise au sens le plus large, c'est-à-dire incorporant les valeurs secondes dans une éthique pluraliste non hiérarchique, fait partie intégrante de la vérité des propositions comme objets de croyance et en constitue l'un des aspects déterminants. Mill, au chapitre II de l'Essai, défend l'idée selon laquelle nous devons fixer nos croyances en prenant l'utilité comme critère absolu. Mais il apparaît nettement au chapitre III que cette utilité doit être comprise au sens le plus large, et non au sens au sens étroit de Bentham[3].

Une théorie épistémique de la vérité apparaît en filigrane au chapitre II: la vérité n'est souvent que partielle, c'est ce vers quoi nous tendons à force de réfutations successives. Le choix de nos valeurs doit être guidé par cette considération: nous devons toujours chercher à nous assurer que nous n'empêchons pas une nouvelle direction de recherche de s'ouvrir.

---

1. C. S. Peirce: "How to make our ideas clear". On consultera également: "The fixation of belief". Les deux articles sont reproduits in *Philosophical writings of Peirce* (selected ans edited with an introduction by J. Buchler), Dover, New York, 1955.
2. Voir, *infra*, p. 57.
3. Elle doit également être comprise dans un sens plus large que l'intérêt au sens d'Habermas: "J'appelle intérêts les orientations de base liées à certaines conditions fondamentales de la reproduction et de l'autoconstitution possibles de l'espèce humaine, c'est-à-dire au travail et à l'interaction." (J. Habermas, *op.cit.*, p. 230).

Qu'il y ait dans l'exigence de discussion libre de toute opinion bien plus qu'une clause formelle, Mill l'affirme encore en faisant valoir que l'absence de discussion ne constitue pas seulement un préjudice intellectuel, mais également moral, qui affecte la valeur même des croyances, leur force, et jusqu'à leur signification[1].

La nécessité de mettre *le plus* d'opinions possibles dans le domaine public, aussi controversées et aussi nuisibles soient-elles, afin de toutes les soumettre à la sanction de la discussion rationnelle, présuppose qu'il y ait un minimum d'accord, même provisoire, entre les membres de la société civile, sur les critères mêmes de la rationalité. La liberté de discussion joue le rôle de condition de possibilité, à la fois de la sanction *et* de l'accord sur des critères d'acceptabilité des valeurs morales, critères en quelque sorte minimaux, même si l'acceptation des valeurs n'est que provisoire[2]. Peut-être n'est-il d'ailleurs pas possible de prétendre à plus que du provisoire dans les discussions éthiques. Peut-être ne pouvons-nous rien faire de plus que de nous *prononcer* sur ces questions et de nous en tenir à un accord qui satisfasse provisoirement la communauté sans toutefois prétendre les *résoudre*[3].

III

Au chapitre III, Mill se fonde sur le principe de liberté - aucune limitation de la liberté individuelle n'est légitime à moins qu'elle n'ait pour but d'empêcher que du mal soit fait

---

1. Voir, *infra*, p. 82.
2. Voir, *infra*, pp. 88-89.
3. C'est, par exemple, la position adoptée par H. Putnam *in* "How not to solve ethical problems", The Lindley lecture, The university of Kansas, 1983.

à autrui - pour argumenter en faveur de la plus grande diversité possible des expériences de vie. Pour Mill, comme d'ailleurs pour Spinoza, "tout homme jouit d'une pleine indépendance en matière de pensée et de croyance[1]". Mais pour Spinoza, le but de l'instauration d'un régime politique est de "libérer l'individu de la crainte", de façon à ce que les hommes soient "en mesure de raisonner plus librement", chacun devant se contenter "d'exprimer ou d'enseigner sa pensée en ne faisant appel qu'aux ressources du raisonnement" et s'abstenir de "chercher appui sur la ruse, la colère, la haine[2]". Un individu n'a le droit d'enseigner sa pensée que s'"il ne se flatte pas d'introduire la moindre mesure nouvelle dans l'Etat, sous l'unique garantie de son propre vouloir". L'individu doit donc laisser "à l'Autorité politique toute décision active"[3]; il ne doit jamais rien entreprendre contre les mesures adoptées par cette autorité.

La défense millienne de l'excentricité et du rejet violent des traditions, l'apologie, donc, d'une sorte de *dadaïsme* - pour reprendre l'expression de Feyerabend[4] - ne semble pas être, au premier abord, d'esprit spinoziste. Car pour Spinoza, "(...) dans l'intérêt de la conservation de la communauté publique, il est impossible que chacun se mette à vivre à sa fantaisie. Tout sujet, qui voudrait accomplir une action contraire au vouloir de la souveraine Puissance régnant en son pays, manquerait donc aux devoirs de la ferveur inspirée, puisque la ruine de l'Etat résulterait nécessairement d'une généralisation de son attitude[5]".

Mill n'a de cesse de défendre la prolifération maximale d'expériences de vie non orthodoxes en prenant soin de

---

1. Spinoza, *Traité des autorités théologiques et politiques*, Œuvres Complètes, Gallimard, La Pléiade, ch.XX, p. 897.
2. Spinoza, *op.cit.*, p. 899-900.
3. Spinoza: *op.cit.*, p. 900.
4. Voir *infra* , dans le dossier, pp.(...).
5. Spinoza: *op.cit.*, p. 901.

souligner l'importance absolue de la valeur intrinsèque (non hiérarchisée) de l'individualité. Mais rien dans cette perspective millienne ne justifie le genre de "relativisme démocratique" prôné par Feyerabend[1]. Plus précisément, Feyerabend défend l'idée que l'Etat doit garantir à l'individu une liberté fondamentale: le libre accès à une tradition de son choix: "Les hommes ont le droit de vivre comme cela leur convient, même si leur vie apparaît à d'autres hommes comme stupide, bestiale, obscène, athée[2]".

On *croirait* entendre Mill lui-même défendant l'idée que "l'excentricité a toujours foisonné là où la force de caractère foisonnait aussi[3]. Mais si Mill voit dans l'excentricité une des conditions et un des principes essentiels du bien-être, il n'y voit pas seulement "un élément de plus dans tout ce qu'on désigne par les termes de "civilisation", d'"instruction", d'"éducation" et de "culture"", mais également "une condition et une partie nécessaires de toutes ces choses[4]". Rien dans les remarques du chapitre III sur la nécessité d'une opposition au despotisme de la coutume n'implique une relativisation radicale de *tous* les objectifs sociaux. Comme le fait justement remarquer Bouveresse, "vouloir que l'individu *ait* une tradition et en même temps devienne capable de la considérer à chaque instant avec le détachement de l'observateur qui la regarde du point de vue d'une autre tradition, est à la limite une contradiction pure et simple[5]".

---

1. P. Feyerabend, *Erkenntnis für freie Menschen*, Veränderte Ausgabe, Suhrkamp Verlag, Francfort, 1980.
2. P. Feyerabend, *op.cit.*, p. 17.
3. Voir, *infra*, p. 123.
4. Voir, *infra*, p. 108.
5. Jacques Bouveresse, *Rationalité et cynisme*, les Editions de Minuit, Paris, 1984, p. 88. La position de Bouveresse est ici tout aussi extrême que celle d'Alasdair MacIntyre dans *Whose Justice? Which Rationality?* (Notre-Dame University Press, 1988). MacIntyre argumente en faveur de l'idée que la

IV

Ce n'est donc pas que, pour Mill, le conflit et la rivalité des traditions constituent un but en soi. Rien ne saurait être plus éloigné des valeurs milliennes que les valeurs "post-modernes": l'incontrôlable, l'imprévisible, l'indéterminé, l'incommensurable, l'hétérogène, etc. La défense millienne de l'individualité n'implique aucunement la recherche systématique du différend et de l'instable. Si la caractéristique principale de la condition post-moderne est l'incrédulité à l'égard des métarécits[1], le "récit" millien de la défense de l'individu doit être assurément d'une crédulité peu commune pour une intelligence et une sensibilité post-modernes. C'est en tous cas très certainement l'œuvre de Foucault qui, en France, a le plus contribué à l'incrédulité

---

rationalité - en éthique comme dans tout autre domaine - n'est possible qu'à l'intérieur d'une tradition. L'effort qui consiste à s'écarter systématiquement de *toute* tradition implique l'abandon pur et simple de toute forme significative de pensée rationnelle (MacIntyre, *op.cit.*, pp. 346, 393). Dans le cadre de l'"épistémologie contextualiste" de MacIntyre, nous avons des raisons concluantes d'abandonner notre propre tradition seulement au cas où les conditions suivantes sont remplies: (i) notre propre tradition a cessé d'être progressive, (ii) la tradition que nous avons l'intention de choisir offre des explications que la nôtre se trouve dans l'incapacité de fournir, (iii) cette tradition rivale permet d'expliquer cette incapacité de la tradition d'origine, et (iv) cette explication est à la fois concluante et pertinente conformément aux standards de la tradition que nous voulons abandonner.
1. Jean-François Lyotard, *La condition post-moderne, rapport sur le savoir*, les Editions de Minuit, Paris, 1979, p. 7.

et à la méfiance vis-à-vis de toutes les valeurs attachées à l'individu, si ce n'est à leur dénigrement systématique. Après les analyses de Foucault, l'idée que les droits fondamentaux des individus défendus par les grands textes légaux et politiques de l'âge classique dépendent dans une large mesure et d'une manière éminemment critiquable des sciences humaines qui les légitiment, et l'idée connexe que les sciences sociales elles-mêmes sont des instruments de la discipline, sont devenues des sortes de lieux communs[1]. Nous avons finalement tendance à adopter, vis-à-vis de la défense millienne des droits et de la liberté de l'individu, une attitude tout à fait parallèle à celle que nous avons développée vis-à-vis du programme initial de l'*Aufklärung:* une attitude très largement condescendante. Nous percevons dans la quête libérale de principes moraux communs, exactement ce que nous percevons dans la conviction que l'accroissement du savoir peut rendre l'homme meilleur: une "naïveté caractéristique[2]".

Il est finalement tout à fait typique que ceux qui, comme Rorty, veulent se débarasser des idées traditionnelles et usées d'objectivité et de méthode scientifique[3], et qui sont impressionnés par la conception foucaldienne selon laquelle "nous sommes sujets à la production de la vérité à travers le pouvoir", et selon laquelle "nous ne pouvons exercer le pouvoir si ce n'est par la production de la vérité"[4],

---

1. On pourra consulter sur ce point l'article de David. F.Gruber: "Foucault's critique of the liberal individual", *Journal of Philosophy*, vol. 86, pp. 615-21.
2. J'emprunte l'expression à J. Bouveresse, *op.cit.*, p. 9.
3. Richard Rorty: "Method, social science and social hope", in *Consequences of pragmatism*, University of Minnesota Press, Minneapolis, 1982, p. 203.
4. Michel Foucault, *Power/knowledge*, Harvester Books, Brighton, 1980, p. 93. On pourra également consulter l'excellent compte rendu de lecture de ce livre par Ian Hacking dans le *New York Review of Books*, avril 1981.

s'accordent à penser que vouloir détenir la vérité, c'est, par nécessité, vouloir dominer. L'association - pour ne pas dire la réduction - de la volonté de savoir à la volonté agressive de domination trouve son point culminant précisément chez un "disciple admiratif et reconnaissant" de Foucault, qui cherche à "échapper au piège et à la naïveté objectivistes", à l'"agression rationaliste", et pour qui le "langage poli et policier de la raison" est on ne peut plus suspect[1]. Il s'agit, pour quelqu'un comme Rorty, non pas de trouver la théorie vraie ou la mieux confirmée, mais simplement le bon "jargon" pour formuler des hypothèses[2]; pour Lyotard, de trouver les "bonnes idées" ou les "bonnes histoires".

On trouvera me semble-t-il dans l'essai de Mill, un antidote à cette tendance, d'autant plus intéressant que la théorie de la vérité qui s'y trouve esquisée ne présuppose aucunement le recours aux conceptions de l'âge classique critiquées par Foucault et ses héritiers. Peut-être y trouvera-t-on, par la même occasion, un moyen de voir dans la défense des droits inaliénable de l'individu, autre chose, enfin, que le produit d'une idéologie essentiellement réactive.

---

1. Jacques Derrida, "Cogito et histoire de la folie", *L'écriture et la différence*, Editions du Seuil, 1967, pp. 51, 56.
2. R.Rorty, *op.cit.*, p. 193.

DE LA LIBERTE[1]

1859

---

1. La traduction est établie d'après le texte anglais des *Collected Works of John Stuart Mill*, vol. XVIII: *Essays on Politics and Society*, J.M. Robson (ed.) and A. Brady (intr.), University of Toronto Press, Routledge and Kegan Paul, Toronto and London, 1977, pp. 213-310.

Le grand principe directeur vers lequel chaque argument exposé dans ces pages converge directement, est l'importance absolue et essentielle du développement humain dans sa plus riche diversité.

Wilhelm von Humboldt
La sphère et les devoirs du gouvernement[1]

---

1. Mill cite la traduction anglaise de l'ouvrage de Wilhelm von Humboldt: *Sphere and duties of government* (trad. angl. J. Coulthard), Chapman, London, 1854, p. 65.

Je dédie ce volume à la mémoire chérie et regrettée de celle qui fut l'inspiratrice et en partie l'auteur du meilleur de mes écrits; l'amie et la femme dont le sens élevé de la vérité et de l'honnêteté fut mon stimulant le plus fort, et dont l'approbation fut ma principale récompense. Comme tout ce que j'ai écrit depuis de nombreuses années, il lui appartient autant qu'à moi. Mais l'ouvrage tel qu'il se présente a eu, à un degré insuffisant, l'avantage inestimable de sa révision, quelques unes des parties les plus importantes ayant été mises de côté en vue d'un examen plus approfondi dont elles ne bénéficieront maintenant plus jamais. Si seulement j'étais capable d'interpréter pour le monde ne serait-ce que la moitié des grandes pensées et des nobles sentiments qu'elle a emportés dans sa tombe, je lui apporterais plus de bien qu'il ne pourra jamais résulter de tout ce que je pourrais écrire sans l'émulation et l'assistance de sa sagesse incomparable.

CHAPITRE 1

INTRODUCTION

Le sujet de cet essai n'est pas ce qu'on appelle le libre arbitre, si malencontreusement opposé à la doctrine faussement dite de la nécessité philosophique, mais la liberté civile ou sociale: la nature et les limites du pouvoir que la société peut légitimement exercer sur l'individu. Une question rarement posée et presque jamais discutée en termes généraux, mais qui, par sa présence latente, influence profondément les controverses pratiques de notre époque, et qui s'imposera probablement comme la question vitale de l'avenir. Elle est si loin d'être neuve, qu'en un certain sens, elle divise l'humanité presque depuis les temps les plus reculés. Mais dans la période de progrès où les peuples les plus civilisés de notre espèce se sont à présent engagés, elle se présente dans une nouvelle perspective et requiert un traitement différent et plus fondamental.

La lutte entre la liberté et l'autorité constitue le trait le plus remarquable des périodes de l'histoire avec lesquelles nous nous familiarisons depuis notre plus jeune âge, plus particulièrement celles de la Grèce, de Rome et de l'Angleterre. Mais, dans les temps anciens, ce conflit opposait les sujets[1], ou certaines classes de sujets, au gouvernement. Par liberté, on entendait la protection contre la tyrannie des souverains[2]. On concevait que les souverains (à l'exception de certains gouvernements démocratiques de la Grèce) se trouvaient dans une position nécessairement antagoniste par rapport aux peuples qu'ils gouvernaient. Il s'agissait d'une unité gouvernante, ou de tribus ou de castes qui tiraient leur autorité de l'héritage ou de la conquête; qui, en tout cas, ne la tenaient pas du bon plaisir des gouvernés, et dont les hommes ne se risquaient pas à contester la suprématie - ou bien peut-être ne le désiraient-ils pas -, quelles que soient les précautions qu'ils auraient pu prendre contre l'exercice oppressif qu'ils en faisaient. Leur pouvoir était considéré comme nécessaire, mais également comme considérablement dangereux, comme une arme qu'ils pouvaient tout aussi bien utiliser contre leurs sujets que contre leurs ennemis extérieurs. Pour éviter que les membres les plus faibles de la communauté ne deviennent la proie d'innombrables vautours, il était nécessaire qu'il y eût un animal de proie plus puissant que les autres chargé de les tenir en respect. Mais comme le roi des vautours n'aurait pas été moins enclin que n'importe laquelle de ses harpies inférieures à faire une proie du troupeau, il était indispensable de rester perpétuellement sur la défensive contre son bec et ses serres. C'est pourquoi le but des patriotes était de fixer des limites au pouvoir que le souverain serait autorisé à exercer sur la communauté; et c'est cette limitation qu'ils nommaient "liberté". On chercha à la réaliser de deux manières. Premièrement, en obtenant la reconnaissance de certaines immunités, appelées libertés ou droits politiques, que le souverain ne pouvait transgresser sans manquer à son devoir, et qui, au cas où il l'aurait fait, auraient pu justifier une forme spécifique de résistance ou

---

1. *Subjects.*
2. *Political rulers.*

une rébellion générale. Un deuxième expédient, qui en règle générale apparut plus tardivement, fut l'établissement de contrôles constitutionnels, par lesquels le consentement de la communauté ou d'un corps quelconque supposé représenter ses intérêts devenait la condition nécessaire de certains des actes les plus importants du pouvoir. Dans la plupart des pays européens, le pouvoir en place[1] se vit plus ou moins contraint de se soumettre au premier de ces deux modes de limitation. Ce ne fut pas le cas avec le deuxième, et le principal objet des amis de la liberté fut de l'instaurer ou bien d'achever de l'instaurer lorsqu'on n'y était parvenu que partiellement. Et tant que l'humanité se contenta de combattre un ennemi par l'autre et d'être gouvernée par un maître à la condition d'être garantie plus ou moins efficacement contre sa tyrannie, elle ne porta pas ses aspirations plus loin.

Il vint néanmoins un temps dans la marche des affaires humaines où les hommes cessèrent de penser qu'une nécessité naturelle conférait à leurs gouvernants un pouvoir indépendant dont les intérêts étaient opposés aux leurs. Il leur sembla bien préférable que les divers magistrats de l'Etat fussent leurs représentants ou leurs délégués, et révocables à leur gré. C'était là, leur semblait-il, le seul moyen de se prémunir complètement contre les abus de pouvoir du gouvernement. Petit à petit, cette nouvelle revendication en faveur de souverains électifs et temporaires devint l'objet des efforts du parti démocratique[2] partout où un tel parti existait, et se substitua dans une très large mesure aux efforts antérieurs pour limiter le pouvoir des souverains. Tandis que la lutte continuait pour que la puissance souveraine émane du choix périodique des gouvernés, certains se mirent à penser qu'on avait attaché trop d'importance à la limitation du pouvoir lui-même. *Ceci*

---

1. *Ruling power.*
2. *Popular party.*

(à ce qu'il pouvait sembler) était une ressource contre les souverains dont les intérêts étaient habituellement opposés à ceux du peuple. Ce qu'on voulait maintenant, c'était que les souverains fussent identifiés au peuple; que leurs intérêts et leur volonté fussent l'intérêt et la volonté de la nation. La nation n'avait nul besoin d'être protégée contre sa propre volonté. Il n'y avait pas à craindre qu'elle s'imposât sa propre tyrannie. Si les souverains étaient effectivement responsables envers elle et rapidement révocables par elle, elle pouvait alors se permettre de leur confier un pouvoir dont elle dicterait elle-même l'usage. Leur pouvoir n'était rien d'autre que le pouvoir propre de la nation, concentré sous une forme convenant à son exercice. Cette façon de penser, ou peut-être plutôt de sentir, était répandue dans la dernière génération du libéralisme européen, où elle prédomine encore apparemment dans sa section continentale. Ceux qui admettent qu'il y a une limite à ce qu'un gouvernement peut faire - sauf s'il s'agit selon eux d'un gouvernement qui ne devrait pas exister -, font figure de brillantes exceptions parmi les penseurs politiques du continent. Un sentiment d'une nuance similaire aurait pu prévaloir aujourd'hui dans notre propre pays si les circonstances qui l'encouragèrent un temps étaient restées les mêmes.

Mais, dans les théories politiques et philosophiques comme chez les personnes, le succès révèle des fautes et des infirmités que l'échec aurait pu dérober à l'observation. L'idée que les peuples n'ont pas besoin de limiter leur pouvoir sur eux-mêmes pouvait paraître avoir valeur d'axiome quand le gouvernement démocratique[1] était une chose dont on ne faisait que rêver, ou à propos de laquelle on lisait qu'elle avait existé dans un passé reculé. Cette idée ne fut pas nécessairement remise en cause par les aberrations passagères de la Révolution française, dont les

---

1. *Popular government*.

pires furent le fait d'un petit nombre d'usurpateurs et qui, de toutes façons, ne prenaient pas leur source dans le fonctionnement régulier des institutions populaires, mais dans une révolte subite et convulsive contre le despotisme de la monarchie et de l'aristocratie. Néanmoins, par la suite, une république démocratique vint occuper une grande partie de la surface de la terre et s'imposa comme l'un des membres les plus puissants de la communauté des nations; dès lors, le gouvernement électif et responsable devint l'objet des observations et des critiques qui accompagnent la reconnaissance d'un fait d'importance. On s'apercevait à présent que des expressions telles que "l'autonomie politique[1]" et "le pouvoir du peuple sur lui-même" n'exprimaient pas le véritable état des choses. Le "peuple" qui exerce le pouvoir n'est pas toujours identique au peuple sur lequel il est exercé; et "l'autonomie politique" en question n'est pas le gouvernement de chacun par soi-même, mais celui de chacun par tous les autres. De plus, la volonté du peuple signifie en pratique la volonté du plus grand nombre ou de la *partie* majoritaire ou la plus active du peuple, c'est-à-dire de la majorité ou de ceux qui parviennent à s'imposer en tant que majorité. Le peuple *peut* par conséquent désirer opprimer une partie de ses membres, et des précautions sont tout aussi nécessaires contre cet abus de pouvoir que contre n'importe quel autre. C'est pourquoi la limitation du pouvoir du gouvernement sur les individus ne perd rien de son importance, même quand les détenteurs du pouvoir doivent régulièrement rendre des comptes à la communauté, c'est-à-dire à son parti le plus fort. Si cette vision des choses n'a eu aucune peine à s'imposer, c'est qu'elle se recommandait d'elle-même, tant à l'intelligence des penseurs qu'aux penchants des classes importantes de la société européenne, aux intérêts réels ou supposés desquelles la démocratie est hostile. Et dans les spéculations

---

1. *Self-government.*

politiques, on inclut maintenant en général "la tyrannie de la majorité[1]" au nombre des maux contre lesquels la société exige que l'on se protège.

Comme les autres tyrannies, la tyrannie de la majorité fut d'abord redoutée, et elle l'est toujours par le vulgaire, surtout en tant qu'elle transparaît dans les actes des autorités publiques. Mais les gens réfléchis s'aperçurent que, lorsque la société est elle-même le tyran - la société prise collectivement, opprimant les individus séparés qui la composent - ses moyens de tyranniser ne se limitent pas aux actes qu'elle peut accomplir par la main de ses fonctionnaires politiques. La société peut exécuter et exécute effectivement ses propres ordres: et si elle en donne de mauvais au lieu de bons, ou bien dans des domaines qui ne sont pas de son ressort, elle pratique une tyrannie sociale plus redoutable que maintes formes d'oppression politique, puisqu'elle laisse moins d'échappatoire aux individus et pénètre bien plus profondément dans les détails de la vie, en réduisant l'âme elle-même à l'esclavage. La protection contre la tyrannie des magistrats ne suffit donc pas: il faut également une protection contre la tyrannie de l'opinion et des sentiments dominants, contre la tendance de la société à imposer ses idées et ses mœurs comme règles de conduite à ceux qui sont d'un autre avis, par d'autres moyens que les sanctions pénales. Il faut une protection contre sa tendance à entraver le développement - et même à empêcher la formation - de toute individualité qui ne serait pas en harmonie avec ses mœurs, et à forcer tous les caractères à se conformer au modèle qu'elle a établi. Il y a une limite à l'ingérence[2] légitime de l'opinion collective dans l'indépendance individuelle: trouver cette limite et la défendre contre les empiètements éventuels est aussi

---

1. L'expression est de Tocqueville, in *De la démocratie en Amérique*, Gosselin, Paris, vol.2, p. 142.
2. *Interference*.

indispensable à la bonne marche des affaires humaines que de se protéger contre le despotisme politique.

Mais bien que ce que je propose ici ne risque pas d'être contesté en théorie, la question pratique de savoir où placer la limite, et de trouver la juste harmonie entre l'indépendance individuelle et le contrôle social, est un sujet où presque tout reste à faire. Tout ce qui donne sa valeur à notre existence dépend de la mise en vigueur de restrictions imposées aux actions d'autrui. Par conséquent, certaines règles de conduite doivent être imposées, d'abord par la loi, et dans les nombreux cas qui ne sont pas appropriés à l'action de la loi, par l'opinion. Ce que doivent être ces règles constitue le principal problème des affaires humaines. Si nous faisons exception des quelques cas les plus évidents, c'est l'une des questions dont la solution a fait le moins de progrès. Il n'y a pas deux époques et guère deux pays qui l'aient tranchée de la même manière, et la décision d'une époque ou d'un pays est un sujet d'étonnement pour un autre. Pourtant, les peuples de tous les âges et de tous les pays n'y voient pas plus de difficulté que s'il s'agissait d'un sujet sur lequel l'humanité aurait toujours été en accord. Les règles qui ont cours dans les différents pays sont si évidentes pour ceux qui les observent qu'elles leur semblent aller de soi. Cette illusion presque universelle est un des exemples de l'influence magique de la coutume[1], qui n'est pas seulement, comme dit le proverbe, une seconde nature[2], mais que l'on confond constamment avec la

---

1. "Coutume" est ici plus approprié qu'"habitude" pour traduire *custom*. L'habitude peut être une manière fréquemment répétée de penser ou d'agir contractée par un *individu*. Manifestement, Mill se réfère ici aux façons de penser ou d'agir établies auxquelles la plupart se conforment à l'intérieur d'une certaine communauté ou tradition aux mœurs consacrées par l'usage *collectif* et transmises d'une génération à l'autre.

2. Pascal: "La coutume est notre nature" (*Pensées*, n° 419). Pascal défend très nettement une thèse d'*identité* en justifiant la

première. L'effet de la coutume, en empêchant toute
hésitation à suivre les règles de conduite que les hommes
s'imposent les uns aux autres, est d'autant plus complet que
le sujet est un de ceux à propos desquels on n'estime pas
nécessaire de donner des raisons, ni aux autres, ni à soi-
même[3]. Les gens ont pris l'habitude de croire, et ont été
encouragés dans ce sens par certaines personnes qui
prétendent au titre de philosophes, que leurs sentiments, sur
les sujets de cette nature, sont meilleurs que les raisons, et
rendent les raisons superflues. Le principe pratique qui les
guide dans leurs opinions sur le règlement de la conduite
humaine n'est rien d'autre que le sentiment présent dans
l'esprit de chacun de nous, et selon lequel chacun devrait être
tenu d'agir comme nous le voudrions nous, ainsi que ceux
avec lesquels nous sommes d'accord. Personne, en vérité, ne
s'avoue que son critère de jugement n'est rien de plus que
son propre goût. Mais une opinion sur un point de conduite
qui ne s'appuie pas sur des raisons peut seulement faire
office de préférence personnelle; et si les raisons, une fois
données, font seulement appel à une préférence similaire
ressentie par d'autres personnes, nous n'avons affaire à rien
de plus qu'au goût de plusieurs personnes au lieu de celui
d'une seule. En revanche, que les préférences d'un homme du
commun soient conformes à celles du plus grand nombre
constitue à ses yeux, non seulement un critère tout à fait
satisfaisant, mais le seul dont il dispose en général pour

___

vanité de la coutume comme parfaitement raisonnable, selon
"une lumière supérieure" (n° 90), par "la pensée de derrière" (n°
91) qui dévoile que "(....) le peuple est vain quoique ces
opinions soient saines parce qu'il ne sent pas la vérité où elle
est" (n° 93 - mais voir aussi n° 101). Pour les *Pensées*, je
renvoie à la numérotation Lafuma.
3. Voir David Hume: *A trteatise of human nature*, Book 2,
section V, §1; également Pascal: *Pensées*, n° 25.

toutes ses notions de moralité, de goût et de bienséance, et de tout ce qui n'est pas expressément prescrit par sa croyance religieuse - un critère qui constitue son guide principal même dans l'interprétation de sa foi. Par conséquent, les opinions des hommes sur ce qui est louable ou condamnable sont affectées par les causes multiples qui influencent leurs désirs en toute autre matière. C'est tantôt leur raison, tantôt leurs préjugés ou leurs superstitions; souvent leur sociabilité, assez fréquemment leurs penchants antisociaux, l'envie ou la jalousie, l'arrogance ou le mépris. Mais, plus communément, ce sont les désirs ou les craintes qu'ils éprouvent pour eux-mêmes; leur intérêt propre, légitime ou illégitime. Partout où il y a une classe dominante, la moralité du pays émane dans une large mesure des intérêts de cette classe et de ses sentiments de supériorité. La conduite morale des Spartiates envers les Ilotes, des planteurs envers les nègres, des princes envers leurs sujets, des nobles envers les roturiers, des hommes envers les femmes, est née en grande partie de ces intérêts et de ces sentiments de classe. Et les sentiments ainsi engendrés agissent en retour sur les sentiments moraux des membres de la classe dominante, dans les relations que ses propres membres entretiennent entre eux. En revanche, lorsqu'une classe autrefois dominante a perdu son influence, ou lorsque cette influence devient impopulaire, les sentiments moraux prédominants portent fréquemment l'empreinte d'une vive aversion pour toute supériorité. L'autre grand principe, imposé par la loi ou l'opinion, et qui a déterminé les règles de conduite en matière d'intolérance et de tolérance, a été la servilité de l'humanité envers les préférences et les aversions supposées de ses maîtres temporels ou de ses dieux. Cette servilité, quoique essentiellement égoïste, n'est pas de l'hypocrisie. Elle donne naissance à des sentiments parfaitement authentiques de répulsion. Elle a poussé les hommes à brûler les magiciens et les hérétiques. Parmi tant d'influences si basses, les intérêts généraux et évidents de la société ont naturellement eu une part, et même une part importante, dans la direction des sentiments moraux; moins, cependant, en tant que matière à raison et pour leur propre compte, que comme conséquence des sympathies et des antipathies qui se sont développées à partir d'eux. Et ce furent ces sympathies et ces antipathies qui n'avaient pourtant que peu ou rien à voir avec les intérêts de la société, qui contribuèrent si fortement à l'établissement des morales.

Les préférences et les aversions de la société, ou celles de l'une de ses fractions influentes, constituent donc l'élément principal qui, grâce à la sanction de la loi et de l'opinion, a pour ainsi dire déterminé dans la pratique les règles à observer par tous. Et en général, ceux qui ont devancé la société par leurs idées et leurs sentiments ont en principe laissé cet état de choses comme il se présentait, même s'ils sont entrés en conflit avec lui sur des points de détail. Ils se sont occupés de savoir quelles choses la société devrait aimer ou ne pas aimer plutôt que de chercher à savoir si ses préférences ou ses aversions devaient avoir force de loi pour les individus. Ils ont préféré chercher à modifier les sentiments de l'humanité sur les points particuliers auxquels eux-mêmes s'opposaient, plutôt que de faire cause commune avec tous les opposants[1] pour la défense de la liberté. C'est seulement dans le cas de la croyance religieuse qu'un point de vue plus élevé a été adopté pour lui-même et défendu avec cohérence par tous, à l'exception d'un individu ici et là: un cas instructif à maints égards, et assez important pour constituer un exemple tout à fait saisissant de ce qu'on appelle le sens moral[2]. Car l'*odium theologicum*[3], chez un bigot sincère, est l'un des cas les moins équivoques de

---

1. *Heretics.*
2. *Moral sense.*
3. Littéralement: la haine (ou l'aversion) théologique.

sentiment moral[1]. Ceux qui s'affranchirent les premiers du joug de ce qui se donnait le nom d'Eglise universelle[2] étaient en général aussi peu disposés qu'elle à autoriser la différence dans les opinions religieuses. Mais quand la fièvre du conflit fut retombée sans donner la victoire complète à aucun parti, et que chaque église ou secte en fut réduite à ne pas espérer plus que de garder en sa possession le terrain qu'elle occupait déjà, les minorités, voyant qu'elles n'avaient aucune chance de devenir des majorités, se virent contraintes de plaider auprès de ceux qu'elles ne pouvaient convertir pour qu'ils leur accordent leur différence. C'est par conséquent presque uniquement sur ce terrain que les droits de l'individu contre la société ont été revendiqués, sur le fondement de principes assez larges, et que la prétention de la société à exercer son autorité sur les dissidents a été ouvertement contestée. Les grands écrivains auxquels le monde doit ce qu'il a de liberté religieuse, ont le plus souvent défendu la liberté de conscience comme un droit inaliénable. Ils ont nié de manière catégorique qu'un être humain doive rendre compte aux autres de ses croyances religieuses. Mais l'intolérance est si naturelle aux hommes dans tout ce qui leur importe vraiment, que la liberté religieuse n'a pratiquement jamais été mise en application ailleurs que là où l'indifférence religieuse, qui n'aime pas voir sa paix troublée par les querelles théologiques, venait peser dans la balance. Dans l'esprit de presque toutes les personnes religieuses, même dans les pays les plus tolérants, le devoir de tolérance n'est admis qu'avec des réserves tacites. L'un acceptera le désaccord en matière de gouvernement ecclésiastique, mais non de dogme; un autre

---

1. *Moral feeling*.
2. C'est le sens du mot grec *katholikos*: universel. L'Eglise romaine se donne le titre d'Eglise catholique et apostolique.

pourra tolérer tout le monde, sauf un papiste[1] ou un unitarien[2]; un autre encore, tous ceux qui croient à la religion révélée. Quelques-uns étendent leur charité un peu plus loin, mais jamais au point de revenir sur leur croyance en un Dieu unique et en une vie future. Partout où le sentiment de la majorité est encore authentique et profond, on s'aperçoit qu'il n'a réduit que de très peu sa prétention à se faire obéir.

En Angleterre - à cause des circonstances particulières de notre histoire politique -, bien que le joug de l'opinion soit peut-être plus lourd, celui de la loi est plus léger que dans la plupart des autres pays d'Europe; et l'on est très jaloux de préserver la vie privée face à l'ingérence directe du pouvoir législatif ou exécutif, non pas tant du fait d'un juste souci pour l'indépendance de l'individu, que par l'habitude toujours persistante de considérer le gouvernement comme représentant un intérêt opposé à celui du public. La majorité n'a pas encore appris à ressentir le pouvoir du gouvernement comme étant son propre pouvoir, ou les opinions du gouvernement comme les siennes propres. Quand elle le fera, la liberté individuelle sera probablement exposée à l'invasion du gouvernement autant qu'elle l'est déjà à celle de l'opinion publique. Mais pour l'instant, il y a un sentiment d'une force considérable prêt à se mobiliser contre toute tentative de la loi pour contrôler les individus dans les choses qui ont jusqu'à présent échappé à son contrôle; et ce, sans beaucoup de discernement entre ce qui tombe ou ne tombe pas dans la sphère légitime du contrôle légal, à tel point que ce sentiment, globalement très salutaire, est peut-être aussi souvent déplacé que bien fondé dans les cas

---

1. C'est le nom péjoratif que les protestants donnent aux catholiques romains.
2. Les unitariens sont, au sens large, tous les partisans des hérésies antitrinitaires. L'unitarisme était puni de la peine capitale en Angleterre jusqu'en 1813. Les unitariens se réfugièrent aux Etats-Unis.

particuliers de son application. Il n'y a, en fait, aucun principe reconnu pour tester le caractère approprié de l'ingérence gouvernementale. Les gens en décident selon leurs préférences personnelles. Certains voudraient inciter le gouvernement à entreprendre la tâche partout où ils voient un bien quelconque à faire, ou quelque mal auquel remédier, tandis que d'autres préfèrent subir toute espèce de préjudices sociaux plutôt que d'ajouter quoi que ce soit au domaine des intérêts humains soumis au contrôle gouvernemental. Et les hommes se rangent d'un côté ou de l'autre quel que soit le cas particulier, suivant cette direction générale de leurs sentiments, ou suivant le degré d'intérêt qu'ils portent à la chose particulière que l'on projette de mettre dans la compétence du gouvernement, ou suivant leur conviction que le gouvernement agirait ou non de la manière qu'ils préfèrent; mais rarement en fonction d'une opinion à laquelle ils adhèrent de manière cohérente, sur ce qui est propre à être fait par un gouvernement. Et il me semble qu'en conséquence de cette absence de règle ou de principe, les deux partis ont en réalité aussi souvent tort l'un que l'autre. L'ingérence du gouvernement est, avec une fréquence à peu près égale, invoquée et condamnée mal à propos.

L'objet de cet essai est d'affirmer un principe très simple, qui soit à même de régler entièrement les rapports de la société avec l'individu, en ce qui concerne la contrainte et le contrôle; que les moyens utilisés soient la force physique, sous la forme de sanctions légales, ou la contrainte morale de l'opinion publique. Ce principe est que la seule fin pour laquelle les hommes soient justifiés[1], individuellement ou collectivement, à interférer avec la liberté d'action de n'importe lequel d'entre eux, est l'auto-protection. La seule raison légitime que puisse avoir une communauté civilisée d'user de la force contre un de ses membres, contre sa propre volonté, est d'empêcher que du

---

1. *Warranted.*

mal ne soit fait à autrui. Le contraindre pour son propre bien, physique ou moral, ne fournit pas une justification suffisante. On ne peut l'obliger ni à agir ni à s'abstenir d'agir, sous prétexte que cela serait meilleur pour lui ou le rendrait plus heureux; parce que, dans l'opinion des autres, il serait sage ou même juste d'agir ainsi. Ce sont là de bonnes raisons pour lui faire des remontrances, ou le raisonner, ou le persuader, ou le supplier, mais ni pour le contraindre, ni pour le punir, au cas où il agirait autrement. La contrainte n'est justifiée que si l'on estime que la conduite dont on désire le détourner risque de nuire à quelqu'un d'autre. Le seul aspect de la conduite d'un individu qui soit du ressort de la société est celui qui concerne autrui. Quant à l'aspect qui le concerne simplement lui-même, son indépendance est, en droit, absolue. L'individu est souverain sur lui-même, son propre corps et son propre esprit.

Il n'est peut-être guère nécessaire de préciser que cette doctrine s'applique uniquement aux êtres humains dont les facultés ont atteint leur maturité. Nous ne parlons pas des enfants, ou des jeunes gens des deux sexes en dessous de l'âge de la majorité fixé par la loi. Ceux qui sont encore dépendants des soins d'autrui doivent être protégés contre leurs propres actions, aussi bien que contre les risques extérieurs. Pour la même raison, nous pouvons laisser hors de considération ces âges arriérés de la société, où l'on peut estimer que l'espèce[1] elle-même est comme dans son enfance. Les premières difficultés sur le chemin du progrès spontané sont si grandes qu'on a rarement le choix des moyens pour les surmonter; et un souverain animé d'un esprit de progrès peut se permettre d'utiliser tout expédient propre à atteindre un but qu'il serait peut-être autrement impossible d'atteindre. Le despotisme est un mode légitime de gouvernement quand on a affaire aux barbares, pourvu que le but visé soit leur perfectionnement, et que les

---

1. *Race.*

moyens soient justifiés par la réalisation effective de ce but. La liberté, comme principe, ne s'applique pas aux états de choses antérieurs à l'époque où l'humanité est devenue capable d'amélioration par la libre discussion entre individus égaux. Jusque-là, il n'y a rien d'autre pour les hommes que l'obéissance aveugle à un Akbar[1] ou à un Charlemagne, s'ils ont toutefois la bonne fortune d'en trouver un. Mais dès que les hommes sont devenus capables de se guider sur la voie du progrès par la conviction et la persuasion (un stade atteint depuis longtemps par toutes les nations auxquelles nous devons nous intéresser ici), la contrainte - soit sous une forme directe, soit sous la forme de peines et de sanctions infligées pour désobéissance - n'est plus admissible en tant que moyen pour guider les hommes vers leur propre bien, et elle ne se justifie plus que lorsqu'il s'agit de la sécurité d'autrui.

Il convient de remarquer que je renonce à tout avantage que je pourrais tirer, au cours de mon argumentation, de l'idée d'un droit abstrait comme étant quelque chose d'indépendant de l'utilité. Je considère que l'utilité est l'arbitre ultime dans toutes les questions éthiques. Mais il doit s'agir de l'utilité au sens le plus large, fondée sur les intérêts permanents de l'homme conçu comme être capable de progrès. Je soutiens que ces intérêts n'autorisent la sujétion de la spontanéité individuelle au contrôle extérieur qu'à l'égard des actions de chacun qui touchent à l'intérêt d'autrui. Si quelqu'un commet un acte qui nuit à autrui, il y a à première vue une raison pour le punir, soit par la loi, soit par la réprobation générale au cas où les sanctions légales ne seraient pas applicables. Il y a également de nombreux actes positifs pour le bien d'autrui que l'individu peut être légitimement contraint d'accomplir, comme de témoigner devant un tribunal, d'accepter sa juste part dans la

---

1. Akbar (1542-1605), empereur moghol de l'Inde. Le plus grand souverain de l'Inde à l'époque musulmane.

défense commune ou dans toute autre entreprise collective nécessaire à l'intérêt de la société dont il reçoit protection; et enfin d'accomplir certaines actions de bienfaisance individuelle, comme de sauver la vie de son semblable ou de s'interposer pour protéger ceux qui sont sans défense contre les mauvais traitements. On peut en effet tenir un homme pour responsable devant la société s'il a manqué d'accomplir de tels actes lorsque tel était son devoir. Une personne peut nuire aux autres non seulement par ses actions, mais également par son inaction, et dans les deux cas, elle est à juste titre responsable envers eux du dommage. Dans le dernier cas, l'exercice de la contrainte requiert beaucoup plus de prudence que dans le premier. Rendre quelqu'un responsable du mal qu'il fait à autrui, c'est la règle. Le rendre responsable de ne pas empêcher un mal, c'est, comparativement, l'exception. Il y a néanmoins de nombreux cas assez clairs et assez graves pour justifier cette exception. En tout ce qui concerne les relations de l'individu avec l'extérieur, celui-ci est, en droit, responsable devant ceux dont les intérêts sont concernés, et si nécessaire, devant la société en tant qu'elle est leur protecteur. Il y a souvent de bonnes raisons pour ne pas lui faire porter la responsabilité, mais on doit tirer ces raisons de la considération qu'il est plus opportun d'agir ainsi dans le cas particulier considéré; soit parce qu'il s'agit d'un genre de cas où il agira probablement mieux s'il est livré à sa propre discrétion que s'il est contrôlé par l'un des moyens dont dispose la société, soit parce que la tentative d'exercer un contrôle produirait d'autres maux, plus importants que ceux qu'elle entend prévenir. Lorsque de telles raisons excluent que l'on sanctionne la responsabilité, la conscience de l'agent lui-même devrait prendre la place du juge et protéger les intérêts de ceux qui n'ont pas de protection extérieure. L'agent lui-même devrait se juger avec d'autant plus de rigueur que le cas ne permet pas qu'on le soumette au jugement de ses semblables.

Mais il y a une sphère d'action dans laquelle la société, en tant que distincte des individus, n'a - si jamais elle en a un - qu'un intérêt indirect. Il s'agit de cet aspect de la vie et de la conduite d'une personne qui n'affecte qu'elle-même, ou qui, si elle en affecte également d'autres, ne le fait qu'avec leur participation et leur consentement volontaire, et en toute connaissance de cause. Quand je dis "seulement elle-même", je veux dire "directement et en première instance". Car tout ce qui l'affecte elle-même peut affecter les autres par son intermédiaire; et l'objection que l'on peut fonder sur cette éventualité sera prise en considération par la suite. Voilà donc la région propre de la liberté humaine. Elle comprend, en premier lieu, le domaine interne de la conscience[1], exigeant la liberté de conscience au sens le plus large: la liberté de penser et de sentir, la liberté absolue d'opinion et de sentiment sur tous les sujets pratiques ou spéculatifs, scientifiques, moraux, ou théologiques. Il peut sembler que la liberté d'exprimer et de publier des opinions tombe sous un principe différent, puisqu'elle relève de cet aspect de la conduite d'un individu qui concerne autrui. Mais, étant à peu près aussi importante que la liberté de pensée elle-même, et se fondant en grande partie sur les mêmes raisons, elle en est pratiquement inséparable. Deuxièmement, le principe requiert la liberté des goûts et des occupations, la liberté de tracer le plan de notre vie conformément à notre propre caractère, la liberté de faire ce qui nous plaît et de risquer les conséquences qui peuvent s'ensuivre, et cela sans en être empêchés par nos semblables tant que nous ne leur nuisons pas, quand bien même ils devraient juger notre conduite ridicule, perverse, ou mauvaise. Troisièmement, c'est de cette liberté de chaque individu que résulte, dans les mêmes limites, la liberté d'association entre individus: la liberté de s'unir dans n'importe quel but, à condition qu'il ne nuise pas à autrui,

---

1. *Inward domain of consciousness.*

les associés étant supposés majeurs et s'étant réunis sans contrainte ni tromperie.

Aucune société n'est libre à moins qu'elle ne respecte globalement ces libertés, quelle que soit la forme de son gouvernement; et aucune n'est totalement libre, si elles n'y sont pas absolues et sans restrictions. La seule liberté digne de ce nom est celle de travailler à notre propre bien de la manière qui nous est propre, pour autant que nous ne cherchions pas à en priver les autres ou à leur faire obstacle dans leurs efforts pour l'obtenir. Chacun est le gardien qualifié de sa propre santé, aussi bien corporelle que mentale et spirituelle. Les hommes gagnent plus à supporter que chacun vive comme bon lui semble, qu'à forcer chacun à vivre comme il semble bon à tous les autres.

Bien que cette doctrine soit loin d'être nouvelle et qu'elle puisse passer pour un truisme aux yeux de certains, il n'y en a pas de plus directement opposée à la tendance générale de l'opinion et de la pratique actuelles. La société a déployé tout autant d'efforts (selon ses propres lumières) pour tenter de forcer les gens à se conformer à ses notions d'excellence personnelle, qu'à ses notions d'excellence sociale. Les anciennes républiques considéraient qu'elles avaient le droit de soumettre en pratique tous les aspects de la conduite privée aux règles de l'autorité publique, sous prétexte que l'Etat portait un intérêt profond à l'ensemble de la discipline physique et mentale de chacun de ses citoyens; et les anciens philosophes défendaient cette manière de voir. Cette manière de penser était envisageable dans les petites républiques entourées d'ennemis puissants, et constamment en péril de se voir renversées par des attaques extérieures ou des troubles intérieurs. Une simple relâche de leur énergie et de leur maîtrise de soi aurait pu être si aisément fatale, qu'elles ne pouvaient se permettre d'attendre les effets permanents et salutaires de la liberté. Dans le monde moderne, la plus grande dimension des communautés politiques et, surtout, la séparation des autorités spirituelle et temporelle (qui a remis la direction de la conscience des hommes dans d'autres mains que celles qui contrôlaient leurs affaires temporelles) ont empêché une ingérence aussi importante de la loi dans les détails de la vie privée. Du même coup, on a utilisé les armes de la répression morale avec davantage de vigueur contre les divergences par rapport à l'opinion régnante en ce qui concerne le domaine privé, qu'en ce qui concerne le social; la religion, le plus puissant des facteurs qui soient entrés dans la formation du sentiment moral, ayant presque toujours été dirigée, soit par l'ambition d'une hiérarchie cherchant à contrôler tous les domaines de la conduite humaine, soit par l'esprit de puritanisme. Et certains de ces réformateurs modernes qui se sont le plus fermement opposés aux religions du passé, ne sont en aucune manière restés en retrait par rapport aux églises et aux sectes, dans leur affirmation du droit à la domination spirituelle: M. Comte, en particulier, dont le système social, tel qu'il est exposé dans son *Système de politique positive*[1], vise à établir (il est vrai par des dispositifs d'ordre moral plutôt que juridique) un despotisme de la société sur l'individu qui surpasse tout ce qu'ont pu imaginer les plus rigides partisans de la discipline parmi les philosophes de l'Antiquité.

En dehors des doctrines propres à un penseur particulier, il y a également dans le monde une tendance croissante à étendre indûment le pouvoir de la société sur l'individu, par la force de l'opinion et même par celle de la législation. Et comme la tendance de tous les changements qui y ont lieu est de renforcer la société et de diminuer le pouvoir de l'individu, cet empiètement n'est pas de ces maux qui ont tendance à disparaître spontanément, mais au contraire de ceux qui tendent à devenir toujours plus redoutables. La

---

1. Auguste Comte: *Système de politique positive, ou traité de sociologie instituant la religion de l'humanité*, Mathias, Paris, 1851-1854.

disposition des hommes, qu'ils soient dirigeants ou concitoyens, à imposer aux autres leurs propres opinions et leurs propres penchants comme règle de conduite, est soutenue si énergiquement par certains des meilleurs sentiments propres à la nature humaine, comme par certains des plus mauvais, que seul un affaiblissement de son pouvoir pourrait la contenir. Et comme ce pouvoir ne décline pas mais croît, à moins qu'un mur de convictions morales puisse être dressé contre le mal, nous devons nous attendre, dans la situation présente du monde, à le voir augmenter.

Pour les besoins de la discussion, au lieu d'aborder directement la thèse générale, nous nous limiterons d'abord à une seule de ses branches, là où les opinions courantes s'accordent à reconnaître le principe ici exposé, sinon entièrement, du moins jusqu'à un certain point. Cette branche a trait à la liberté de pensée, laquelle est indissociablement liée à la liberté de parler et d'écrire. Bien que ces libertés fassent dans une très large mesure partie de la morale politique de tous les pays qui professent la tolérance religieuse et les libres institutions, les fondements à la fois philosophiques et pratiques sur lesquels elles reposent ne sont peut-être pas si familiers au public qu'on le croit, ni même parfaitement évalués par les chefs de file de l'opinion avec la profondeur qu'on aurait pu attendre. Ces fondements, si on les comprend comme il faut, ont une application bien plus large qu'à une seule division du sujet, et on verra qu'une prise en considération approfondie de cet aspect de la question constituera la meilleure introduction au reste. Que ceux pour qui rien de ce que je vais dire n'est nouveau veuillent bien m'excuser, si je m'aventure à discuter une fois de plus un sujet dont on a si souvent débattu depuis maintenant trois siècles.

CHAPITRE 2

DE LA LIBERTE DE PENSEE
ET DE DISCUSSION

Il faut espérer que le temps où il aurait été nécessaire de défendre la "liberté de la presse" comme l'une des sécurités contre les gouvernements corrompus ou tyranniques est révolu. Nous pouvons supposer qu'il est inutile aujourd'hui d'argumenter contre l'idée qu'un corps législatif ou exécutif dont les intérêts ne sont pas identiques à ceux du peuple, soit autorisé à lui prescrire des opinions et à déterminer quelles doctrines ou quels arguments il lui est permis d'entendre. D'ailleurs, les écrivains qui ont précédé ont si souvent et si triomphalement mis l'accent sur cet aspect du problème qu'il n'est pas nécessaire de s'y attarder plus particulièrement ici. Bien que la loi anglaise sur la presse soit aussi servile aujourd'hui qu'au temps des Tudors, il y a peu de danger qu'on s'en serve contre la discussion politique, sinon dans un moment de panique passager, lorsque la crainte de l'insurrection fait perdre la tête aux ministres et aux juges[1]. Et, en règle générale, il n'y a pas à craindre,

---

1. Ces mots étaient à peine écrits lorsque, comme pour leur donner un démenti solennel, se produisirent en 1858 les poursuites du gouvernement contre la presse. Cette ingérence

dans les pays constitutionnels, que le gouvernement, qu'il soit ou non entièrement responsable devant le peuple, cherche à contrôler l'expression de l'opinion, sauf quand il se fait par là même le porte-parole de l'intolérance générale du public. Supposons, par conséquent, que le gouvernement

---

malavisée dans la liberté de discussion publique ne m'a pas pour autant conduit à changer un seul mot du texte; elle n'a pas davantage affaibli ma conviction que, hors des mouvements de panique, l'ère des peines et des sanctions à l'encontre des discussions politiques était révolue dans notre pays. Car, d'abord, on ne persista pas dans les poursuites, et deuxièmement, ce ne furent jamais à proprement parler des poursuites politiques. La faute incriminée n'était pas d'avoir critiqué les institutions ou les actes et les personnes des gouvernants, mais d'avoir propagé une doctrine estimée immorale: la légitimité du tyrannicide.

Si les arguments de ce chapitre ont une quelconque validité, alors il devrait y avoir pleine liberté de professer et de discuter, en tant que conviction éthique, n'importe quelle doctrine, aussi immorale qu'on puisse la juger. Il serait donc inapproprié et déplacé d'examiner ici si la doctrine du tyrannicide mérite bien ce qualificatif. Je me contenterai de dire que cette question a toujours fait partie des débats moraux, et qu'un citoyen privé qui abat un criminel s'élève par là même au-dessus de la loi, et se place d'emblée hors de portée des châtiments. Cette action est reconnue par des nations entières, et par certains hommes des meilleurs et des plus sages, non comme un crime, mais comme un acte d'extrême vertu. De toute façon, juste ou injuste, le tyrannicide n'est pas de l'ordre de l'assassinat, mais de la guerre civile. En tant que telle, l'instigation au tyrannicide peut dans certains cas donner lieu à un châtiment approprié, mais seulement si elle est suivie d'un acte déclaré, ou si un lien vraisemblable entre l'acte et l'instigation peut être établi. Même dans ce cas, ce n'est pas un gouvernement étranger, mais uniquement le gouvernement attaqué lui-même qui peut légitimement punir les attaques dirigées contre sa propre existence, pour se défendre.

ne fasse qu'un avec le peuple et ne songe jamais à exercer aucun pouvoir de coercition, à moins qu'il ne soit en accord avec ce qu'il estime être la voix du peuple. Mais je nie le droit du peuple à exercer une telle coercition, que ce soit de lui-même ou par l'intermédiaire de son gouvernement. Ce pouvoir est lui-même illégitime. Le meilleur gouvernement n'y a pas plus droit que le pire. Il est aussi nuisible, si ce n'est plus, lorsqu'il est exercé avec l'accord de l'opinion publique qu'en opposition avec elle. Si tous les hommes moins un partageaient la même opinion, et si un seul d'entre eux était de l'opinion contraire, la totalité des hommes ne serait pas plus justifiée à imposer le silence à cette personne, qu'elle-même ne serait justifiée à imposer le silence à l'humanité si elle en avait le pouvoir. Si une opinion n'était qu'une possession personnelle, sans valeur pour d'autres que son possesseur, et si le fait d'être gêné dans la jouissance de cette opinion constituait simplement un dommage privé, il y aurait une certaine différence, suivant que le dommage serait infligé seulement à peu ou à beaucoup de personnes. Mais le mal particulier qui consiste à réduire une opinion au silence revient à voler le genre humain: aussi bien la postérité que la génération présente, et ceux qui divergent de cette opinion encore plus que ses détenteurs. Si l'opinion est juste, ils sont privés de l'opportunité d'échanger l'erreur contre la vérité; si elle est fausse, ils perdent un avantage presque aussi grand: celui de la perception plus claire et de l'impression plus vive de la vérité, que produit sa confrontation[1] avec l'erreur.

Il est nécessaire de considérer séparément ces deux hypothèses, une branche distincte de l'argument correspondant à chacune d'elles. Nous ne pouvons jamais être sûrs que l'opinion que nous cherchons à étouffer soit une opinion fausse; et si nous l'étions, l'étouffer serait quand même un mal.

---

1. *Collision.*

Premièrement: l'opinion que l'on tente de supprimer par autorité pourrait très bien être vraie. Bien évidemment, ceux qui désirent la supprimer nient qu'elle le soit. Mais ils ne sont pas infaillibles. Il n'est pas de leur ressort de trancher la question pour toute l'humanité, ni de retirer à toute autre personne les moyens de juger. Refuser l'audience[1] à une opinion sous prétexte qu'ils sont certains de sa fausseté revient à présupposer que *leur* certitude est la même chose que la certitude *absolue*. Toute répression d'une discussion revient à un postulat d'infaillibilité[2]. Cet argument ordinaire pourra suffire à condamner ce procédé, et tout ordinaire qu'il soit, il n'en est pas plus mauvais pour autant.

Malheureusement pour le bon sens des hommes, leur faillibilité est loin d'avoir dans leurs jugements pratiques le poids qu'on lui accorde toujours en théorie. Car bien que chacun se sache lui-même faillible, peu d'entre nous jugent qu'il est nécessaire de prendre des précautions contre cette faillibilité, ou de supposer que n'importe laquelle des opinions dont nous nous sentons très certains pourrait constituer l'un des exemples de l'erreur à laquelle nous reconnaissons que nous sommes nous-mêmes enclins. Les princes absolus et tous ceux qui sont accoutumés à une déférence sans limites éprouvent généralement cette parfaite confiance en leurs propres opinions sur presque tous les sujets. Les gens placés dans une situation plus favorable, qui voient parfois leurs opinions contestées et à qui il arrive d'être corrigés quand ils ont tort, n'accordent la même confiance illimitée qu'aux opinions qu'ils partagent avec tous ceux qui les entourent, ou avec ceux auxquels ils s'en remettent habituellement. Car, à mesure qu'un homme manque de confiance dans son propre jugement solitaire, il s'en remet d'habitude à l'infaillibilité du "monde" en général.

---

1. *Hearing.*
2. *Assumption of infallibility.*

Et le monde, pour chaque individu, signifie la partie du monde avec laquelle il entre en contact: son parti, sa secte, son église, sa classe sociale. On peut, par comparaison, appeler presque libéral et d'esprit ouvert l'homme pour lequel cette notion signifie quelque chose d'aussi vaste que son propre pays ou sa propre époque. Et sa foi dans cette autorité collective n'est pas le moins du monde ébranlée bien qu'il ait conscience que d'autres époques, d'autres pays, d'autres sectes, églises, classes et partis, ont pensé, et pensent même aujourd'hui exactement l'inverse. Il délègue à son propre monde la responsabilité d'avoir raison face aux mondes dissidents des autres peuples; et il n'est jamais incommodé par le fait qu'un simple accident a décidé lequel de ces nombreux mondes fait l'objet de sa confiance, et que les mêmes causes qui font de lui un anglican à Londres, auraient fait de lui un bouddhiste ou un confucianiste à Pékin. Il est pourtant évident - comme une infinité d'exemples pourraient le montrer - que les époques ne sont pas plus infaillibles que les individus; chaque époque ayant maintenu de nombreuses opinions que les époques suivantes ont jugées non seulement fausses mais absurdes. Et il est tout aussi certain que bon nombre d'opinions aujourd'hui répandues seront rejetées par les époques futures, tout comme l'époque actuelle rejette une quantité d'opinions autrefois répandues.

L'argument suscitera probablement une objection du type suivant. Il n'y a pas plus de présupposition d'infaillibilité dans l'interdiction de la propagation de l'erreur que dans n'importe quel autre acte accompli par l'autorité publique, selon son propre jugement et sous sa propre responsabilité. Le jugement est donné aux hommes pour qu'ils puissent s'en servir. Faut-il, parce qu'ils peuvent en faire un usage erroné, leur défendre purement et simplement de l'utiliser? En interdisant ce qu'ils jugent pernicieux, ils ne prétendent pas s'affranchir de l'erreur, mais ils remplissent le devoir qui leur incombe d'agir selon leur conscience et leur conviction, malgré leur faillibilité. Si nous ne devions jamais agir selon nos opinions, sous prétexte qu'elles pourraient être fausses, il nous faudrait négliger tous nos intérêts et cesser d'accomplir nos devoirs. Une objection qui s'applique à toute conduite en général ne peut constituer une objection valide à aucune conduite en particulier. Il est du devoir du gouvernement et des individus de se former les opinions les plus vraies possibles, de le faire avec soin et de ne jamais les imposer aux autres à moins d'être tout à fait sûrs d'avoir raison. Mais quand ils sont sûrs (pourront dire les raisonneurs), ce ne sont pas les scrupules de la conscience, mais la lâcheté qui les retient d'agir selon leurs opinions, et de laisser des doctrines qu'ils jugent honnêtement dangereuses pour le bien-être de l'humanité, soit dans cette vie, soit dans une autre, être disséminées de tous côtés sans restrictions, sous prétexte que d'autres peuples, dans des temps moins éclairés, ont persécuté des opinions que nous croyons vraies aujourd'hui. Prenons garde, pourra-t-on dire, de ne pas commettre les mêmes erreurs. Mais les gouvernements et les nations ont commis des erreurs dans d'autres domaines dont on ne nie pas qu'ils soient du ressort de l'autorité publique: ils ont levé de mauvais impôts et mené des guerres injustes. Devrions-nous par conséquent ne plus lever d'impôts, et ne plus faire de guerres en dépit des provocations? Les hommes et les gouvernements doivent agir du mieux qu'ils peuvent. La certitude absolue n'existe pas, mais il y en a suffisamment pour les besoins de la vie. Nous pouvons et nous devons supposer[1] que notre opinion est vraie pour diriger notre propre conduite: et ce n'est supposer rien de plus que d'interdire aux mauvaises gens de pervertir la société en propageant des opinions que nous considérons comme fausses et pernicieuses.

---

1. *Assume.*

Je réponds que c'est supposer bien davantage. Il y a une différence extrême entre présumer[1] qu'une opinion est vraie parce que, malgré toutes les occasions de la contester, elle n'a pas été réfutée, et supposer qu'elle est vraie pour empêcher sa réfutation. L'entière liberté de contredire et de réfuter notre opinion est la condition même qui nous justifie à supposer sa vérité pour les besoins de l'action. Et à aucune autre condition un être doué de facultés humaines ne peut raisonnablement être certain qu'il a raison.

Lorsque nous considérons soit l'histoire de l'opinion, soit le cours ordinaire de la vie humaine, à quoi faut-il attribuer que ni l'un ni l'autre ne soient pires qu'ils ne sont? Certainement pas à la force inhérente de l'entendement humain[2], car pour une personne capable de juger d'une question délicate, il y en a quatre-vingt-dix-neuf qui en sont incapables. Et la capacité de la centième n'est d'ailleurs que relative, car la majorité des grands hommes de toutes les générations passées ont maintenu de nombreuses opinions reconnues aujourd'hui pour erronées, et ont fait et approuvé de nombreuses choses que personne ne justifierait aujourd'hui. Comment se fait-il donc qu'il y ait globalement une prépondérance d'opinions et de conduites rationnelles chez les hommes? S'il y a réellement une telle prépondérance - et il faut bien qu'elle existe, à moins que les affaires humaines ne soient et n'aient toujours été que dans un état à peu près désespéré - cela est dû à une qualité de l'esprit humain, qui est la source de tout ce qui est respectable dans l'homme, en tant qu'être intellectuel aussi bien que moral, à savoir le fait que ses erreurs soient rectifiables. Il est capable de les corriger par la discussion et l'expérience. Mais pas par l'expérience seule: il doit y avoir discussion, pour montrer comment l'expérience doit être interprétée. Les fausses

---

1. *Presuming.*
2. *Human understanding.*

opinions et les fausses pratiques[1] cèdent graduellement le pas aux faits et aux arguments. Mais pour produire un quelconque effet sur l'esprit, les faits et les arguments doivent comparaître devant lui. Rares sont les faits qui parlent d'eux-mêmes, sans commentaire pour dévoiler leur sens. Par conséquent, comme toute la force et la valeur du jugement humain dépendent de cette seule propriété, à savoir qu'il peut être corrigé lorsqu'il est dans l'erreur, nous ne pouvons nous fier à lui que lorsque les moyens de le corriger sont constamment à notre disposition. D'où vient que le jugement d'un homme mérite réellement notre confiance? De ce qu'il a ouvert son esprit à la critique de ses opinions et de sa conduite; de ce qu'il a pris l'habitude d'écouter tout ce qui pouvait être dit contre lui pour en profiter dans la mesure où c'était juste, et de s'exposer à lui-même - et aux autres à l'occasion - le sophisme dans l'argument fautif[2]. C'est parce qu'il a senti que la seule manière pour un être humain d'approcher quelque peu de la connaissance exhaustive d'un sujet est d'écouter ce qui peut en être dit par des personnes d'opinions très diverses, et d'étudier la manière dont les différentes formes d'esprit peuvent l'envisager. Aucun homme sage n'a jamais acquis sa sagesse par d'autres voies que celle-ci; et il n'est pas non plus dans la nature de l'intelligence humaine de l'acquérir d'aucune autre manière. Loin de susciter le doute et l'hésitation dans la pratique, l'habitude persistante de corriger et de compléter ses propres opinions en les comparant avec celles d'autrui constitue le seul fondement stable d'une juste confiance en elles. Car l'homme sage, étant instruit de tout ce qui peut manifestement être dit contre lui et ayant soutenu sa position contre tous les contradicteurs, sachant qu'il a recherché les objections et les difficultés au lieu de les éviter et n'a négligé aucune lumière

---

1. *Wrong opinions and practices.*
2. *The fallacy of what was fallacious.*

susceptible d'éclairer le sujet de quelque perspective que ce soit; l'homme sage est donc en droit de considérer que son jugement est meilleur que celui de toute autre personne ou de toute autre multitude qui n'auraient pas procédé d'une manière similaire.

Ce n'est pas trop exiger que d'imposer à ce qu'on appelle le public - ce rassemblement hétéroclite de quelques sages et de nombreux fous - de se soumettre à ce que les plus sages des hommes - ceux qui ont au plus haut point le droit de se fier à leur propre jugement - estiment nécessaire pour garantir leur jugement. La plus intolérante des églises, l'Eglise catholique romaine, admet et écoute patiemment un "avocat du diable", même lors de la canonisation d'un saint. Il semble que le plus saint des hommes ne puisse recevoir d'honneurs posthumes avant que tout ce que le diable pourrait dire contre lui ne soit connu et pesé. S'il était interdit de questionner même la philosophie newtonienne, l'humanité ne pourrait ressentir l'assurance de sa vérité aussi complètement qu'aujourd'hui. Les croyances pour lesquelles nous avons le plus de garantie n'ont pas d'autre caution sur laquelle s'appuyer que l'invitation constante faite au monde entier de démontrer qu'elles sont sans fondement. Si le défi n'est pas relevé, ou s'il l'est mais que la tentative échoue, nous sommes encore loin de la certitude, mais nous avons fait de notre mieux dans l'état actuel de la raison humaine. Nous n'avons rien négligé de ce qui aurait pu donner à la vérité une chance de nous atteindre. Les querelles restant encore ouvertes, nous pouvons espérer que s'il y a une meilleure vérité, elle sera découverte quand l'esprit humain sera capable de la recevoir. Entre-temps, nous pouvons être certains d'avoir réussi à nous approcher de la vérité du mieux qu'il est possible à notre époque. Voilà toute la certitude à laquelle un être faillible peut prétendre, et le seul moyen de l'atteindre.

Il est étrange que les hommes admettent la validité des arguments pour les besoins de la libre discussion, mais s'opposent à ce qu'on les "pousse jusqu'au bout", ne voyant pas que, tant que les raisons ne sont pas bonnes pour un cas extrême, elles ne le sont pour aucun. Il est étrange qu'ils ne s'imaginent pas s'attribuer l'infaillibilité, alors qu'ils reconnaissent la nécessité de la libre discussion sur tous les sujets à propos desquels on peut *douter*, mais pensent néanmoins que l'on devrait interdire de mettre en question une doctrine ou un principe particulier, sous prétexte que cette doctrine ou ce principe sont tellement *certains*, c'est-à-dire en fait, sous prétexte qu'*ils sont si certains, eux,* de leur propre certitude. Qualifier une proposition de "certaine", alors que quelqu'un à qui il est défendu d'en contester la certitude le ferait s'il en avait la permission, revient à supposer que nous sommes nous-mêmes, ainsi que ceux qui sont d'accord avec nous, les juges de la certitude, et qui plus est, des juges qui peuvent se dispenser d'écouter la partie adverse.

A notre époque - que l'on a décrite comme "privée de foi, mais terrifiée par le scepticisme[1]" - et où les gens se sentent sûrs, non pas tant de la vérité de leurs opinions que du fait qu'ils ne sauraient quoi faire sans elles, la prétention d'une opinion à être protégée contre les attaques publiques se fonde moins sur sa vérité que sur son importance pour la société. Il y a, prétend-on, certaines croyances qui sont si utiles, pour ne pas dire indispensables au bien-être, qu'il est tout autant du devoir du gouvernement de les soutenir, que de protéger tout autre intérêt de la société. On soutient que, dans une telle situation de nécessité, et devant un cas s'inscrivant de manière aussi évidente dans leur devoir, quelque chose de moindre que l'infaillibilité autorise et oblige même les gouvernements à agir selon leur propre opinion, celle-ci étant confirmée par l'opinion générale de

---

1. Référence à Thomas Carlyle: *Memoirs of the life of Scott*, in *London and Westminster Review*, vol. VI et XXVIII, janvier 1838, p. 315.

l'humanité. On avance également souvent - et on le pense plus souvent encore - que seuls des hommes méchants pourraient avoir le désir d'affaiblir ces croyances salutaires; et on pense qu'il ne peut y avoir rien de mal à les réprimer et à interdire ce que seuls de tels hommes voudraient faire. Cette façon de penser fait de la justification des restrictions imposées à la discussion, non pas une question portant sur la vérité des doctrines, mais une question portant sur leur utilité; et, ce faisant, on se flatte d'échapper à l'accusation de juge infaillible des opinions. Mais ceux qui se satisfont à si bon compte ne voient pas que la prétention à l'infaillibilité se trouve simplement déplacée. L'utilité d'une opinion est elle-même une affaire d'opinion: elle est tout aussi contestable et sujet à discussion, et exige tout autant le débat que l'opinion elle-même. On a tout autant besoin d'un juge infaillible des opinions pour décider qu'une opinion est nuisible que pour décider qu'elle est fausse, à moins que l'opinion condamnée n'ait toute la latitude de se défendre. Et il ne convient donc pas de dire qu'on autorise l'hérétique à soutenir l'utilité ou le caractère inoffensif de son opinion, si on lui interdit de soutenir qu'elle est vraie. La vérité d'une opinion fait partie de son utilité. Lorsque nous voulons savoir s'il est souhaitable de croire une proposition, peut-on exclure la question de savoir si elle est vraie ou non? De l'avis, non pas des méchants, mais des meilleurs hommes, aucune croyance contraire à la vérité ne peut être réellement utile. Et pouvez-vous empêcher de tels hommes d'invoquer cette justification, quand on les accuse de nier une doctrine qu'on prétend utile, mais qu'ils croient fausse? Ceux qui sont du côté des opinions reçues ne manquent jamais de tirer tous les avantages possibles de cette excuse. Vous ne les voyez pas, *eux*, traiter de la question de l'utilité comme si on pouvait l'abstraire complètement de celle de la vérité. C'est au contraire parce que leur doctrine est "la vérité", qu'ils jugent tellement indispensable de la connaître ou d'y croire. Il ne peut y avoir de discussion loyale de la question de l'utilité tant qu'un seul des deux partis est autorisé à avancer un argument aussi crucial. Et en fait, lorsque la loi ou le sentiment public ne permettent pas que la vérité d'une opinion fasse l'objet d'un débat, ils tolèrent tout aussi peu un déni de son utilité. Tout au plus autorisent-ils une atténuation de sa nécessité absolue ou de la faute positive qu'il y aurait à la rejeter.

Pour mieux illustrer tout le mal qui résulte d'un refus d'audience aux opinions sous prétexte que nous les avons condamnées par notre propre jugement, il convient de rapporter la discussion à un cas concret. Je choisirai de préférence les cas qui me sont le moins favorables : ceux dans lesquels l'argument contre la liberté d'opinion passe pour être le plus fort, aussi bien en ce qui concerne la vérité que l'utilité. Supposons que les opinions contestées soient la croyance en un Dieu et en une vie future, ou n'importe laquelle des doctrines morales communément reçues. Se battre sur un tel terrain représente un grand avantage pour un antagoniste de mauvaise foi, puisqu'il dira certainement (et bien d'autres, qui ne désirent aucunement être de mauvaise foi, se le diront intérieurement): est-ce que ce sont là les doctrines que vous n'estimez pas suffisamment certaines pour qu'elles tombent sous la protection de la loi? La croyance en un Dieu est-elle, selon vous, de ces opinions dont on peut se sentir certain sans pour autant se prétendre infaillible? Mais permettez-moi de remarquer que le fait de se sentir certain d'une doctrine, quelle qu'elle soit, n'est pas ce que j'appelle le postulat d'infaillibilité. C'est le fait de se charger de décider cette question *pour les autres*, sans leur permettre d'entendre ce qui peut être dit par ailleurs. Et je ne dénonce et ne réprouve pas moins cette prétention quand elle se manifeste en faveur de mes convictions les plus profondes. Aussi convaincu qu'un homme puisse être, non seulement de la fausseté mais des conséquences pernicieuses d'une opinion - et non seulement de ses conséquences pernicieuses, mais (pour utiliser des expressions que je condamne absolument) de son immoralité et de son impiété; si, par suite de ce jugement privé, et en dépit du soutien du jugement public de son pays ou de ses contemporains, cet homme empêche qu'on entende la défense de cette opinion, il présuppose pourtant l'infaillibilité. Et loin que cette prétention soit moins répréhensible ou moins dangereuse parce que l'opinion est appelée immorale ou impie, c'est là, de tous les cas, celui où elle est le plus fatale. C'est précisément dans ces occasions-là qu'une génération commet ces fautes terribles qui provoquent la stupéfaction et l'horreur de la postérité. C'est là qu'on trouve ces exemples historiques mémorables où le bras de la loi a été utilisé pour décimer les meilleurs hommes et les meilleures doctrines; et ce avec un succès déplorable quant aux hommes, même si certaines doctrines ont survécu pour être invoquées (comme par dérision) dans le but de défendre une conduite semblable envers ceux qui en divergent ou qui divergent de leur interprétation reçue.

On ne peut rappeler trop souvent aux hommes qu'il exista autrefois un homme du nom de Socrate, et qu'il y eut un conflit mémorable entre lui et les autorités légales et l'opinion publique de son temps. Né à une époque et dans un pays riche en individus nobles, la renommée de cet homme nous est parvenue par l'intermédiaire de ceux qui connaissaient au mieux le personnage et son époque, et voyaient en lui l'homme le plus vertueux de son temps. Et *nous* le connaissons comme le chef et le modèle de tous ceux qui ont enseigné la vertu après lui, comme la source, aussi bien de l'inspiration élevée de Platon, que de l'utilitarisme judicieux d'Aristote, "*i maestri di color che sanno*[1]", les deux sources fondamentales de l'éthique aussi

---

1. "Les maîtres de ceux qui savent." Le texte dit exactement : "*il maestro di color che sanno*": "*le* maître de ceux qui savent", par

bien que de tout le reste de la philosophie. Ce maître reconnu de tous les éminents penseurs qui vécurent après lui - et dont la célébrité croît toujours après plus de deux mille ans, éclipsant celle de tous les autres noms qui ont rendu illustre sa ville natale - fut mis à mort par ses concitoyens, après une condamnation juridique pour impiété et immoralité. Impiété, pour avoir renié les dieux reconnus par l'Etat. En effet, son accusateur affirmait (voir l'*Apologie*) qu'il ne croyait en aucun dieu. Immoralité, pour avoir été, par ses doctrines et son enseignement, un "corrupteur de la jeunesse". Nous avons toutes les raisons de croire que c'est honnêtement que le tribunal l'estima coupable de ces chefs d'accusation, et qu'il condamna à mort comme un criminel l'homme qui était probablement le plus digne de mérite de tous ses contemporains et de toute l'humanité[1].

Passons de là au seul autre exemple d'iniquité judiciaire que nous pouvons mentionner après la condamnation de Socrate sans tomber dans la trivialité. L'événement eut lieu sur le Calvaire, il y a un peu plus de mille huit cents ans. L'homme qui laissa dans la mémoire de ceux qui furent les témoins de sa vie et de ses conversations une telle impression de grandeur morale que dix-huit siècles postérieurs lui ont rendu hommage comme au Très-Haut en personne, - cet homme fut ignominieusement mis à mort. En tant que quoi? En tant que blasphémateur. Non seulement les hommes méconnurent leur bienfaiteur, mais ils le prirent pour l'exact contraire de ce qu'il était et le traitèrent comme un prodige d'impiété, accusation qu'on leur retourne aujourd'hui pour le traitement qu'ils lui infligèrent. Les sentiments avec lesquels les hommes

---

référence à Aristote uniquement. Dante Alighieri: *Divine comédie*, L'enfer, chant IV, vers 1.131.
1. Voir Platon: *Apologie de Socrate*. L'accusateur est Meletos.

considèrent à présent ces affaires lamentables, plus
spécialement la deuxième, les rendent extrêmement injustes
dans leur jugement envers les acteurs malheureux de ces
drames. Ceux-ci n'étaient pas, à ce qu'il semble, de mauvais hommes; pas pires que les hommes ne le sont
habituellement. Au contraire, c'étaient plutôt des hommes
qui possédaient pleinement, ou même au plus haut point,
les sentiments religieux, moraux et patriotiques de leur
temps et de leur peuple. La sorte même d'hommes qui, de
tout temps, le nôtre inclus, ont toutes les chances de
traverser la vie sans recevoir de reproches, et d'être
respectés. Le grand prêtre qui déchira ses vêtements en
entendant prononcer les paroles qui, selon toutes les
conceptions de son pays[1], constituaient le péché le plus
noir, était très probablement aussi sincère dans son horreur
et son indignation que l'est aujourd'hui le commun des
hommes pieux et respectables, dans les sentiments
religieux et moraux qu'il professe. Et la plupart de ceux qui
frémissent aujourd'hui devant cette conduite, auraient agi
précisément comme il l'a fait, s'ils avaient vécu à cette
époque et s'ils étaient nés juifs. Les chrétiens orthodoxes
qui sont enclins à croire que ceux qui ont lapidé à mort les
premiers martyrs devaient être des hommes plus mauvais

---

1. Il s'agit de Caïphe: "Et le souverain sacrificateur, prenant la
parole, lui dit: Je t'adjure, par le Dieu vivant, de nous dire si tu
es le Christ, le Fils de Dieu. Jésus lui répondit: Tu l'as dit. De
plus, je vous le déclare, vous verrez désormais le Fils de
l'homme assis à la droite de la puissance de Dieu, et venant sur
les nuées du ciel. Alors le souverain sacrificateur déchira ses
vêtements, disant: Il a blasphémé! Qu'avons-nous encore
besoin de témoins? Voici, vous venez d'entendre son blas-
phème. Que vous en semble? Ils répondirent: Il mérite la mort.
Là-dessus, ils lui crachèrent au visage, et lui donnèrent des
coups de poing et des soufflets, en disant: Christ, prophétise;
dis-nous qui t'a frappé." La Sainte Bible, Nouveau Testament,
Evangile selon Saint Matthieu, XXVI, 63-68 (L.Segond, trad.).

qu'eux, devraient se rappeler que l'un de ces persécuteurs fut saint Paul[1].

Ajoutons encore un autre exemple, le plus frappant de tous, s'il est vrai qu'une erreur est d'autant plus impressionnante qu'elle est le fait d'un homme sage et vertueux. Si jamais un homme investi de pouvoir a eu des raisons de s'estimer le meilleur et le plus éclairé de ses contemporains, ce fut l'empereur Marc Aurèle. Monarque absolu de tout le monde civilisé, non seulement il agit toujours, tout au long de sa vie, avec la plus parfaite justice, mais, ce qui est plus étonnant si on considère son éducation stoïcienne, avec le plus tendre des cœurs. Les quelques faiblesses qu'on lui attribue penchent toutes du côté de l'indulgence, alors que ses écrits, l'œuvre éthique la plus élevée de l'esprit antique, ne diffèrent qu'à peine, voire pas du tout, des enseignements les plus caractéristiques du Christ[2]. Cet homme, un meilleur chrétien - au sens non dogmatique du terme - que presque tous les souverains officiellement chrétiens qui ont régné depuis, persécuta le christianisme. A la pointe de tous les progrès de l'humanité, doué d'un esprit ouvert et libre et d'un caractère qui le conduisit de lui-même à incarner l'idéal chrétien dans ses écrits éthiques, il ne comprit pourtant pas - tout pénétré qu'il était de son devoir - que le christianisme devait être un bien et non un mal pour le monde. Il savait que la société de son temps était dans un état déplorable. Mais il vit - ou crut voir - que c'était par la croyance et l'attachement aux divinités traditionnelles qu'elle maintenait sa cohésion et se gardait du pire. En tant que souverain de l'humanité, il estima qu'il était de son devoir de ne pas laisser la société se dissoudre; et il ne vit pas, si on supprimait ses liens existants, comment on pouvait en reformer d'autres pour la

---

1. Voir Actes des Apôtres, VII, 57-59, et VIII, 3.
2. Marc Aurèle (121-180), empereur romain (161-180). Il succéda à Antonin le Pieux. Mill se réfère ici aux *Pensées*.

ressouder à nouveau. La nouvelle religion visait ouvertement à défaire ces liens. Par conséquent, à moins qu'il eût été de son devoir d'épouser cette religion, il semblait qu'il était de son devoir de la supprimer. Et donc, dans la mesure où la théologie du christianisme ne lui apparut ni vraie ni d'origine divine, où cette étrange histoire d'un dieu crucifié lui semblait incroyable, et où il ne pouvait prévoir qu'un système qui était supposé reposer sur un fondement aussi extravagant à ses yeux s'avérerait être, après tous les revers, l'agent du renouveau; pour cette raison, le plus doux et le plus aimable des philosophes et des souverains fut conduit par un sentiment solennel du devoir à autoriser la persécution du christianisme. C'est à mon sens un des événements les plus tragiques de l'histoire. On n'imagine pas sans amertume combien le christianisme du monde aurait pu être différent, si la foi chrétienne avait été adoptée comme religion de l'empire sous les auspices de Marc Aurèle plutôt que sous ceux de Constantin[1]. Mais il serait à la fois faux et injuste envers Marc Aurèle de nier que, s'il réprima comme il le fit la propagation du christianisme, il invoqua tous les arguments possibles pour réprimer les enseignements anti-chrétiens. Tout chrétien croit fermement que l'athéisme est faux et conduit à la dissolution de la société. Marc Aurèle le croyait tout aussi fermement du christianisme, lui qui de tous ses contemporains paraissait pourtant le plus capable d'en juger. A moins de se flatter d'être un homme plus sage et meilleur que Marc Aurèle - plus profondément versé dans la sagesse de son époque et supérieur à elle par son intelligence, plus sérieux dans la recherche de la vérité ou plus constant dans sa dévotion envers elle une fois qu'on l'a trouvée -, tout partisan de sanctions à l'encontre de la

---

1. Constantin Ier le Grand (entre 270 et 288-337), empereur romain (306-337). Sa conversion pourrait, au plus tôt, dater de 326.

promulgation d'opinions doit s'abstenir de prétendre à l'infaillibilité conjointe de sa propre personne et de la multitude, comme le fit le grand Antonin[1] avec un si fâcheux résultat.

Conscients de l'impossibilité de défendre l'usage de sanctions dans le but de réprimer les opinions irréligieuses par des arguments qui ne justifieraient pas du même coup Marc Aurèle[2], les ennemis de la liberté religieuse acceptent à l'occasion cette conséquence quand on les pousse dans leurs derniers retranchements; et ils disent, avec le Dr.Johnson[3], que les persécuteurs du christianisme étaient dans le vrai, que la persécution est une épreuve par laquelle la vérité doit passer, et qu'elle passe toujours avec succès, les peines légales étant finalement impuissantes devant la vérité, bien qu'elles servent parfois efficacement contre les erreurs pernicieuses. Voilà une forme d'argument en faveur de l'intolérance religieuse suffisamment remarquable pour qu'on ne le passe pas sous silence.

Une théorie qui maintient qu'il est légitime de persécuter la vérité, sous prétexte que la persécution ne peut lui faire aucun mal, ne peut être accusée d'être intentionnellement hostile à l'acceptation de vérités nouvelles. Mais elle ne peut se recommander par la générosité du traitement qu'elle réserve aux personnes auxquelles l'humanité doit ces vérités. Révéler au monde

---

1. Antonin le Pieux (86-161), empereur romain (138-161). Antonin est connu, entre autres, pour avoir donné généreusement le droit de cité et créé des institutions de soutien aux plus défavorisés.

2. Le texte anglais dit "Marcus Antoninus", deuxième nom de Marc Aurèle.

3. Voir James Boswell (1740-1795): *Life of Samuel Johnson*, vol.2 (mai 1773), p. 250. Le livre, un modèle de biographie psychologique, relate la vie et l'œuvre de Samuel Johnson (1709-1784), célèbre, entre autres, pour son *Dictionnaire de la langue anglaise* (1755).

quelque chose qui lui importe profondément et dont il était ignorant auparavant, lui prouver son erreur sur quelque point essentiel d'intérêt temporel ou spirituel, est l'un des services les plus importants qu'un être humain puisse rendre à ses semblables; et dans certains cas, comme ceux des premiers chrétiens ou des réformateurs, ceux qui sont de l'avis du Dr. Johnson pensent qu'il s'agit du don le plus précieux qui a pu être accordé à l'humanité. Que les auteurs de si magnifiques bienfaits soient payés de retour par le martyre, que leur récompense consiste à être traités comme les plus vils criminels, ne constitue pas, selon cette théorie, une erreur et un malheur déplorables pour lesquels l'humanité devrait se lamenter dans le sac et la cendre, mais un état de choses normal et justifiable. Toujours selon cette théorie, celui qui propose une nouvelle vérité devrait se présenter la corde au cou, comme le devait, dans la législation des Locriens, celui qui proposait une nouvelle loi, la corde devant alors être serrée immédiatement si l'assemblée du peuple, après avoir entendu ses raisons, n'adoptait pas sur-le-champ sa proposition. On ne peut supposer que les gens qui défendent cette manière de traiter les bienfaiteurs accordent une bien grande valeur au bienfait, et je crois que l'on trouve une telle vision des choses principalement chez les gens qui pensent que de nouvelles vérités ont pu être désirables autrefois, mais que nous en avons eu assez pour l'instant.

Mais surtout, la maxime selon laquelle la vérité triomphe toujours de la persécution est l'un de ces délicieux mensonges que les hommes se répètent les uns aux autres jusqu'à ce qu'ils deviennent des lieux communs, bien que toute l'expérience les réfute. L'histoire regorge d'exemples de vérités étouffées par la persécution. Si elles ne sont pas supprimées pour toujours, elles peuvent être refoulées pour des siècles. Pour ne citer que les opinions religieuses: la

Réforme éclata au moins vingt fois avant Luther[1] et fut réduite au silence. Arnaud de Brescia[2], Fra Dolcino[3], Savonarole[4] : réduits au silence. Les Albigeois[5], les

---

1. On date officiellement le début de la Réforme au 31 octobre 1517, jour où Luther (1483-1546) afficha sur les portes de l'église du château de Wittenberg ses quatre-vingt-quinze thèses rédigées en latin. Il brûla la bulle du pape qui l'invitait à se rétracter en 1520. Pour les mouvements précédant la Réforme, voir les notes suivantes.

2. Arnaud de Brescia (fin du XIème siècle-1155): agitateur et réformateur politique italien. Il fut disciple d'Abélard, condamné avec lui au concile de Sens en 1140. Il obligea le pape Eugène III à quitter Rome en 1145. Il y fut étranglé puis brûlé par les partisans du pape en 1155.

3. Fra Dolcino (première moitié du XIIIème siècle-1307): hérésiarque italien. Il succéda comme chef de la secte apostolique à Gérard Segarelli, son fondateur.

4. Jérôme Savonarole (1452-1498): prédicateur italien. De 1494 à 1498, il imposa une véritable dictature morale à Florence. Hostile aux Médicis, ami de Charles VIII, il fut excommunié en 1497, puis emprisonné, pendu et brûlé en 1498. Il est assez curieux que Mill érige en exemple Savonarole, qui prêchait une réforme puritaine des mœurs, était ouvertement hostile aux arts (il fit brûler des tableaux et des manuscrits), encourageait la délation, et parfois même la torture pour imposer un mode de vie austère et religieux. On a pourtant fait de Savonarole un précurseur de la Réforme, et Jules II autorisa Raphaël à le placer à côté des docteurs de l'Église dans sa *Dispute du Saint-Sacrement*.

5. Fraction de la secte des cathares dont les adeptes étaient répandus dans le midi de la France dès la fin du XIIème siècle. Les albigeois rejetaient la doctrine de la divinité du Christ. Innocent III fit prêcher une croisade contre eux dès 1208.

Vaudois[1], les Lollards[2], les Hussites[3]: réduits au silence. Même après l'époque de Luther, la persécution fut victorieuse partout où elle se perpétua. En Espagne, en Italie, dans les Flandres et dans l'empire d'Autriche, on extirpa le protestantisme; et il en aurait été très probablement de même en Angleterre si la Reine Marie avait vécu, ou si la reine Elisabeth était morte. La persécution a toujours réussi partout, sauf là où les hérétiques formaient un parti trop fort pour être efficacement persécutés. Aucun homme raisonnable ne peut douter que le christianisme aurait pu être extirpé sous l'empire romain. Il ne se répandit et ne s'imposa que parce que les persécutions n'étaient qu'occasionnelles, de courte durée, et séparées par de longs intervalles de propagande presque libre. C'est faire preuve de vain sentimentalisme que de croire que la vérité, en tant que pure vérité, a un pouvoir inhérent, refusé à l'erreur, d'avoir l'avantage sur le

---

1. La secte des vaudois fut fondée par Pierre Valdo dans le dernier quart du XIIème siècle. Les vaudois se séparèrent de l'Eglise en 1179 et le pape les excommunia en 1184. Ils rejetaient, entre autres, la messe, le dogme du purgatoire et l'obéissance ecclésiastique aux supérieurs indignes. Ils n'admettaient que l'Ancien et le Nouveau Testament comme source de foi.
2. En Allemagne, les confréries de lollards existaient depuis le XIVème siècle. Elles soignaient les malades lors des grandes épidémies. En Angleterre, les lollards étaient des disciples de Wyclif (v. 1320-1384). Wyclif condamna les indulgences et affirmait l'autorité suprême des Ecritures. Trois synodes tenus à Londres en 1382 condamnèrent ses doctrines. Ses ossements furent brûlés en 1428. Le lollardisme avait pratiquement cessé au moment de la Réforme.
3. Partisans de Jan Hus (1369-1415), réformateur religieux tchèque, excommunié en 1411 pour avoir refusé d'accepter la condamnation des thèses de Wyclif. Il fut condamné pour hérésie et brûlé vif en 1415. En Bohème, la plupart des hussites subirent l'influence du luthéranisme au XVIème siècle.

cachot et le bûcher. Les hommes n'ont souvent pas plus de zèle pour la vérité que pour l'erreur; et une application suffisante de peines légales ou même sociales réussit généralement à arrêter la propagation de l'une aussi bien que de l'autre. L'avantage réel de la vérité consiste en ceci que, quand une opinion est vraie, elle peut être supprimée une fois, deux fois, ou plus encore, mais elle finit toujours par être redécouverte dans le cours de l'histoire et par réapparaître à une époque où, à la suite de circonstances favorables, elle échappe à la persécution assez longtemps pour former un front capable de résister à toutes les tentatives de répression ultérieures.

On nous dira qu'aujourd'hui, on ne met plus à mort ceux qui font connaître de nouvelles opinions. Nous ne sommes pas comme nos pères, qui massacraient les prophètes. Nous leur élevons même des sépulcres. Il est vrai que nous ne mettons plus à mort les hérétiques; et toutes les sanctions légales que la manière moderne de sentir tolérerait probablement, même contre les opinions les plus odieuses, ne suffiraient pas à les extirper. Mais ne nous flattons pas d'être déjà lavés de la honte de la persécution, même légale. Il existe toujours, de par la loi, des délits d'opinion - ou tout du moins de son expression-, et même de nos jours, la mise en vigueur de sanctions n'est pas si exceptionnelle qu'il soit devenu inimaginable qu'elles puissent revenir un jour dans toute leur force. En 1857, aux assises d'été du comté de Cornouailles, un malheureux[1], connu pour sa conduite irréprochable à tous égards, fut condamné à vingt et un mois d'emprisonnement pour avoir dit et écrit sur une porte quelques mots outrageants à l'égard du christianisme. A moins d'un mois de là, au tribunal du Old Bailey, deux personnes, à deux

---

1. Thomas Pooley, assises de Bodmin, 31 juillet 1857. Au mois de décembre suivant, il reçut un libre pardon de la Couronne. *Note de J.S.M.*

occasions différentes, furent refusées comme jurés[2], et l'une d'elles fut grossièrement insultée par le juge et l'un des avocats, parce qu'elles avaient déclaré en toute honnêteté n'avoir aucune croyance religieuse. Pour la même raison, une troisième personne, un étranger[3], se vit refuser justice contre un voleur. Ce refus de réparation fut établi en vertu de la doctrine légale selon laquelle personne ne peut être admis à témoigner au tribunal s'il ne professe sa croyance en Dieu (n'importe quel Dieu suffit) et dans une vie future; ce qui revient à déclarer de telles personnes hors-la-loi, exclues de la protection des tribunaux. Non seulement elles peuvent être volées ou attaquées en toute impunité si elles n'ont d'autres témoins qu'elles-mêmes ou seulement des personnes qui partagent leurs opinions, mais n'importe qui d'autre peut l'être également si la preuve du délit dépend de leur témoignage. Le présupposé qui soutient cette doctrine est que le serment d'une personne qui ne croit pas en une vie future n'a aucune valeur; et c'est une proposition qui révèle une grande ignorance de l'histoire chez ceux qui l'admettent (puisqu'il est historiquement vrai qu'une grande partie des infidèles de tous les âges ont été des personnes d'une intégrité et d'une dignité remarquables). Et cette proposition ne serait soutenue par aucune personne tant soit peu au courant du nombre de gens qui jouissent de la meilleure réputation dans le monde, aussi bien pour leur vertus que pour leurs connaissances, et qui sont bien connues, du moins par leurs intimes, pour être des incroyants. La règle se détruit d'ailleurs elle-même et sape son propre fondement. Sous prétexte que tous les athées doivent être des menteurs, elle admet le témoignage de tous les athées qui acceptent de

---

2. George Jacob Holyoake, 17 août 1857; Edward Truelove, juillet 1857. *Note de J.S.M.*
3. Le baron de Gleichen, cour de police de Marlborough Street, 4 août 1857. *Note de J.S.M.*

mentir, et ne rejette que celui de ceux qui bravent la honte de confesser publiquement une croyance détestée plutôt que d'affirmer une fausseté. Une règle qui, de son propre aveu, se condamne ainsi à l'absurdité eu égard à son propre but ne peut être maintenue en vigueur que comme un symbole de haine, un vestige de la persécution - persécution dont la particularité tient par ailleurs au fait que pour être qualifié pour la subir, il faut clairement démontrer qu'on ne la mérite pas. Cette règle et la théorie qu'elle implique ne sont guère moins insultantes pour les croyants que pour les infidèles. Car si ceux qui ne croient pas en une vie future mentent nécessairement, il s'ensuit que seule la crainte de l'enfer empêche ceux qui y croient de mentir, si tant est qu'elle empêche quoi que ce soit. Nous ne ferons pas aux auteurs et aux complices de cette règle l'injure de supposer qu'ils ont tiré de leur propre conscience la conception qu'ils se sont faite de la vertu chrétienne.

Nous n'avons là, à vrai dire, que les lambeaux et les restes de la persécution, et il faut y voir, non pas tant l'indication du désir de persécuter, qu'un exemple de cette infirmité très fréquente des esprits anglais, qui leur fait prendre un plaisir absurde à affirmer un mauvais principe, alors qu'ils ne sont plus assez méchants pour désirer l'appliquer réellement. Mais il n'y a malheureusement aucune garantie, vu l'état de la mentalité publique, pour que la suspension des pires formes de persécution légale, qui a duré à peu près le temps d'une génération, se poursuive. A notre époque, la surface tranquille de la routine est aussi souvent troublée par des tentatives pour ressusciter les maux passés que pour introduire de nouveaux bienfaits. Ce que l'on vante à présent comme le renouveau de la religion correspond toujours, chez les esprits étroits et incultes, au renouveau de la bigoterie. Et quand il y a en permanence le levain puissant de l'intolérance dans les sentiments d'un peuple - levain qui subsiste toujours dans les classes moyennes de ce pays -, il en faut bien peu pour les pousser à persécuter activement ceux qu'ils n'ont jamais cessé de juger dignes de persécution[1]. Car c'est bien cela - c'est-à-dire les opinions cultivées par les hommes et les sentiments qu'ils nourrissent à l'égard de ceux qui désavouent les croyances qu'ils jugent importantes - qui empêche ce pays d'être un lieu de liberté pour l'esprit. Depuis bien longtemps, le principal méfait des sanctions légales est de renforcer

---

1. Il faut voir un avertissement sérieux dans le déchaînement de passions persécutrices qui s'est mêlé à l'expression générale des pires aspects de notre caractère national lors de la révolte des Cipayes. Les délires furieux que les fanatiques ou les charlatans proféraient du haut de leurs chaires ne sont peut-être pas dignes d'être relevés. Mais les chefs du parti Evangélique ont présenté comme un de leurs principes pour le gouvernement des Hindous et des Musulmans, de ne financer par les deniers publics que les écoles dans lesquelles on enseigne la Bible, et de n'attribuer par conséquent les postes de fonctionnaire qu'à de vrais chrétiens, ou prétendus tels. Dans un discours à ses électeurs, le 12 novembre 1857, un sous-secrétaire d'Etat aurait déclaré: "Le gouvernement britannique, en tolérant leur foi" (la foi de cent millions de sujets britanniques), "n'a obtenu d'autres résultats que de freiner la suprématie du nom anglais et d'empêcher le développement salutaire du christianisme. (...) La tolérance est la grande pierre angulaire de ce pays. Mais ne les laissez pas abuser de ce mot précieux de tolérance." Comme l'entendait le sous-secrétaire, ce mot signifiait l'entière liberté de culte pour tous, *parmi les chrétiens qui le célébraient sur les mêmes bases.* Il signifiait la tolérance de toutes les sectes et confessions de *chrétiens croyant en la seule et unique médiation.* J'aimerais porter l'attention sur le fait qu'un homme qui a été jugé apte à remplir une haute fonction dans le gouvernement de ce pays, sous un ministère libéral, maintient ici une doctrine selon laquelle tous ceux qui ne croient pas à la divinité du Christ sont hors des bornes de la tolérance. Qui, après cette démonstration imbécile, peut s'abandonner à l'illusion que les persécutions religieuses sont définitivement révolues? *Note de J.S.M.*

(Le sous-secrétaire d'Etat en question est William N. Massey.)

l'empreinte laissée par la société. C'est cette empreinte qui est réellement importante; et elle l'est tellement qu'en Angleterre, on professe bien moins fréquemment des opinions qui sont au ban de la société qu'on ne déclare, dans beaucoup d'autres pays, celles qui font encourir le risque de punitions légales. A l'égard de tous ceux que leur situation financière ne rend pas indépendants du bon vouloir des autres, l'opinion, en cette matière, est aussi efficace que la loi. Les hommes pourraient tout aussi bien être emprisonnés, ou privés des moyens de gagner leur vie. Ceux dont l'existence est déjà assurée et qui ne désirent aucune faveur, ni des hommes au pouvoir, ni de groupes de gens, ni du public, n'ont rien à craindre de la déclaration ouverte de n'importe quelle opinion, sinon d'être méprisés et calomniés; et ils ne devraient pas avoir besoin d'un tempérament bien héroïque pour être capables de supporter cela. Il n'y a aucune raison d'en appeler *ad misericordiam*[1] pour le compte de telles personnes. Mais bien qu'aujourd'hui nous infligions moins de maux à ceux qui pensent différemment de nous que nous n'avions autrefois coutume de le faire, il se peut que nous nous fassions du mal à nous-mêmes par la façon dont nous les traitons. Socrate fut mis à mort, mais la philosophie socratique s'éleva comme le soleil dans les cieux et répandit sa lumière sur tout le firmament intellectuel. Les chrétiens furent jetés aux lions, mais l'Eglise chrétienne grandit pour devenir un arbre majestueux et large, dépassant en hauteur les plantes plus anciennes et moins vigoureuses, et les étouffant de son ombre. Notre intolérance purement sociale ne tue personne et n'élimine aucune opinion, mais conduit les hommes à les déguiser ou à s'abstenir d'efforts actifs en vue de leur diffusion. De nos jours, les opinions hérétiques ne gagnent ni ne perdent sensiblement de terrain, d'une décennie ou d'une génération à l'autre. Elles

---

1. D'en appeler à la compassion, à l'indulgence.

ne se propagent jamais largement, mais elles continuent à couver dans les cercles étroits des personnes réfléchies et studieuses parmi lesquelles elles voient le jour, sans jamais éclairer les affaires générales de l'humanité, ni d'une lumière vraie, ni d'une lumière trompeuse. C'est ainsi que se trouve conservé un état de choses qui satisfait certains esprits, parce qu'il maintient toutes les opinions répandues dans un état de calme apparent, sans que l'on ait l'embarras d'avoir à mettre à l'amende ou à emprisonner qui que ce soit, et sans avoir à interdire absolument l'exercice de la raison aux dissidents affligés de la maladie de la pensée. C'est là un plan bien commode pour s'assurer de la paix dans le monde intellectuel, et pour que toute chose y aille de son train habituel. Mais le prix que l'on paie pour cette sorte de pacification intellectuelle est le sacrifice de tout le courage moral de l'esprit humain. Un état de choses dans lequel, dans une large majorité, les intelligences les plus actives et les plus curieuses jugent qu'il est opportun de garder pour elles les raisons et les principes généraux de leurs convictions, et qui s'efforcent d'adapter autant que possible leurs conclusions à des prémisses auxquelles elles ont intérieurement renoncé; un tel état de choses ne peut produire les caractères courageux et les intelligences logiques et cohérentes qui ornèrent autrefois le monde de la pensée. Le genre d'hommes que l'on peut trouver dans un tel état de choses, ce sont, soit des gens qui se conforment purement et simplement aux idées reçues, soit des gens qui recherchent la vérité par opportunisme, et dont les arguments sur tous les grands sujets sont adaptés à leurs auditeurs, et ne sont pas ceux qui les ont convaincus eux-mêmes. Ceux qui évitent cette alternative, le font en limitant leurs pensées et leurs intérêts à des choses dont on peut parler sans s'aventurer dans la région des principes, c'est-à-dire aux petites affaires pratiques qui s'arrangeraient d'elles-mêmes si seulement les esprits des hommes étaient affermis et élargis, et qui ne le seront jamais avant cela;

alors que ce qui affermirait et élargirait les esprits des hommes, c'est-à-dire la spéculation libre et audacieuse sur les sujets les plus élevés, est abandonné.

Ceux aux yeux desquels cette réticence de la part des hérétiques ne constitue pas un mal, devraient d'abord considérer qu'elle conduit à empêcher toute discussion honnête et approfondie des opinions hérétiques; et que celles d'entre elles qui ne pourraient pas résister à l'épreuve d'une telle discussion ne disparaissent pas, même si on peut les empêcher de se propager. Mais ce ne sont pas les esprits des hérétiques qui sont les plus touchés par le ban qui est mis sur toute recherche qui n'aboutit pas à des conclusions orthodoxes. Le plus grand mal est fait à ceux qui ne sont pas hérétiques, et dont le développement mental est gêné et la raison intimidée par la crainte de l'hérésie. Qui peut calculer ce que le monde perd, dans la multitude des intelligences prometteuses unies à des caractères timides, et qui n'osent pas poursuivre un enchaînement d'idées audacieux, vigoureux et indépendant, de crainte qu'il ne les fasse débarquer dans quelque chose que l'on pourrait considérer comme irréligieux ou immoral? Parmi ces hommes, nous pouvons à l'occasion en rencontrer un d'une grande droiture et d'un entendement subtil et raffiné, qui passe sa vie à soumettre des raisonnements sophistiqués à un intellect qu'il ne peut réduire au silence, et qui épuise les ressources de l'ingénuité à tenter de réconcilier, à la fois l'aiguillon de sa conscience et la raison, avec l'orthodoxie, sans d'ailleurs peut-être y parvenir finalement. Nul ne peut être un grand penseur sans reconnaître qu'en tant que penseur, son premier devoir est de suivre son entendement, quelles que soient les conclusions auxquelles il peut aboutir. La vérité profite même davantage des erreurs de celui qui, après l'étude et la préparation nécessaires, pense pour lui-même, que par les opinions vraies de ceux qui ne les ont que parce qu'ils ne se donnent pas la peine de penser par eux-mêmes.

Non pas que la liberté de pensée soit exigée seulement, ou principalement, pour la formation des grands penseurs. Au contraire, elle est tout autant, et même plus indispensable, pour rendre le commun des hommes apte à atteindre le niveau intellectuel dont ils sont capables. Il y a eu, et il peut encore y avoir de grands penseurs individuels dans une atmosphère générale d'esclavage mental. Mais il n'y a jamais eu et il n'y aura jamais de peuple intellectuellement actif dans une telle atmosphère. Lorsqu'un peuple s'est approché momentanément d'un tel caractère, c'est parce que la crainte des spéculations hétérodoxes était suspendue pour un moment. Là où existe la convention tacite de ne pas remettre en question les principes, là où l'on considère que le débat sur les plus grandes questions qui peuvent occuper l'humanité est clos, nous ne pouvons espérer trouver ce haut niveau général d'activité spirituelle qui a rendu certaines périodes de l'histoire si remarquables. Jamais l'esprit d'un peuple n'a été troublé dans ses fondements, et jamais l'impulsion qui élève même les gens d'une intelligence tout à fait moyenne à quelque chose relevant de la dignité d'être pensant n'a été donnée, lorsque la polémique évitait les sujets assez grands et importants pour susciter l'enthousiasme. Nous avons eu l'exemple d'une telle émulation en Europe dans les temps qui suivirent immédiatement la Réforme; et un autre, bien qu'il ait été limité au Continent et à une classe plus cultivée, dans le mouvement spéculatif de la deuxième moitié du dix-huitième siècle; un troisième, plus bref encore, dans la fermentation intellectuelle de l'Allemagne au temps de Goethe et de Fichte[1]. Ces périodes diffèrent

---

1. Johann Wolfgang von Goethe (1749-1832): *Les Souffrances du jeune Werther* (1774), *Voyage en Italie* (1816-1817), le *second Faust* (1833); Johann Gottlieb Fichte (1762-1814): *Contributions destinées à rectifier le jugement du public sur la Révolution française* (1793), *Théorie de la science* (1794).

grandement dans les opinions particulières qu'elles développèrent; mais elles se ressemblent en ce qu'à chaque fois, le joug de l'autorité fut brisé. Dans les trois cas, un vieux despotisme spirituel avait été renversé, et aucun autre n'avait encore pris sa place. L'impulsion donnée à l'occasion de ces trois périodes a fait de l'Europe ce qu'elle est aujourd'hui. Chaque progrès particulier, soit de l'esprit humain, soit des institutions, peut être clairement rapporté à l'une ou l'autre d'entre elles. A première vue, tout indique depuis quelque temps que ces trois impulsions sont pour ainsi dire épuisées; et nous ne devons nous attendre à aucun renouveau avant d'avoir réaffirmé notre liberté d'esprit.

***

Passons maintenant à la deuxième branche de notre argument, et, abandonnant l'hypothèse selon laquelle chacune des opinions reçues peut être fausse, supposons qu'elles soient vraies, et examinons ce que vaut la manière dont on pourrait les soutenir lorsque leur vérité n'est pas librement et ouvertement examinée. Aussi peu disposé qu'on soit à admettre qu'une opinion que l'on soutient fermement puisse être fausse, on devrait être sensible à la considération selon laquelle, si vraie qu'elle puisse être, si elle n'est pas pleinement, fréquemment et courageusement discutée, elle sera admise comme un dogme mort, et non comme une vérité vivante.

Il y a une classe de gens (heureusement pas tout à fait aussi importante qu'autrefois) qui estime suffisant qu'une personne donne sans conteste son assentiment à ce qu'elle pense être vrai, même si elle n'a aucune connaissance des fondements de son opinion et se trouve incapable de la défendre de manière plausible contre les objections les plus superficielles. Quand de telles personnes ont réussi à se faire enseigner leur croyance par l'autorité, elles pensent naturellement que si l'on consent à la discuter, il n'en résultera aucun bien, mais plutôt du mal. Là où leur influence prédomine, elles font en sorte qu'il soit pratiquement impossible de rejeter l'opinion reçue avec sagesse et discernement, bien qu'elle puisse quand même l'être de manière inconsidérée, et par ignorance; car il est rarement possible d'exclure entièrement la discussion, et une fois qu'elle est amorcée, les croyances qui ne sont pas fondées sur la persuasion sont susceptibles de céder au moindre semblant d'argument. Laissons néanmoins de côté cette possibilité. Supposons que l'opinion vraie se maintienne de manière durable dans l'esprit, mais sous la forme d'un préjugé, d'une croyance à l'épreuve des arguments et indépendante d'eux. Ce n'est pas de cette manière que la vérité devrait être détenue par un être rationnel. Ce n'est pas cela, connaître la vérité. La vérité, ainsi détenue, n'est qu'une superstition de plus, s'attachant accidentellement aux mots qui énoncent une vérité.

Si l'intelligence et le jugement des hommes doivent être cultivés - chose que les protestants, au moins, ne contestent pas -, sur quoi ces facultés peuvent-elles être exercées de manière plus appropriée, si ce n'est sur les choses qui concernent chacun, au point que l'on estime nécessaire d'avoir des opinions à leur sujet? Si la culture de l'intelligence a une priorité, c'est bien celle d'apprendre les fondements de nos propres opinions. Quelles que soient les croyances des gens sur les sujets à propos desquels il est de la première importance de penser juste, ils devraient au moins être capables de défendre leurs idées contre les objections communes. Mais, nous dira-t-on: "Qu'on leur *enseigne* donc les fondements de leurs opinions! Ce n'est pas parce qu'on n'a jamais entendu contester ses opinions qu'il faut simplement les répéter comme un perroquet. Ceux qui apprennent la géométrie ne mémorisent pas seulement les théorèmes, mais les comprennent et en apprennent également les démonstrations. Et il serait absurde de dire qu'ils restent ignorants des fondements des vérités géométriques, sous prétexte qu'ils n'ont jamais entendu personne les nier ou tenter de les réfuter". C'est indéniable; et un tel enseignement suffit dans une matière comme les mathématiques, où il n'y a pas de place pour la contestation. La particularité de l'évidence des vérités mathématiques consiste dans le fait que tous les arguments sont du même côté. Il n'y a ni objections, ni réponses aux objections. Mais pour tous les sujets où une différence d'opinions est possible, la vérité dépend de l'établissement d'un équilibre à instituer entre deux groupes d'arguments contradictoires[1]. Même dans la philosophie naturelle, il y a toujours une autre explication possible des mêmes faits: une théorie géocentrique au lieu d'une théorie héliocentrique, le phlogistique au lieu de l'oxygène[2]; et il faut montrer pourquoi cette autre théorie ne peut être la vraie. Jusqu'à ce que cela soit démontré, et jusqu'à ce que nous sachions comment cela est démontré, nous ne comprenons pas les fondements de notre opinion. Mais quand nous nous tournons vers des sujets infiniment plus compliqués: vers la morale, la religion, la politique, les relations sociales et les affaires de la vie, les trois quart des arguments consistent à dissiper les apparences favorables aux opinions opposées. Le plus grand orateur, ou presque, de l'Antiquité, a rapporté qu'il étudiait les arguments de son adversaire avec autant d'application, sinon plus, que les siens propres. Ce que Cicéron mettait en pratique pour

---

1. *Two sets of conflicting reasons.*
2. Dans la chimie d'avant Lavoisier (le *Traité élémentaire de chimie* date de 1789), on expliquait le phénomène de la combustion en supposant qu'un fluide particulier (le fluide phlogistique) inhérent à tout corps, produisait la combustion en abandonnant définitivement ce corps. Contre cette théorie du phlogistique, en vogue durant tout le dix-huitième siècle et développée par Stahl, Lavoisier montra que la combustion est une combinaison chimique.

obtenir un succès au barreau, doit être imité par tous ceux qui étudient un sujet quelconque pour arriver à la vérité. Celui qui connaît seulement son propre argument dans une affaire en connaît peu de chose. Il est possible que son raisonnement soit bon et que personne ne soit arrivé à le réfuter. Mais s'il est, lui aussi, incapable de réfuter le raisonnement de la partie adverse, et s'il n'en a même pas connaissance, il n'a aucune raison de préférer une opinion à une autre. La position rationnelle à adopter dans son cas serait la suspension du jugement, et faute de savoir s'en contenter, soit il se laisse conduire par l'autorité, soit il adopte, comme la majorité des gens, le parti pour lequel il éprouve le penchant le plus fort. Il ne suffit pas non plus qu'il écoute les arguments de ses adversaires de la bouche de ses propres maîtres, présentés à leur façon, et accompagnés de ce qu'ils proposent comme des réfutations. Ce n'est pas comme cela que l'on rend justice aux arguments, ou qu'on les confronte vraiment avec son propre esprit. On doit être capable de les écouter de la bouche même des personnes qui les croient réellement, qui les défendent sérieusement, et qui font tout leur possible pour les soutenir. Il faut les connaître sous leur forme la plus plausible et la plus persuasive et il faut sentir toute la force de la difficulté que la véritable conception du sujet doit affronter et résoudre; sans quoi on ne possède jamais réellement soi-même cette partie de la vérité qui affronte la difficulté et la supprime. Quatre-vingt-dix-neuf pour cent des hommes dits cultivés sont dans cette condition, même parmi ceux qui sont capables de soutenir leurs opinions avec facilité. Leur conclusion peut être vraie, mais pour autant qu'ils sachent, elle pourrait aussi bien être fausse. Ils ne se sont jamais mis dans l'état d'esprit de ceux qui pensent différemment d'eux et n'ont jamais pris en considération ce que de telles personnes peuvent avoir à dire. Par conséquent, ils ne connaissent pas, au sens propre du terme, la doctrine qu'ils professent eux-mêmes. Ils n'en connaissent pas les points fondamentaux, qui expliquent et justifient le reste, les considérations qui montrent que deux faits apparemment contradictoires peuvent être réconciliés ou que de deux raisons apparemment contraignantes, l'une devrait être préférée à l'autre. Toute cette partie de la vérité qui fait pencher la balance et décide du jugement d'un esprit complètement informé leur reste étrangère; et elle n'est jamais vraiment connue que de ceux qui ont prêté attention aux deux partis, de manière égale et impartiale, et qui se sont efforcés de voir les raisons des deux sous leur jour le plus favorable. Cette discipline est si essentielle à une compréhension réelle des sujets moraux et humains, que si les adversaires de toutes les vérités importantes n'existaient pas, il serait indispensable de les imaginer et de les pourvoir des arguments les plus forts que puisse invoquer le plus habile avocat du diable.

Pour tempérer la force de ces considérations, supposons qu'un ennemi de la libre discussion dise qu'il n'est pas nécessaire que les hommes connaissent et comprennent tout ce que les philosophes et les théologiens peuvent avancer pour ou contre leurs opinions. Qu'il n'est pas non plus nécessaire que les hommes du commun puissent exposer toutes les assertions inexactes et toutes les fautes d'argumentation d'un adversaire ingénieux. Qu'il suffit qu'il y ait toujours quelqu'un qui soit capable de leur répondre, afin qu'aucun sophisme propre à tromper les gens sans instruction ne reste sans réfutation. Que les esprits simples, une fois qu'on leur a appris les fondements évidents des vérités qu'on leur a inculquées, peuvent se fier à l'autorité pour le reste; et qu'ayant conscience qu'ils n'ont ni la connaissance, ni le talent nécessaires pour résoudre toutes les difficultés susceptibles d'être soulevées, ils peuvent avoir l'assurance que toutes celles qui l'ont été ont reçu une réponse, ou peuvent en recevoir une de ceux qui sont spécialement entraînés à cette tâche.

Même si l'on concède à cette manière de voir tout ce que peuvent revendiquer en sa faveur ceux qui pensent que pour croire la vérité, il suffit de la comprendre imparfaitement; même dans ce cas, l'argument en faveur de la libre discussion n'est en rien affaibli. Car même cette doctrine reconnaît que l'humanité devrait avoir l'assurance rationnelle que toutes les objections ont reçu une réponse satisfaisante. Et comment pourrait-on répondre à ces objections, si ce qui doit recevoir une réponse n'est même pas exprimé? Ou comment pouvons-nous savoir que la réponse est satisfaisante, si les objecteurs n'ont pas la possibilité de montrer qu'elle ne l'est pas? Si ce n'est le public, il faut au moins que les philosophes et les théologiens qui ont à résoudre ces difficultés se familiarisent avec elles sous leur forme la plus déconcertante. Et ils ne peuvent y parvenir que si elles sont exposées librement et présentées sous leur jour le plus avantageux. L'Eglise catholique traite à sa façon ce problème épineux. Elle sépare les gens en deux grandes catégories: ceux qui ont la permission d'être convaincus par ses doctrines, et ceux qui doivent les accepter sans examen. Aucun des deux groupes n'a bien évidemment le droit de choisir ce qu'il va accepter. Mais le clergé - ou tout du moins, ceux de ces membres en qui nous pouvons avoir confiance - a le droit (et cela est tenu non seulement pour admissible, mais pour méritoire), de prendre connaissance des arguments des adversaires afin de leur répondre. Il peut par conséquent lire des livres hérétiques; tandis que les laïques ne peuvent le faire qu'avec une permission spéciale, difficile à obtenir. Ce règlement reconnaît que la connaissance de la cause de l'ennemi peut être bénéfique aux maîtres, mais il trouve des moyens appropriés de la refuser au reste du monde, donnant ainsi à l'*élite*[1] plus de culture spirituelle, mais pas plus de liberté

---

1. En français dans le texte.

spirituelle qu'à la masse. Par ce procédé, il réussit à obtenir la sorte de supériorité spirituelle qu'exige son dessein, car bien que la culture sans la liberté n'ait jamais produit un esprit large et libéral, elle peut produire un avocat habile pour une cause. Mais dans les pays professant le protestantisme, ce moyen est exclu, puisque les protestants soutiennent, en théorie du moins, que la responsabilité du choix d'une religion incombe à chacun pour son propre compte, et qu'on ne peut s'en décharger sur ses maîtres. Par ailleurs, dans l'état actuel du monde, il est pratiquement impossible que les écrits qui sont lus par les gens instruits demeurent hors de la portée des incultes. S'il faut que les instructeurs de l'humanité prennent connaissance de tout ce qu'ils doivent savoir, tout doit pouvoir être écrit et publié librement, et sans restrictions.

Néanmoins, si l'absence néfaste de libre discussion, là où les opinions reçues sont vraies, ne faisait que laisser les hommes ignorants des fondements de ces opinions, on pourrait penser qu'il n'y a là qu'un mal intellectuel, et non moral, qui n'affecte pas la valeur des opinions quant à leur influence sur le caractère. Le fait est, cependant, qu'en l'absence de discussion, on oublie non seulement les fondements de l'opinion, mais trop souvent aussi, sa signification même. Les mots qui l'expriment cessent de suggérer des idées, ou suggèrent seulement une petite partie de celles qu'ils servaient originellement à communiquer. Au lieu d'une pensée forte et d'une croyance vivante[1], il ne reste plus que quelques expressions apprises mécaniquement. Ou bien, si une partie de la signification est retenue, ce n'en est plus que la coquille et l'enveloppe, l'essence plus subtile en étant perdue. Le grand chapitre de l'histoire humaine que ce fait représente, et auquel il donne son contenu, ne saurait être trop sérieusement étudié et médité.

---

1. *A vivid conception and a living belief.*

Il est illustré dans l'expérience de presque toutes les doctrines morales et croyances religieuses. Elles sont toutes pleines de sens et de vitalité pour ceux qui leur donnent naissance et pour leurs disciples directs. Leur signification continue à se faire sentir avec la même force, et peut-être même se révèle-t-elle à la conscience plus pleinement tant que persiste la lutte pour donner à la doctrine ou à la croyance une influence sur toutes les autres. Pour finir, soit elle prédomine et devient l'opinion générale, soit son progrès est arrêté. Elle reste alors en possession du terrain qu'elle a conquis, mais ne se propage pas plus loin. Lorsque l'un de ces deux résultats est devenu manifeste, la controverse sur le sujet languit et s'éteint graduellement. La doctrine a conquis sa place, sinon en tant qu'opinion reçue, du moins comme l'une des sectes ou divisions reconnues de l'opinion: ceux qui la partagent ne l'ont pas adoptée, ils en ont généralement hérité. La conversion d'une doctrine à une autre devient ainsi un fait exceptionnel et finit par ne même plus préoccuper ceux qui les professent. Au lieu d'être, comme au début, constamment en état d'alerte, soit pour se défendre contre le monde, soit pour le gagner à leurs idées, ils se laissent aller à un acquiescement passif. S'ils le peuvent, ils évitent d'écouter les arguments avancés contre leur credo, et ne dérangent pas ceux dont l'opinion est différente avec des arguments en sa faveur. C'est de ce moment qu'on peut en général dater le déclin de la force vitale d'une doctrine. On entend souvent les catéchistes de toutes croyances se lamenter de la difficulté qu'il y a à maintenir vive dans l'esprit des croyants une perception de la vérité qu'ils reconnaissent nominalement, de façon à ce qu'elle imprègne leurs sentiments et acquière une influence réelle sur leur conduite. On ne se plaint d'aucune difficulté de ce genre quand la croyance lutte encore pour son existence. Même les combattants les plus faibles savent et sentent pourquoi ils se battent, et en quoi leur doctrine est différente des autres. Et à cette époque de l'existence de toute croyance, on peut trouver un nombre considérable de personnes qui ont assimilé ses principes fondamentaux sous toutes les formes de la pensée, qui ont pesé et considéré toutes ses conséquences importantes, et qui ont expérimenté tout l'effet qu'elle doit produire sur le caractère, dans un esprit qui en est totalement imprégné. Mais quand la croyance est devenue héréditaire et qu'elle est acceptée passivement; quand l'esprit n'est plus contraint autant qu'il l'était au départ d'exercer ses facultés essentielles sur les questions qu'elle lui pose, il y a une tendance progressive à n'en retenir que des formules, à lui donner un accord terne et nonchalant, comme si le fait de l'accepter par autorité dispensait de la nécessité d'en prendre pleinement conscience ou de la mettre à l'épreuve par l'expérience personnelle; et cela jusqu'à ce qu'elle cesse presque de se rattacher à la vie intérieure de l'être humain. C'est alors qu'apparaissent ces cas - si fréquent à notre époque qu'ils forment presque une majorité - où la croyance reste pour ainsi dire à l'extérieur de l'esprit, le recouvrant d'une croûte et le pétrifiant contre toutes les autres influences qui s'adressent aux parties les plus élevées de notre nature. Elle manifeste sa puissance en ne tolérant pas qu'une conviction nouvelle et vivante y pénètre, mais sans rien faire elle-même pour l'esprit ou pour le cœur que de monter la garde afin de les maintenir vides.

On voit à la manière dont la majorité des croyants acceptent les doctrines du christianisme à quel point celles qui sont en elles-mêmes propres à faire la plus profonde impression sur l'esprit peuvent s'y maintenir comme des croyances mortes, sans que nous en prenions jamais conscience, ni par l'imagination, ni par les sentiments, ni par l'intelligence. Par "christianisme", j'entends ici ce qui est tenu pour tel par toutes les Eglises et toutes les sectes - les maximes et les préceptes contenus dans le Nouveau

Testament. Ces maximes et ces préceptes sont considérés comme sacrés et sont acceptés comme des lois par tous ceux qui se déclarent chrétiens. Il n'est pourtant pas exagéré de dire que moins d'un chrétien sur mille guide ou juge sa conduite par référence à ces lois. Le modèle auquel se réfère le chrétien est la coutume de son pays, de sa classe sociale, ou de sa secte. C'est ainsi que d'un côté, il dispose d'un ensemble de maximes éthiques dont il croit qu'elles lui ont été accordées gracieusement par une sagesse infaillible, comme règles pour sa conduite; et de l'autre, d'un ensemble de pratiques et de jugements quotidiens qui s'accordent assez bien avec certaines de ces maximes, moins bien avec d'autres, qui en contredisent d'autres encore, et ne sont, en fin de compte, qu'un compromis entre la foi chrétienne et les intérêts et les suggestions de la vie matérielle. Il rend hommage au premier de ces modèles et obéit en réalité au second. Tous les chrétiens pensent que les bienheureux sont les pauvres, les humbles, et ceux qui sont maltraités par le monde; qu'il est plus facile à un chameau de passer par le trou d'une aiguille qu'à un riche d'entrer au royaume des cieux; qu'ils ne doivent pas juger afin de n'être pas jugés; qu'ils ne doivent jamais jurer; qu'ils doivent aimer leur prochain comme eux-mêmes; que si quelqu'un prend leur manteau, ils doivent également lui donner leur tunique; qu'ils ne doivent pas se soucier du lendemain, et que pour être parfaits, ils doivent vendre tout ce qu'ils possèdent et le donner aux pauvres[1]. Ils sont sincères quand ils prétendent croire ces choses. Ils les croient vraiment, comme les gens croient ce qu'ils ont toujours entendu louer, mais jamais discuter. Mais quant à cette croyance vivante qui règle la conduite, ils ne croient ces doctrines

---

1. Voir, respectivement, Nouveau Testament, Evangile selon Luc VI, 20-23; Evangile selon Matthieu V, 3; XIX, 24; VII, 1; V, 34; XIX, 19; V, 40; VI, 34; XIX, 21.

que pour autant qu'ils ont l'habitude d'agir conformément à elles. Prises dans leur totalité, elles servent à accabler leurs adversaires; et il est entendu qu'il faut les mettre en avant (si possible) pour justifier tout ce que les gens jugent estimable. Mais si quelqu'un leur rappelait que ces maximes exigent une infinité de choses qu'ils ne penseraient même jamais à faire, il serait classé parmi ces personnages très impopulaires qui affectent d'être meilleurs que les autres. Ces doctrines n'ont aucune prise sur les croyants ordinaires, aucun pouvoir sur leur esprit. Ils ont un respect nourri par l'habitude pour les formules qui les expriment, mais il leur manque le sentiment qui va des mots aux choses signifiées et qui force l'esprit à *les* assimiler et à les rendre conformes à ces formules. Partout où il s'agit de conduite, ils s'en remettent à M. X et à M. Y pour savoir jusqu'où il faut aller dans l'obéissance au Christ.

Nous pouvons être certains qu'il en était tout autrement pour les premiers chrétiens. Sans quoi le christianisme ne se serait jamais développé pour devenir, d'une petite secte d'Hébreux méprisés, la religion de l'empire romain. Lorsque leurs ennemis disaient "Voyez comme ces chrétiens s'aiment les uns les autres"[1] (une remarque que probablement plus personne ne ferait aujourd'hui), ils avaient très certainement un sentiment autrement plus vif qu'aujourd'hui de la signification de leur croyance. Et il faut y voir la raison principale pour laquelle le christianisme fait aujourd'hui aussi peu de progrès, et se limite encore, après dix-huit siècles, aux européens et à leurs descendants. Même chez les religieux stricts, qui prennent leurs doctrines très au sérieux et y attachent bien plus de signification que ne le font les gens en général, il arrive constamment que la partie comparativement la plus

---

1. Tertullien: *Apologeticum* (*Apology*, trad. T.R. Glover. Heineman, London, 1931, p. 177).

active de leur esprit soit celle qui a été formée par un Calvin[1] ou un Knox[2], ou toute autre personne d'un caractère proche du leur. Les paroles du Christ coexistent passivement dans leur esprit et produisent à peine plus d'effet que la simple audition de paroles si aimables et si douces. Il y a bien sûr de nombreuses raisons pour lesquelles les doctrines caractéristiques d'une certaine secte conservent plus de vitalité que celles communes à toutes les sectes reconnues, et pour lesquelles les maîtres prennent plus de soin à maintenir la vivacité de leur signification. Mais la raison principale est certainement que ces doctrines sont davantage mises en question et qu'elles doivent plus souvent se défendre contre leurs adversaires déclarés. Dès qu'il n'y a plus d'ennemi en vue, les maîtres et les élèves s'endorment à leur poste.

La même remarque vaut, en règle générale, aussi bien pour toutes les doctrines traditionnelles - celles qui concernent la prudence et la connaissance de la vie - que pour la morale et la religion. Toutes les langues et toutes les littératures sont pleines d'observations générales sur la vie, sur ce qu'elle est et sur la conduite à y suivre; observations que tout le monde connaît, répète ou écoute docilement, qui sont acceptées comme des lapalissades, et dont la plupart des gens n'apprennent pourtant la signification que lorsque l'expérience, et généralement une expérience d'un genre douloureux, les transforme en réalité. Que de fois une personne accablée par un malheur

---

1. Jean Calvin (1509-1564), théologien réformateur. L'*Institution de la religion chrétienne*, dédicacée à François Ier, parut en 1536.
2. John Knox (1505 ou 1513-1572), réformateur écossais. Il passa à la Réforme en 1546. Il fuit en France en 1554, à l'avènement de Marie Tudor. Condamné et brûlé en effigie à Edimbourg, il rentra en Ecosse en 1559 et contribua à y établir le presbytérianisme. A la mort de la régente, il fit abolir le culte catholique à la cour de Marie Stuart.

imprévu ou une déception ne se rappelle-t-elle pas un proverbe ou un dicton populaire qu'elle connaît depuis toujours, et qui, si elle en avait senti la signification comme elle la sent maintenant, lui aurait permis d'éviter le désastre! Il y a en fait des raisons à cela, autres que l'absence de discussion: il y a de nombreuses vérités dont on ne *peut* saisir toute la signification tant que l'expérience personnelle ne nous les a pas fait vivre. Mais il aurait été possible de mieux comprendre la signification de ces vérités - et ce qui aurait été compris aurait alors fait une impression bien plus profonde sur l'esprit - si l'on avait pris l'habitude d'entendre disputer le pour et le contre par les gens qui les comprennent. La tendance funeste des hommes à renoncer à penser à une chose dès qu'ils n'en doutent plus est la cause de la moitié de leurs erreurs. Un auteur contemporain a parlé fort à propos du "profond sommeil d'une opinion tranchée".

Mais quoi? demandera-t-on. L'absence d'unanimité est-elle une condition indispensable de la véritable connaissance? Est-il nécessaire qu'une partie de l'humanité persiste dans l'erreur pour qu'une autre puisse comprendre la vérité? Une croyance cesse-t-elle d'être vraie et essentielle à partir du moment où elle est généralement acceptée? Ne sent-on et ne comprend-on jamais entièrement une proposition à moins qu'un certain doute subsiste? La vérité périt-elle aussitôt que les hommes l'ont unanimement acceptée? Le but suprême et le plus parfait résultat de l'intelligence en progrès est, comme on l'a pensé jusqu'à présent, d'unir de plus en plus les hommes dans la reconnaissance de toutes les vérités importantes. L'intelligence ne dure-t-elle que tant qu'elle n'a pas atteint ce but? Les fruits de la conquête périssent-ils de par l'accomplissement même de la victoire?

Je n'affirme rien de tel. A mesure que l'humanité progresse, le nombre des doctrines qu'on ne contestera plus ou dont on ne doutera plus augmentera constamment: et on peut presque mesurer le bien-être de l'humanité au nombre et à la profondeur des vérités qui ont atteint le point où elles ne sont plus contestées. L'abandon progressif des différents points d'une controverse sérieuse constitue l'un des aléas nécessaires de la consolidation de l'opinion; une consolidation aussi salutaire dans le cas des opinions vraies que dangereuse et nuisible dans le cas des opinions fausses. Mais bien que ce resserrement progressif des limites de la diversité des opinions soit nécessaire aux deux sens du terme - à la fois inévitable et indispensable -, nous ne sommes pas pour autant obligés de conclure que toutes les conséquences qui en découlent doivent être bénéfiques. Bien que la perte d'une aide aussi importante pour la saisie intelligente et vivante d'une vérité que celle qui vient de la nécessité de l'expliquer aux opposants ou de la défendre contre eux, ne suffise pas à contrebalancer le bénéfice de sa reconnaissance universelle, elle n'en constitue pas moins un inconvénient non négligeable. Là où on ne peut plus avoir cet avantage, je dois dire que j'aimerais voir les instructeurs de l'humanité s'efforcer de lui trouver un substitut; quelque ingénieuse invention de leur part pour rendre les difficultés du problème aussi présentes à la conscience de l'élève, que si elles lui étaient soumises par le défenseur attitré d'une opinion dissidente, travaillant à le convertir.

Mais au lieu de chercher d'ingénieux artifices à cette fin, ils ont perdu ceux qu'ils possédaient auparavant. La dialectique socratique, dont on trouve un exemple si magnifique dans les dialogues de Platon, était un artifice de cette espèce. Elle consistait essentiellement en une discussion négative des grandes questions de la philosophie et de la vie, visant, avec une habileté achevée, à convaincre tous ceux qui avaient simplement adopté les lieux communs de l'opinion courante qu'ils n'avaient pas compris le sujet et n'avaient jusque-là attaché aucun sens défini aux doctrines qu'ils défendaient; de sorte que, devenant conscients de leur ignorance, ils pussent être mis en état d'atteindre une croyance stable, fondée sur une appréhension claire, à la fois du sens des doctrines et de l'évidence qui existe en leur faveur. Les disputes scolastiques du Moyen Age avaient un but à peu près semblable. Elles servaient à s'assurer que l'élève comprenait sa propre opinion et (par une corrélation nécessaire) l'opinion opposée, et qu'il pouvait défendre les fondements de l'une et convaincre d'erreur ceux de l'autre. Ces joutes avaient en réalité le défaut invétéré que les prémisses auxquelles on avait recours étaient tirées de l'autorité et non de la raison; et, en tant que discipline de l'esprit, elles étaient en tout point inférieures à la dialectique puissante qui formait les intelligences des "Socratici viri[1]". Mais l'esprit moderne doit bien plus à ces deux méthodes qu'il ne veut bien l'admettre en général, et les méthodes actuelles d'éducation ne contiennent rien qui remplace tant soit peu l'une ou l'autre. Celui qui tire toute son instruction des professeurs ou des livres n'est aucunement obligé d'entendre les deux partis en cause, même s'il échappe à la tentation obsédante de se contenter d'apprendre tout par cœur avec acharnement. C'est pourquoi il est rare, même chez les penseurs, que l'on connaisse les deux côtés d'un même problème; et le plus faible dans ce que les gens disent pour défendre leur opinion est ce qu'ils présentent comme une réponse à leurs adversaires. Il est à la mode, aujourd'hui, de dénigrer la logique négative - celle qui met en évidence les faiblesses dans la théorie ou les erreurs dans la pratique sans établir de vérités positives. Il est vrai qu'une telle dialectique serait assez pauvre si elle devait constituer un

---

1. "Les hommes socratiques". L'expression est de Cicéron in *Lettres à Atticus*. E.O. Winstedt, trad., Macmillan, New-York, 1912, vol. III, p. 230.

résultat ultime; mais en tant que moyen d'arriver à une connaissance positive ou à une conviction digne de ce nom, on ne peut trop insister sur sa valeur. Et jusqu'à ce que les gens y soient à nouveau formés systématiquement, il y aura peu de grands penseurs et le niveau moyen d'intelligence sera faible dans tous les domaines de la spéculation autres que les mathématiques et la physique. Sur tous les autres sujets, aucune opinion ne mérite le nom de connaissance à moins d'avoir, de gré ou de force, accompli le processus mental qui aurait été exigé d'elle pour soutenir une controverse active avec ses adversaires. Comme il est donc absurde de repousser, quand il s'offre spontanément, un avantage si indispensable et pourtant si difficile à créer quand il fait défaut! S'il se trouve des gens pour contester une opinion reçue, ou qui le feront si la loi ou l'opinion les y autorise, remercions-les, ouvrons nos esprits pour les écouter, et réjouissons-nous qu'il y ait quelqu'un pour faire à notre place ce que nous devrions faire avec bien plus de peine pour nous-mêmes, si toutefois nous nous soucions tant soit peu de la certitude ou de la vitalité de nos opinions.

*

Il reste encore à parler de l'une des causes principales qui rendent la diversité des opinions avantageuse, et qui continueront à le faire jusqu'à ce que l'humanité soit entrée dans une période de développement intellectuel qui paraît à présent se trouver à une distance incalculable. Nous n'avons jusqu'ici considéré que deux possibilités: que l'opinion reçue puisse être fausse, et que, par conséquent, une autre soit vraie; ou que l'opinion reçue soit vraie, auquel cas le conflit avec l'erreur à laquelle elle s'oppose est essentiel à une compréhension claire et à un sentiment profond de sa vérité. Mais il existe un cas plus courant que ces deux-là. C'est celui où deux doctrines antagonistes, au lieu que l'une soit vraie et l'autre fausse, se partagent la vérité, et où l'opinion dissidente est nécessaire pour pourvoir au reste de la vérité, dont la doctrine officielle ne renferme qu'une partie. Les opinions populaires sur les sujets abstraits sont souvent vraies, mais ne constituent que rarement, sinon jamais, toute la vérité. Elles forment une partie de la vérité, plus ou moins grande selon les cas, mais exagérée, déformée, et isolée des vérités qui devraient les accompagner et leur tenir lieu de limites. Les opinions hérétiques, en revanche, sont en général de ces vérités exclues et négligées qui brisent les chaînes qui les retiennent et qui cherchent, soit à se réconcilier avec la vérité contenue dans l'opinion commune, soit à l'affronter comme une ennemie, et qui s'affirment tout aussi exclusivement comme constituant l'entière vérité. C'est ce dernier cas qui a été jusqu'ici le plus fréquent, la partialité ayant toujours été la règle et l'ouverture ayant toujours été l'exception dans l'esprit humain. Par conséquent, même dans les révolutions d'opinions, une partie de la vérité décline alors qu'une autre se lève. Même le progrès, qui devrait être un gain, se contente la plupart du temps de substituer une vérité partielle et incomplète à une autre. L'amélioration consiste en ce que le nouveau fragment de vérité est plus nécessaire et mieux adapté aux besoins de l'époque que celui qu'il remplace. Puisque tel est le caractère partiel des opinions dominantes, même quand elles reposent sur un fondement vrai, on devrait considérer comme précieuse toute opinion qui renferme un tant soit peu de la portion de vérité négligée par l'opinion commune, quelle que soit la somme d'erreur et de confusion qui lui est mêlée. Aucun juge pondéré des affaires humaines ne se croira tenu de s'indigner sous prétexte que ceux qui nous obligent à prendre conscience des vérités que nous aurions laissées passer sans eux négligent à leur tour celles que nous apercevons. Il pensera plutôt que tant que la vérité populaire est partiale, il est encore préférable que la vérité impopulaire ait également des partisans partiaux; ceux-ci étant d'habitude les plus énergiques et les plus susceptibles de forcer l'attention récalcitrante à se tourner vers le fragment de sagesse qu'ils présentent solennellement comme la sagesse tout entière.

Ainsi, au dix-huitième siècle, alors que tous les hommes instruits, et que tous ceux d'entre les incultes qui étaient guidés par eux étaient éperdus d'admiration pour ce qu'on appelle la civilisation, pour les prodiges de la science, de la littérature et de la philosophie modernes; alors même qu'ils surestimaient grandement la différence entre les hommes des temps modernes et ceux des temps anciens, se complaisant dans l'idée que toute la différence était en leur faveur; quel coup salutaire portèrent les paradoxes de Rousseau[1] lorsque, sur ces entrefaites, ils explosèrent comme des obus, bouleversant la masse compacte des opinions partiales et forçant ses éléments à se réarranger sous une forme meilleure, et avec des ingrédients supplémentaires. Non pas que les opinions courantes fussent dans l'ensemble plus éloignées de la vérité que l'étaient celles de Rousseau. Elles en étaient au contraire plus proches. Elles contenaient plus de vérité positive et bien moins d'erreur. Néanmoins, il y avait dans la doctrine de Rousseau un nombre considérable de ces vérités qui faisaient précisément défaut à l'opinion populaire, et qui ont depuis descendu le courant de l'opinion avec elle. Ce sont ces vérités qui ont constitué le sédiment que le flot tarissant a déposé derrière lui. La valeur supérieure de la vie simple, l'effet débilitant et démoralisant des entraves et des hypocrisies d'une société artificielle, sont des idées qui n'ont jamais vraiment quitté

---

1. Mill se réfère très certainement ici à *La nouvelle Héloïse*, à l'*Emile*, et au *Contrat social*.

les esprits cultivés depuis Rousseau[1]; et avec le temps, elles produiront leur juste effet, bien qu'il soit aujourd'hui nécessaire de les affirmer plus que jamais, et qui plus est par des actes, car les mots, sur ce sujet, ont à peu près épuisé toute leur force.

De même, en politique, c'est presque un lieu commun de faire valoir qu'un parti de l'ordre ou de la stabilité, et un parti du progrès ou de la réforme, sont deux éléments nécessaires d'une vie politique saine, jusqu'à ce que l'un ou l'autre ait élargi son champ intellectuel pour devenir un parti d'ordre tout autant que de progrès, connaissant et distinguant ce qu'il convient de conserver et ce qu'il convient de supprimer. Chacun de ces modes de pensée tire son utilité des insuffisances de l'autre; mais c'est dans une large mesure leur antagonisme qui les maintient dans les limites de la raison et du bon sens. A moins que l'on exprime avec une liberté égale et que l'on défende et fasse respecter avec une énergie et un talent égaux les opinions favorables à la démocratie et à l'aristocratie, à la propriété et à l'égalité, à la coopération et à la compétition, au luxe et à la privation, à ce qui relève du social et à ce qui relève de l'individu, à la liberté et à la discipline, il n'y a aucune chance pour que les deux éléments obtiennent gain de cause. Il est inévitable que l'un des plateaux de la balance monte et que l'autre descende. Dans les grandes préoccupations pratiques de la vie, la vérité est à un tel point une affaire de conciliation et de combinaison des extrêmes[2], que très peu ont l'esprit assez large et impartial pour approcher de la solution correcte par ajustement; et cet ajustement doit être réalisé par le rude processus de la lutte entre des combattants enrôlés sous

---

1. Rousseau avait développé ces thèmes dès le *Discours sur les sciences et les arts* (1750) et le *Discours sur l'origine de l'inégalité* (1755).
2. *Reconciling and combining of opposites.*

des bannières opposées. Dans toutes les grandes questions non résolues énumérées ci-dessus, si l'une des deux opinions peut revendiquer plus que l'autre le droit d'être, non pas simplement tolérée, mais encouragée et soutenue, c'est celle qui, à un moment et dans un lieu donnés, se trouve être minoritaire. C'est l'opinion qui, pour le moment, représente les intérêts négligés, l'aspect du bien-être de l'homme qui court le danger d'obtenir moins que sa part. Je suis conscient qu'il n'existe, dans ce pays, aucune intolérance face aux différences d'opinions sur la plupart de ces sujets. Je les ai invoqués pour montrer, à l'aide d'exemples reconnus et multiples, l'universalité du fait que, dans l'état actuel de l'intelligence humaine, seule la diversité des opinions donne une chance équitable à tous les aspects de la vérité. Quand on découvre des personnes qui font exception face à l'unanimité apparente du monde sur un sujet quelconque, même si le monde a raison, il est toujours probable que les dissidents ont quelque chose à dire en leur faveur qui vaut la peine d'être entendu, et que la vérité perdrait quelque chose à ne pas l'entendre.

Mais, objectera-t-on peut-être, "*certains* principes généralement admis, particulièrement en ce qui concerne les sujets les plus élevés et les plus vitaux, sont plus que des demi-vérités. La morale chrétienne, par exemple, est toute la vérité sur ce sujet, et celui qui enseigne une morale différente est entièrement dans l'erreur." Comme c'est, de tous les cas, le plus important en ce qui concerne la pratique, il n'en est pas de plus approprié pour mettre à l'épreuve la maxime générale. Mais avant de se prononcer sur ce que la morale chrétienne est ou n'est pas, il serait souhaitable de définir ce que l'on veut dire par morale chrétienne. Si cela veut dire la morale du Nouveau Testament, je m'étonne que quelqu'un qui tire son savoir du livre lui-même puisse supposer que cette doctrine morale ait été annoncée ou voulue comme une doctrine complète. Les Evangiles se réfèrent toujours à une morale préexistante et limitent leurs préceptes aux aspects particuliers sous le rapport desquels cette morale devait être corrigée, ou remplacée par une moralité plus large et plus élévée. Ils s'expriment, en outre, dans des termes très généraux qu'il est souvent impossible d'interpréter littéralement et qui possèdent le caractère émouvant de la poésie ou de la réthorique plus que le caractère de précision de la législation. Il n'a jamais été possible d'en extraire un corps de doctrine éthique sans suppléer à son insuffisance à l'aide de l'Ancien Testament - un système sans doute élaboré, mais barbare à bien des égards, et destiné uniquement à un peuple barbare. Saint Paul, un ennemi déclaré de cette manière judaïque d'interpréter la doctrine et de compléter l'exposé de son maître, présuppose à son tour une morale préexistante, à savoir celle des Grecs et des Romains; et son conseil aux chrétiens consiste pour une grande part en un système d'adaptation à cette morale, au point qu'il paraît même donner une justification de l'esclavage[1]. Ce qu'on appelle la morale chrétienne, mais qu'on devrait plutôt appeler la morale théologique, n'était pas l'œuvre du Christ ou des Apôtres, mais a une origine beaucoup plus tardive, ayant été progressivement élaborée par l'Eglise catholique des cinq premiers siècles; et même si les modernes et les Protestants ne l'ont pas implicitement adoptée, ils l'ont bien moins modifiée qu'on aurait pu s'y attendre. La plupart d'entre eux se sont contentés de supprimer les additions qui avaient été faites au Moyen Age, chaque secte pourvoyant au vide ainsi laissé par de nouvelles additions adaptées à son caractère et à ses penchants propres. Je serais le dernier à nier que l'humanité ait une grande dette envers cette morale et ses premiers maîtres. Mais je n'ai aucun scrupule à affirmer qu'elle est, sur de nombreux points importants, incomplète et partiale, et

---

1. Voir *Epître de Paul aux Colossiens*, III, 22.

que si certains des sentiments et des idées qu'elle n'a pas entérinés n'avaient pas contribué à la formation du mode de vie et du caractère européens, les affaires humaines seraient dans une condition pire qu'aujourd'hui. Ce qu'on appelle la morale chrétienne a toutes les caractéristiques d'une réaction. C'est en grande partie une protestation contre le paganisme. Son idéal est plus négatif que positif, plus passif qu'actif ; c'est l'innocence plus que la noblesse, l'abstinence du mal plus que la quête énergique du bien. Dans ses commandements (comme on l'a justement fait remarquer), le "tu ne dois pas" prédomine indûment sur le "tu dois". Dans son horreur de la sensualité, elle a fait de l'ascétisme une idole, qui s'est trouvée peu à peu déformée au point de devenir une idole de la légalité. Elle présente l'espoir du paradis et la crainte de l'enfer comme les motivations désignées et appropriées de la vie vertueuse; et en ceci, elle tombe bien en dessous des grands sages de l'Antiquité. Et elle fait tout son possible pour donner à la moralité humaine un caractère essentiellement égoïste, en séparant les sentiments de devoir de chaque homme des intérêts de ses semblables, sauf là où un mobile d'intérêt personnel[2] lui est offert pour qu'il les prenne en considération. C'est essentiellement une doctrine de l'obéissance passive. Elle inculque la soumission à toutes les autorités établies; autorités auxquelles, bien évidemment, on ne doit pas obéir activement lorsqu'elles commandent de faire ce que la religion interdit, mais auxquelles il ne faut pas résister et contre lesquelles il ne faut pas se révolter, quel que soit le tort qu'elles nous fassent. Et alors que dans la morale des meilleures nations païennes, le devoir du citoyen envers l'Etat tient une place disproportionnée qui empiète sur la liberté légitime de l'individu, ce grand domaine du devoir est à peine remarqué ou reconnu dans l'éthique

---

2. *Self-interested inducement.*

purement chrétienne. C'est dans le Coran et non dans le Nouveau Testament que nous lisons la maxime : "Un souverain qui désigne un homme à un poste alors qu'il y a dans ses territoires un homme mieux qualifié pour celui-ci pèche contre Dieu et contre l'Etat[3]." Le peu de reconnaissance que reçoit l'idée d'obligation envers le public dans la morale moderne nous vient de sources grecques et romaines et non Chrétiennes. Même dans la morale privée, tout ce qu'on trouve de magnanimité, de grandeur d'âme, de dignité personnelle, et même de sens de l'humour, nous vient de l'aspect purement humain et non de l'aspect religieux de notre éducation, et n'aurait jamais pu être le fruit d'un modèle éthique où la seule valeur ouvertement reconnue est celle de l'obéissance.

Je suis aussi loin que quiconque de prétendre que ces défauts sont nécessairement inhérents à l'éthique chrétienne, quelle que soit la manière dont on la conçoit, ou que tout ce qui lui fait défaut pour devenir une doctrine morale complète ne saurait être concilié avec elle. Je l'insinue encore bien moins des doctrines et des préceptes du Christ lui-même. Je crois que, de toute évidence, les paroles du Christ sont exactement ce qu'elles avaient l'intention d'être; qu'elles ne sont irréconciliables avec rien de ce qu'exige une doctrine morale complète, qu'on peut y faire entrer tout ce qui est excellent en matière d'éthique, sans faire plus de violence à son langage qu'il n'en a été fait par tous ceux qui ont tenté d'en déduire un quelconque système pratique de conduite. Mais il est parfaitement cohérent avec ce que je viens de dire, de croire qu'elles contiennent et ne devaient contenir qu'une partie de la vérité, que de nombreux éléments essentiels de la moralité la plus élevée font partie des choses auxquelles les

---

3. Le passage n'est pas dans le Coran, mais dans l'ouvrage de Charles Hamilton: *The Hedàya or guide: a commentary on the mussulman laws*, Bensley, London, 1791, vol. II, p. 615.

enseignements consignés par écrit du fondateur du christianisme ne pourvoyaient pas et n'avaient pas l'intention de pourvoir, et qu'ils ont été entièrement rejetés dans le système éthique érigé par l'Eglise chrétienne sur la base de cet enseignement. Cela étant, je crois que c'est une grande erreur que de persister à vouloir trouver dans la doctrine chrétienne cette règle complète de conduite, que son auteur aurait eu l'intention de sanctionner et de mettre en vigueur, sans avoir eu l'intention d'y pourvoir complètement. Je crois également que cette théorie limitée est en train de devenir un mal sérieux pour la pratique en diminuant de beaucoup la valeur de l'exercice et de l'instruction morales que tant de personnes bien intentionnées ne cessent aujourd'hui de s'employer à promouvoir. Je redoute fort qu'en cherchant à former l'esprit et les sentiments sur un modèle exclusivement religieux et qu'en délaissant les normes séculières (comme on pourra les appeler faute d'un meilleur terme) qui coexistaient jusqu'ici avec l'éthique chrétienne et la complétaient, en accueillant une partie de son esprit et en y laissant pénétrer une partie du sien, il n'en résulte - comme cela arrive déjà maintenant - un type de caractère bas, abject et servile, qui, se soumettant comme il le peut à ce qu'il prend pour la Volonté Suprême, est incapable de s'élever ou de s'ouvrir à la conception de la Bonté Suprême. Je crois que d'autres éthiques que toutes celles qui peuvent se développer à partir de sources exclusivement chrétiennes doivent coexister avec l'éthique chrétienne afin de produire la régénération morale de l'humanité. Selon moi, le système chrétien ne fait pas exception à la règle. Dans un état d'imperfection de l'esprit humain, les intérêts de la vérité exigent la diversité d'opinions. Il n'est pas nécessaire qu'en cessant d'ignorer les vérités morales qui ne sont pas contenues dans le christianisme, les hommes se doivent d'ignorer aucune de celles qui y sont contenues. Un tel parti pris ou un tel oubli sont, en tout état de cause, un mal. Mais c'est une sorte de mal dont nous ne pouvons pas espérer être toujours exempts et que nous devons considérer comme le prix à payer pour un bien ines-timable. Nous devons nous élever contre la prétention exclusive d'une partie de la vérité à en être la totalité. Et si un mouvement spontané de réaction devait rendre les protestataires injustes à leur tour, cette partialité, tout comme l'autre, devrait être déplorée, mais elle devrait être tolérée. Si les chrétiens voulaient apprendre aux infidèles à être justes envers le christianisme, ils devraient eux-mêmes être justes envers l'incroyance. On ne peut rendre aucun service à la vérité en fermant les yeux sur le fait, connu de tous ceux qui ont la moindre notion d'histoire littéraire, qu'une grande partie des enseignements moraux les plus nobles et les plus estimables ont été l'œuvre, non seulement d'hommes qui ne connaissaient pas la foi chrétienne, mais également d'hommes qui la rejetaient en toute connaissance de cause.

Je ne prétends pas que l'usage le plus illimité de la liberté d'énoncer toutes les opinions possibles mettrait un terme aux maux du sectarisme religieux ou philo-sophique. Toutes les fois que des hommes bornés prennent au sérieux une vérité, ils ne manquent jamais de la proclamer, de l'inculquer, et même d'agir d'après elle de diverses manières, comme si aucune autre vérité n'existait dans le monde, ou en tout cas aucune qui pourrait la limiter ou la modifier. Je reconnais que la discussion la plus libre ne saurait empêcher le sectarisme en matière d'opinions, et qu'au contraire, elle se trouve souvent par là même aggravée et exacerbée. La vérité qui aurait dû être aperçue mais qui ne l'a pas été se trouve d'autant plus violemment rejetée qu'elle est proclamée par des per-sonnes considérées comme des adversaires. Ce n'est pas sur le partisan exalté mais sur le spectateur plus calme et plus désintéressé que cette confrontation d'opinions produit son effet salutaire. Ce n'est pas le conflit violent entre les parties de la vérité mais la suppression tranquille de l'une de ses moitiés qui est le mal redoutable. Il y a toujours de l'espoir tant que les gens sont forcés d'écouter les deux partis en présence. C'est lorsqu'ils ne prêtent plus attention qu'à un seul que les erreurs s'enracinent pour devenir des préjugés, et que la vérité caricaturée en erreur cesse d'avoir l'effet de la vérité. Et comme il y a peu de qualités de l'esprit qui soient plus rares que ce sens critique qui peut assister le jugement de l'intelligence lorsqu'un seul des côtés d'un problème lui est présenté par un défenseur, la vérité n'a de chance que dans la mesure où chacun de ses aspects, chaque opinion qui incarne une fraction de la vérité, non seulement trouve des défenseurs, mais est aussi défendue de manière à être entendue.

*

Nous avons maintenant reconnu la nécessité de la liberté d'opinion et de son expression pour le bien-être intellectuel de l'humanité (dont dépend son bien-être général) en invoquant quatre raisons, que nous récapitulerons à présent brièvement.

Premièrement, une opinion réduite au silence peut, pour autant que nous sachions avec certitude, être vraie. Le nier revient à supposer notre propre infaillibilité.

Deuxièmement, même si l'opinion réduite au silence est une erreur, elle peut, comme cela arrive très souvent, contenir une part de vérité; et puisque l'opinion générale ou dominante sur un sujet quelconque constitue rarement ou jamais toute la vérité, c'est seulement par la confrontation des opinions contraires qu'on a une chance de découvrir le reste de la vérité.

Troisièmement, même si l'opinion reçue est non seulement vraie mais constitue l'entière vérité, à moins que l'on ne permette qu'elle soit vigoureusement et sérieusement contestée - et à moins qu'elle ne le soit en réalité -, la plupart des hommes ne l'accepteront que comme un préjugé, sans comprendre ni sentir ses fondements rationnels. Mais ce n'est pas tout: quatrièmement, le sens même de la doctrine courra le danger d'être perdu, ou affaibli, ou privé de ses conséquences vitales sur le caractère et la conduite. Le dogme deviendra une simple déclaration formelle, inefficace quant au bien, mais encombrant le terrain et empêchant la croissance de toute conviction réelle et sincère fondée sur la raison ou l'expérience personnelle.

Avant de quitter le sujet de la liberté d'opinion, il convient de tenir compte de ceux qui disent que la libre expression de toutes les opinions devrait être autorisée, à condition que cela se fasse de manière mesurée et qu'on ne dépasse pas les limites de la discussion loyale[1]. On pourrait en dire long sur l'impossibilité de déterminer avec certitude ces limites supposées. Car si le critère est l'offense faite à la susceptibilité de ceux dont l'opinion est attaquée, je pense que l'expérience atteste que cette offense est ressentie chaque fois que l'attaque est efficace et vigoureuse; et que dès que les gens se sentent durement critiqués, les adversaires qui les combattent avec vigueur et auxquels ils trouvent qu'il est difficile de répondre leur apparaissent comme des adversaires intempérants s'ils font preuve d'un vif intérêt pour le sujet discuté. Mais bien que cette considération soit importante d'un point de vue pratique, elle conduit à une objection plus fondamentale. Il ne fait aucun doute que la manière de défendre une opinion[2], même au cas où l'opinion est vraie, peut être tout à fait inacceptable et encourir légitimement une censure sévère. Mais les principales offenses de ce genre sont telles qu'il est la plupart du temps impossible d'en

---

1. *Fair discussion.*
2. *The manner of asserting an opinion.*

convaincre l'accusé, à moins qu'il ne se trahisse lui-même par accident. Les plus graves d'entre elles consistent à argumenter de manière sophistique, à dissimuler des faits ou des arguments, à déformer les éléments du cas en question, ou à représenter faussement l'opinion opposée. Mais tout cela est fait si constamment, en toute bonne foi, et même à outrance, par des personnes que l'on ne considère ni comme ignorantes ni comme incompétentes (et qui ne méritent peut-être pas d'être considérées comme telles sous d'autres rapports) qu'on trouve rarement les raisons adéquates de condamner en toute conscience ces exposés fallacieux pour immoralité; et qu'on peut encore moins s'attendre à ce que la loi intervienne dans ce genre d'inconduite dans la direction des débats. Quant à ce qu'on entend généralement par le manque de tempérance dans la discussion, à savoir l'invective, le sarcasme, l'attaque personnelle et autres choses du même genre, la dénonciation de ces armes mériterait plus de sympathie si l'on proposait toujours de les interdire de manière équitable des deux côtés. Mais on désire seulement en restreindre l'emploi au profit de l'opinion dominante. Non seulement celui qui les emploie contre l'opinion minoritaire n'encourt pas la désapprobation générale, mais il peut même s'attendre aux louanges pour son zèle honnête et sa juste indignation. C'est cependant lorsqu'on les utilise contre les plus faibles que ces armes font le plus grand tort; et tous les avantages déloyaux qu'une opinion peut tirer de ce type d'argumentation reviennent presque exclusivement aux opinions reçues. La pire offense de cette espèce qu'on puisse commettre au cours d'une polémique est de stigmatiser comme des hommes mauvais et immoraux ceux qui sont de l'opinion contraire. Ceux qui soutiennent des opinions impopulaires sont particulièrement exposés à cette sorte de calomnies parce qu'ils sont en général peu nombreux et sans influence, et que personne ne ressent un grand intérêt à ce qu'on leur rende justice. Mais compte tenu de la situation, cette arme est refusée à ceux qui attaquent une opinion dominante: ils ne peuvent l'employer sans se mettre eux-mêmes en danger, et s'ils le pouvaient, ils ne réussiraient qu'à compromettre leur propre cause. En règle générale, les opinions contraires à celles qui sont communément reçues ne peuvent se faire entendre que dans un langage scrupuleusement modéré, et en évitant prudemment toute offense inutile: elles ne peuvent dévier le moins du monde de cette ligne de conduite sans perdre du terrain. En revanche, lorsqu'elles sont le fait de l'opinion dominante, les vitupérations les plus outrées dissuadent toujours les gens de professer des opinions contraires et d'écouter ceux qui les professent. Par conséquent, dans l'intérêt de la vérité et de la justice, il est bien plus important de refréner l'usage du langage injurieux dans ce cas précis que dans le premier; et par exemple, s'il fallait choisir, il serait bien plus nécessaire de décourager les attaques injurieuses contre l'infidélité que contre la religion. Il est néanmoins évident que ni la loi ni l'autorité n'ont à se mêler de réprimer les unes ou les autres et que l'opinion devrait, dans chaque cas, prononcer son verdict conformément aux données du cas individuel, pour condamner tous ceux qui, d'un côté ou de l'autre de la discussion, font preuve soit de mauvaise foi, soit de malveillance ou de bigoterie, soit de sentiments d'into-lérance; mais sans inférer leurs vices du parti qu'ils prennent, même s'il s'agit du parti adverse. Il faut rendre l'honneur qu'il mérite à celui qui, quelle que soit l'opinion qu'il professe, possède le calme qui lui permet de voir ce que ses adversaires et leurs opinions sont réellement, et qui a l'honnêteté de l'exposer sans rien exagérer pour les discréditer, ni rien passer sous silence de ce qui parle ou pourrait parler en leur faveur. Voilà la vraie moralité de la discussion publique; et si elle est souvent violée, je me plais à penser qu'il y a de nombreux adeptes de la controverse qui l'observent dans une large mesure, et un plus grand nombre encore qui s'efforcent consciencieusement de la respecter.

CHAPITRE 3

DE L'INDIVIDUALITE
COMME L'UN DES ELEMENTS
DU BIEN-ETRE

Puisque telles sont les raisons qui rendent impératif de laisser les êtres humains libres de former des opinions et de les exprimer sans réserve, et que telles sont les conséquences néfastes pour la nature intellectuelle et, partant, morale, de l'homme, lorsque cette liberté n'est pas concédée ou revendiquée en dépit de l'interdiction, examinons maintenant si les mêmes raisons n'exigent pas que les hommes soient libres d'agir selon leurs opinions et de les mettre en pratique dans leur vie sans empêchement physique ou moral de la part de leurs semblables tant que cela se fait à leur propres risques et périls. Cette dernière restriction est bien évidemment indispensable. Personne ne prétend que les actions devraient être aussi libres que les opinions. Au contraire, même les opinions perdent leur immunité quand les circonstances dans lesquelles elles sont exprimées sont telles que leur expression devient une incitation positive à quelque méfait. L'opinion selon laquelle les marchands de blé sont les affameurs des pauvres ou que la propriété privée est un vol ne devrait pas être inquiétée lorsqu'elle circule simplement dans la presse, mais elle peut légitimement encourir une punition quand on l'exprime oralement face à une foule agitée rassemblée devant la maison d'un marchand de blé, ou quand on la fait circuler dans cette même foule sous la forme d'un placard. Les actes de toute nature qui font du tort à autrui sans cause justifiable peuvent être contrôlés par une réprobation hostile et si nécessaire par une intervention active, et dans les cas les plus importants ils doivent l'être absolument. La liberté de l'individu doit être contenue dans ces limites: il ne doit pas nuire à autrui. Mais s'il s'abstient d'importuner les autres et s'il ne fait qu'agir conformément à ses propres inclinations et à son propre jugement dans ce qui ne concerne que lui, les mêmes raisons qui montrent que l'opinion doit être libre prouvent également que l'individu devrait être autorisé, sans être importuné, à mettre ses opinions en pratique à ses propres dépens. Que les hommes ne soient pas infaillibles, que leurs vérités ne soient pour la plupart que des demi-vérités, que l'unité des opinions ne soit pas souhaitable à moins qu'elle ne résulte de la plus complète et de la plus libre comparaison des opinions opposées, et que la diversité ne soit pas un mal mais un bien tant que les hommes ne sont pas capables plus qu'ils ne le sont aujourd'hui de reconnaître tous les aspects de la vérité: voilà des principes tout autant applicables aux manières d'agir des hommes qu'à leurs opinions. De même qu'il est utile qu'il y ait des différences d'opinion tant que l'humanité est imparfaite, il est également utile qu'il y ait différentes expériences dans les façons de vivre, que toute latitude soit laissée aux divers types de caractères tant qu'ils ne font pas de tort aux autres, et que la valeur des différents modes de vie soit démontrée du point de vue pratique à ceux qui jugent opportun de les essayer. Bref, il est souhaitable que l'individualité puisse s'affirmer dans tout ce qui ne concerne pas essentiellement autrui. Là où ce n'est pas le caractère propre de la personne mais les traditions et les mœurs d'autrui qui constituent les règles de conduite, il manque l'un des principaux ingrédients du bonheur humain, et assurément l'ingrédient principal du progrès individuel et social.

La plus grande difficulté que l'on rencontre quand on maintient ce principe ne tient pas à l'appréciation des moyens en vue d'une fin reconnue, mais à l'indifférence générale des personnes vis-à-vis de la fin elle-même. Si l'on sentait que le libre développement de l'individualité est l'un des éléments essentiels du bien-être, que ce n'est pas seulement un élément de plus dans tout ce qu'on désigne par les termes de "civilisation", d'"instruction", d'"éducation" et de "culture", mais qu'il constitue lui-même une condition et une partie nécessaire de toutes ces choses, il n'y aurait pas à craindre que la liberté soit sous-estimée, et il n'y aurait pas de difficulté extraordinaire à tracer une frontière entre la liberté et le contrôle social. Mais le mal vient de ce que les modes de pensée habituels ne reconnaissent que rarement une valeur intrinsèque ou un mérite propre à la spontanéité individuelle. La majorité, satisfaite de la manière dont les hommes vivent aujourd'hui (car c'est elle qui les a faits ce qu'ils sont), ne peut comprendre pourquoi elle ne satisferait pas tout le monde. De plus, les réformateurs moraux et sociaux excluent la spontanéité de leur idéal; ils la considèrent plutôt avec jalousie, comme une entrave gênante, voire rebelle, à l'acceptation générale de ce que ces réformateurs jugent pour leur part être le mieux pour l'humanité. Peu de gens, hors d'Allemagne, comprennent même le sens de la doctrine que Wilhelm von Humboldt, un homme éminent aussi bien comme *savant*[1] que comme politicien, a prise pour thème d'un traité, et selon laquelle: "la fin de l'homme, ou ce qui est prescrit par les décrets immuables et éternels de la raison et non suggéré par des désirs vagues et passagers, est le développement le plus haut et le plus harmonieux de ses facultés en un tout parfait et cohérent"; de sorte que l'objet "vers lequel chaque homme

---

1. En français dans le texte.

doit sans cesse diriger ses efforts, et sur lequel ceux qui ont l'ambition d'influencer leurs semblables doivent tout particulièrement porter leur attention, est l'individualité de la puissance et du développement". Deux conditions doivent être remplies pour y parvenir: "la liberté et la variété des situations", de l'union desquelles naissent "la vigueur individuelle et la plus grande diversité", lesquelles s'unissent enfin dans "l'originalité[1]".

Pourtant, aussi inhabituelle que paraisse une doctrine comme celle de von Humboldt et aussi surprenante que soit sa valorisation extrême de l'individualité, on doit néanmoins observer qu'il ne peut s'agir ici que d'une question de degré. Personne n'estime que l'excellence dans la conduite doit simplement consister à se copier les uns les autres. Personne n'affirme qu'il ne faut laisser aucune empreinte de notre propre jugement ou de notre propre caractère individuel sur notre mode de vie et sur la conduite de nos affaires. D'un autre côté, il serait absurde de prétendre qu'il faille vivre comme si absolument rien n'avait été connu dans le monde avant nous; comme si l'expérience n'avait encore rien fait pour nous montrer qu'un certain mode d'existence ou de conduite est préférable à un autre. Personne ne nie qu'il faille élever et instruire les gens dans leur jeune âge pour leur apprendre les résultats acquis de l'expérience humaine et leur en donner le bénéfice. Mais c'est le privilège et la condition normale d'un être humain arrivé à la maturité de ses facultés que de se servir de l'expérience et de l'interpréter d'une manière qui lui est propre. C'est à lui de découvrir ce qui, dans l'expérience transmise[2], est correctement applicable à sa situation et à son caractère propres. Les traditions et les coutumes des autres témoignent jusqu'à un certain point de ce que leur

---

1.*De la sphère et des devoirs du gouvernement* (en allemand) par le baron Wilhelm von Humboldt, pp. 11, 13. *Note de J.S.M.*
2. *Recorded experience*.

expérience *leur* a appris, et elles justifient une présomption qui, comme telle, est digne de respect. Mais, premièrement, il se peut que leur expérience soit trop étroite ou qu'ils l'aient interprétée incorrectement. Deuxièmement, il se peut qu'elle soit correcte mais inadaptée à l'individu en question. Les coutumes sont faites pour des situations et des caractères ordinaires; mais un individu peut être dans une situation et avoir un caractère qui sortent de l'ordinaire. Troisièmement, même si les coutumes sont bonnes en soi et adaptées à l'individu, il n'en reste pas moins que se conformer à la coutume *en tant que* simple coutume, n'entretient ni ne développe en lui aucune des qualités qui constituent les dons naturels caractéristiques d'un être humain. Les facultés humaines de la perception, du jugement, du discernement, de l'activité intellectuelle, et même de la préférence morale ne s'exercent qu'en faisant des choix. Celui qui n'a que la coutume comme mobile de ses actions ne fait aucun choix. Il ne s'exerce ni à discerner ni à désirer ce qui vaut le mieux. Les forces intellectuelles et morales, tout comme les forces musculaires, ne se perfectionnent qu'avec l'exercice. Mais faire une chose simplement parce que les autres la font ne suscite pas plus l'exercice de nos facultés que de croire une chose seulement parce que d'autres la croient. Si un individu adopte une opinion sans que ses principes lui paraissent concluants, le simple fait de l'adopter ne fortifiera pas sa raison, mais l'affaiblira plutôt; et si les mobiles d'une action restent étrangers à ses sentiments et à son caractère propres (lorsque les affections ou les droits d'autrui entrent en ligne de compte), cet individu ne gagnera à l'accomplir que de rendre ses sentiments et son caractère apathiques et engourdis plutôt qu'actifs et énergiques.

Celui qui laisse le monde ou son entourage choisir à sa place le dessein de sa vie n'a besoin d'autre faculté que celle d'imiter à la manière des singes. Celui qui choisit ce dessein lui-même utilise toutes ses facultés: l'observation pour voir, le raisonnement et le jugement pour prévoir, l'activité pour recueillir les matériaux en vue d'une décision, le discernement pour décider; et lorsqu'il a pris une décision, il doit faire preuve de fermeté et de maîtrise de soi pour s'en tenir à sa décision délibérée. Et il lui faut posséder et exercer ces qualités dans l'exacte mesure où il détermine sa conduite par son jugement et ses sentiments propres. Il est possible qu'il soit guidé sur une bonne voie et gardé à l'abri du danger sans rien de tout cela. Mais quelle sera sa valeur relative en tant qu'être humain? Ce qui importe réellement, c'est non seulement ce que les hommes font, mais également le genre d'hommes qu'ils sont en le faisant. Parmi les œuvres de l'homme que la vie humaine s'ingénie avec raison à perfectionner et à embellir, la première place revient certainement à l'homme lui-même. A supposer qu'il soit possible à des machines - des automates à forme humaine - de construire des maisons, de faire pousser du blé, de se battre à la guerre, de plaider des causes, voire même d'élever des églises et de dire des prières, ce serait une perte considérable que d'échanger contre ces automates les hommes et les femmes qui habitent aujourd'hui les régions les plus civilisées du monde, même s'ils ne sont assurément que de pâles copies de ce que la nature peut produire et produira effectivement. La nature humaine n'est pas une machine susceptible d'être construite selon un modèle pour exécuter exactement le travail qu'on lui prescrit, mais un arbre qui exige de croître et de se développer de tous côtés, selon les tendances des forces internes qui en font un être vivant.

On concédera probablement qu'il est souhaitable que les gens exercent leur intelligence, et qu'une manière intelligente de suivre la coutume - ou même, à l'occasion, d'en dévier - vaut mieux qu'une adhésion aveugle et purement mécanique. On admet jusqu'à un certain point que notre intelligence doit nous appartenir. Mais on n'admet pas aussi volontiers qu'il doit en être de même pour nos désirs et nos impulsions, ou qu'avoir nos propres impulsions, quelle que soit leur force, soit autre chose qu'un danger et un piège. Pourtant, les désirs et les impulsions font tout autant partie de la perfection d'un être humain que les croyances et les contraintes; et les impulsions fortes ne sont dangereuses que lorsqu'elles ne sont pas convenablement équilibrées: lorsqu'un ensemble d'objectifs et d'inclinations s'est fortement développé alors que d'autres, qui devraient coexister avec lui, restent faibles et inactifs. Ce n'est pas parce que les désirs des hommes sont forts qu'ils agissent mal. C'est parce que leur conscience est faible. Il n'y a aucun lien naturel entre des instincts forts et une conscience faible. Le lien naturel s'établit en sens contraire. Dire que les désirs et les sentiments d'une personne sont plus forts et plus variés que ceux d'une autre revient simplement à dire qu'elle a plus en elle du matériau brut de la nature humaine; elle est peut-être donc capable de plus de mal, mais certainement aussi de plus de bien. Parler des instincts forts n'est qu'une autre manière de parler de l'énergie. L'énergie peut être utilisée à de mauvaises fins, mais on peut toujours tirer plus de bien d'une nature énergique que d'une nature indolente et impassible. Ceux qui ont le plus de sensibilité naturelle[1] sont toujours ceux qui peuvent acquérir les sentiments cultivés[2] les plus forts. Cette forte sensibilité qui rend les instincts personnels vifs et puissants est également la source dont on tire l'amour le plus passionné de la vertu et la maîtrise de soi la plus sévère. C'est par la formation de ces qualités que la société fait son devoir et protège ses intérêts, et non en rejetant l'étoffe dont sont faits les héros, sous prétexte qu'elle est justement incapable d'en produire. On dit d'une personne qu'elle a du caractère lorsqu'elle a des désirs et des impulsions personnels qui sont l'expression de sa propre

---

1. *Natural feelings.*
2. *Cultivated feelings.*

nature, telle qu'elle l'a développée et modifiée par sa propre culture. Celui qui n'a ni désirs ni instincts personnels n'a pas davantage de caractère qu'une machine à vapeur. Si un individu a des impulsions non seulement personnelles, mais fortes et dominées par une forte volonté, il a ce qu'on appelle un caractère énergique. Penser qu'on ne devrait pas encourager l'individualité des désirs et des instincts à se manifester, c'est soutenir que la société n'a pas besoin de natures fortes - qu'elle ne s'en trouve pas mieux pour contenir de nombreuses personnes de caractère - et qu'un haut niveau moyen d'énergie n'est pas souhaitable.

A certains stades primitifs de la société, ces forces ont pu dépasser, et ont effectivement dépassé de loin la puissance dont la société disposait alors pour les discipliner et les contrôler. Il fut un temps où l'élément de spontanéité et d'individualité dominait à l'excès, et où le principe social devait lui livrer de rudes combats. La difficulté était alors d'amener les hommes forts de corps et d'esprit à obéir aux règles exigeant qu'ils contrôlent leurs instincts. Pour résoudre cette difficulté, la loi et la discipline, à l'instar des papes dans leur lutte contre les empereurs, s'arrogèrent un pouvoir sur l'homme tout entier, revendiquant le droit de contrôler sa vie tout entière de façon à contrôler son caractère, que la société n'avait pas trouvé moyen de contenir jusque-là. Mais la société a maintenant eu largement raison de l'individualité, et le danger qui menace la nature humaine n'est pas l'excès, mais le manque de préférences et d'instincts personnels. Les choses ont considérablement changé depuis que les passions de ceux qui détenaient leur puissance, soit de leur position, soit de leurs aptitudes personnelles, se trouvaient dans un état de rébellion constante contre les lois et les décrets, et devaient être étroitement refrénées pour que leur voisinage pût jouir de quelque sécurité. De nos jours, de la classe sociale la plus haute à la plus basse, tout le monde vit comme sous le regard d'une censure hostile et redoutée. Non seulement en ce qui concerne les autres, mais en ce qui ne concerne qu'eux-mêmes, l'individu ou la famille ne se demandent pas: "Qu'est-ce que je préfère?", ou bien: "Qu'est-ce qui conviendrait à mon caractère et à mes dispositions?", ou encore : "Qu'est-ce qui permettrait à ce qu'il y a de plus élevé et de meilleur en moi d'avoir libre jeu et de se développer et de prospérer"? Ils se demandent: "Qu'est-ce qui convient à ma situation?", "Qu'est-ce que les autres personnes de mon rang et de ma fortune ont l'habitude de faire?", ou (pire encore): "Qu'est-ce que les personnes d'une fortune et d'un rang supérieurs aux miens ont l'habitude de faire?" Je ne veux pas dire qu'ils choisissent de suivre la coutume plutôt que ce qui convient à leurs penchants. Il ne leur vient même pas à l'idée qu'ils ont le moindre penchant pour autre chose que ce qui constitue la coutume. Ainsi, l'esprit lui-même fléchit sous le joug: même dans ce que les gens font pour le plaisir, la conformité est la première chose qui leur vient à l'esprit. Ils aiment en masse. Ils limitent leurs choix aux choses que l'on fait communément. Ils évitent comme des crimes toute singularité de goût et toute excentricité de conduite, au point qu'à force de ne pas suivre leur propre nature, ils n'en ont plus aucune à suivre. Leurs capacités humaines sont desséchées et atrophiées. Ils deviennent incapables du moindre désir vif ou du moindre plaisir spontané, et sont généralement sans aucune opinion ou sentiment de leur propre cru, ou qui leur appartienne vraiment. Est-ce là, oui ou non, la condition souhaitée pour la nature humaine?

Ça l'est effectivement pour la théorie calviniste. Selon cette théorie, la grande faute de l'homme, c'est la volonté propre. Tout le bien dont l'homme est capable tient dans l'obéissance. Vous n'avez pas le choix. C'est ainsi que vous devez agir et non pas autrement: "Ce qui n'est pas un devoir est un péché." La nature humaine étant radicalement corrompue, il n'y a pas de rédemption pour quiconque n'a pas tué en lui la nature humaine. Pour celui qui accepte cette conception de la vie, écraser les facultés, les aptitudes et les sentiments humains, n'est pas un mal. L'homme n'a besoin d'aucune aptitude si ce n'est celle de s'abandonner à la volonté de Dieu; et s'il fait usage de ses facultés dans un autre but que celui d'accomplir cette volonté encore plus efficacement, il vaudrait mieux qu'il ne les possède pas. Voilà la théorie du calvinisme, et elle est soutenue, sous une forme atténuée, par beaucoup de gens qui ne se considèrent pas comme calvinistes; l'atténuation consistant à donner une interprétation moins ascétique de la volonté supposée de Dieu, en affirmant qu'il veut que les hommes satisfassent à certains de leurs penchants, non pas, bien évidemment, de la manière qu'ils préfèrent, mais par obéissance, c'est-à-dire d'une manière prescrite par l'autorité, et qui, par conséquent, de par la nature même du cas, est nécessairement la même pour tous.

De nos jours, on tend fortement et d'une manière insidieuse, vers cette théorie étroite de la vie et vers ce type de caractère humain étriqué et plein de préjugés qu'elle encourage. Il ne fait aucun doute que de nombreuses personnes pensent sincèrement que les êtres humains ainsi étriqués et rabougris sont tels que les a voulus leur créateur; de même que beaucoup pensent que les arbres sont bien plus beaux lorsqu'ils sont écimés ou taillés en forme d'animaux que tels que la nature les a faits. Mais si la croyance que l'homme a été fait par un être bon relève de la religion, il est plus cohérent avec cette foi de croire que cet être a donné à l'homme toutes ses facultés afin qu'il puisse les cultiver et les développer et non pas pour qu'il les extirpe et les réduise à néant, et qu'il se réjouit chaque fois que Ses créatures se rapprochent davantage de la conception idéale qui est incarnée en elles et qu'elles accroissent l'une de leurs aptitudes à la compréhension, à l'action, ou au plaisir. Il existe un modèle d'excellence humaine différent de celui du calvinisme, selon lequel l'humanité a reçu sa nature à d'autres fins que d'en réaliser l'abnégation.

"L'affirmation païenne de soi" est un des éléments de la nature humaine, au même titre que "l'abnégation chrétienne de soi[1]". Il y a un idéal grec du développement de soi, auquel l'idéal platonicien et chrétien de maîtrise de soi s'associe, sans toutefois s'y substituer. Il vaut peut-être mieux être un John Knox[2] qu'un Alcibiade[3], mais il vaut encore mieux être un Périclès[4]. Et si nous en avions un aujourd'hui, il ne manquerait à un Périclès aucune des qualités d'un John Knox.

Ce n'est pas en éliminant jusqu'à l'uniformité tout ce qui est individuel en eux, mais en le cultivant et en le développant dans les limites imposées par les droits et les intérêts d'autrui que les hommes deviennent un noble et bel objet de contemplation. Et comme les œuvres participent

---

1. Sterling: *Essais*. (John Sterling: "Simonides" in *Essays and Tales*, J.C. Hare (ed.), Parker, London, 1848, vol. 1, p. 90. John Sterling (1806-1844), poète écossais, disciple de Coleridge, était un ami proche de Mill et de Carlyle, qui fréquentaient son club littéraire. Carlyle publia une *Vie de Sterling* (1851).

2. Voir note 2 de la page 60.

3. (v. 450-404 av. J. C.). Elevé par Périclès, son cousin, et ami de Socrate, Alcibiade menait à Athènes une vie fastueuse parsemée de scandales. Accusé d'avoir tourné en dérision les mystères d'Eleusis, il déserta Athènes. Il y rentra triomphalement en 407, après deux victoires contre les Lacédémoniens. Il finit assassiné, après un complot de Sparte et des Perses. Platon lui consacra un dialogue: *Alcibiade ou de la nature de l'homme*.

4. Périclès (v. 495-429 av. J. C.), stratège et homme d'Etat athénien. Elu quinze fois au poste de stratège entre 443 et 429, il contribua à la démocratisation de la vie politique à Athènes. Il y encouragea toutes les grandes figures de son époque: Hérodote, Sophocle, Socrate. On voit dans le "siècle de Périclès" l'apogée de la civilisation athénienne. Il mourut au cours d'une épidémie, au début de la guerre du Péloponnèse qui opposa Sparte et Athènes de 431 à 404 av. J. C.

du caractère qui les fait, c'est par le même processus que la vie humaine devient également riche, diversifiée, animée, apte à nourrir plus abondamment des pensées élevées et des sentiments enthousiastes et à renforcer le lien qui unit chaque individu à l'espèce, en accroissant infiniment la valeur de son appartenance à celle-ci. Chacun acquiert plus de valeur à ses propres yeux à proportion du développement de son individualité, et devient par conséquent mieux à même d'en acquérir davantage aux yeux des autres. Nous avons une plus grande plénitude de vie dans notre propre existence; et lorsqu'il y a plus de vie dans les éléments, il y en a également plus dans la masse qu'ils composent. On ne peut éviter de contraindre les spécimens les plus vigoureux de la nature humaine autant qu'il est nécessaire pour les empêcher d'empiéter sur les droits d'autrui. Mais on trouve à cela une ample compensation, même du point de vue du développement humain. Les moyens de développement que perd l'individu par l'interdiction de satisfaire des tendances nuisibles aux autres sont en grande partie obtenus aux dépens du développement d'autrui. Et lui-même bénéficie d'une compensation équivalente par un meilleur développement de l'aspect social de sa nature, rendu possible par la contrainte imposée à son propre égoisme. Le fait d'être tenu de suivre des règles strictes de justice par égard pour autrui développe des sentiments et des aptitudes qui ont le bien d'autrui pour objet. Mais le fait d'être contraint par le seul déplaisir, en ce qui concerne des choses qui n'affectent pas son bien propre, ne développe rien qui ait de la valeur, sinon une force de caractère qui peut se manifester en résistant à la contrainte. Celui qui s'y soumet ternit et affaiblit entièrement sa nature. Pour donner une chance équitable à la nature de chacun, il est essentiel que différentes personnes aient la permission de mener des genres de vie différents. Aucune époque ne s'est signalée à la postérité que dans la mesure où cette liberté y a été pratiquée. Même le despotisme ne produit pas ses pires effets, tant qu'il laisse subsister l'"individualité"; et tout ce qui opprime l'individualité relève du despotisme, quel que soit le nom qu'on lui donne, qu'il fasse profession de faire respecter la loi de Dieu ou les injonctions des hommes.

Après avoir dit que l'individualité est identique au développement et que seule la culture de l'individualité produit ou peut produire des êtres humains bien développés, je pourrais conclure ici la discussion. Que peut-on dire de plus ou de mieux d'un état quelconque des affaires humaines, sinon qu'il rapproche les hommes de la perfection? Ou que peut-on dire de pire de tout obstacle au bien, sinon qu'il empêche ce rapprochement? Toutefois, ces considérations ne suffiront pas à convaincre ceux qui en ont le plus besoin. Il faut encore montrer que ces êtres humains développés sont d'une certaine manière utiles à ceux qui ne le sont pas. Il faut faire clairement voir à ceux qui ne désirent pas la liberté et qui ne sauraient en profiter, qu'ils peuvent sûrement être récompensés de permettre aux autres d'en faire usage sans entraves.

Je suggérerais donc en premier lieu qu'ils pourraient apprendre quelque chose des hommes qui goûtent cette liberté. Personne ne niera que l'originalité soit un élément précieux dans les affaires humaines. On a toujours besoin de gens, non seulement pour découvrir de nouvelles vérités et signaler le moment où ce qui fut autrefois une vérité cesse de l'être, mais également pour inaugurer de nouvelles pratiques et donner l'exemple de conduites plus éclairées et de davantage de goût et de bon sens dans les affaires humaines. Ceci peut difficilement être contredit par quiconque ne croit pas que le monde ait déjà atteint la perfection dans toutes ses coutumes et pratiques. Il est vrai que tout le monde ne peut pareillement rendre ce service: rares sont ceux dans l'espèce humaine dont les expériences pourraient constituer un progrès sur l'usage établi si les autres les adoptaient. Mais ces rares personnes sont le sel de la terre. Sans elles, la vie humaine deviendrait une mare stagnante. Non seulement ce sont elles qui introduisent les bonnes choses qui n'existaient pas auparavant, mais ce sont elles encore qui gardent en vie celles qui existent déjà. S'il n'y avait rien de nouveau à faire, l'intelligence humaine cesserait-elle pour autant d'être nécessaire? Serait-ce une raison pour ceux qui pratiquent les anciennes coutumes, d'oublier pourquoi ils les pratiquent, et de les pratiquer comme du bétail et non comme des êtres humains? Il y a, dans les croyances et les pratiques les meilleures, une tendance qui n'est que trop grande à dégénérer en action mécanique. Et sans cette succession de personnes dont l'originalité perpétuellement renouvelée empêche les fondements de ces croyances et de ces pratiques de devenir simplement traditionnels, une telle matière morte ne résisterait pas au plus petit choc causé par quelque chose de réellement vivant, et il n'y aurait alors aucune raison pour que la civilisation ne périsse pas, comme ce fut le cas de l'Empire byzantin[1]. Il est vrai que les personnes de génie forment et formeront probablement toujours une petite minorité. Mais pour qu'il y en ait, encore faut-il entretenir le terreau dans lequel elles se développent. Le génie ne peut respirer librement que dans une *atmosphère* de liberté. Les gens de génie sont, *ex vi termini*[2], *plus* "individuels" que tous les autres, et par conséquent moins capables de se couler, sans que cette compression leur soit dommageable, dans le petit nombre de moules que la société fournit à ses membres pour leur éviter la peine de se former un caractère. Si par timidité, ils

---

1. L'Empire byzantin ou Empire romain d'Orient s'est constitué entre 330 et 395 dans la partie orientale de l'Empire romain. Constantin fonda Constantinople sur l'emplacement même de l'antique Byzance en 330. L'empire s'est maintenu jusqu'à la chute de Constantinople en 1453. Les Ottomans conquirent Constantinople en 1453 et Trébizonde en 1461.
2. "Par la force du cas","de par la nature même du cas".

consentent à entrer dans l'un de ces moules et à laisser s'atrophier toute cette partie d'eux-mêmes qui ne peut s'épanouir sous une telle pression, la société ne profitera guère de leur génie. S'ils ont un caractère fort et brisent leurs chaînes, ils deviennent une cible pour la société qui n'a pas réussi à les réduire à la banalité, et qui les montre du doigt avec des avertissements solennels en les traitant de "sauvages", de "fous", et autres qualificatifs semblables; un peu comme si on se plaignait que le Niagara n'ait pas le flot paisible d'un canal hollandais.

J'insiste donc avec force sur l'importance du génie et sur la nécessité de lui permettre de se développer librement, aussi bien dans la pensée que dans la pratique, sachant pertinemment que bien qu'en théorie personne ne refuse cette position, presque tout le monde y est en réalité totalement indifférent. Les gens pensent que le génie est une belle chose si elle permet à un homme d'écrire un poème émouvant ou de peindre un tableau. Mais bien que personne ne prétende qu'il faille éviter d'admirer le génie, dans son vrai sens d'originalité de pensée et d'action, tout le monde pense, dans son for intérieur, qu'on peut très bien s'en passer. Cette attitude est malheureusement trop naturelle pour qu'on puisse s'en étonner. S'il y a une chose dont les esprits peu originaux ne ressentent aucun besoin, c'est bien l'originalité. Ils sont incapables de voir à quoi elle pourrait leur servir. Et d'ailleurs, comment le pourraient-ils? S'ils le pouvaient, ce ne serait plus de l'originalité. Le premier service que l'originalité doive leur rendre, c'est de leur ouvrir les yeux; après quoi seulement, ils ont éventuellement quelque chance de devenir eux-mêmes originaux. Qu'ils se souviennent, en attendant, que rien n'a jamais été fait sans que quelqu'un le fasse en premier et que toutes les bonnes choses sont le fruit de l'originalité; qu'ils soient en conséquence assez modestes pour croire qu'il reste encore à l'originalité bien des choses à accomplir, et qu'ils se persuadent que moins ils en ressentent le besoin, plus elle leur est nécessaire.

En vérité, quels que soient les hommages qu'on veut bien rendre à la supériorité d'esprit réelle ou supposée, la tendance générale dans le monde est d'accorder une place dominante à la médiocrité. Dans l'histoire ancienne, au Moyen Age - et à un moindre degré, tout au long de la longue transition entre la féodalité et l'époque actuelle -, l'individu représentait une puissance en soi; et s'il avait de grands talents ou une position sociale élevée, cette puissance était considérable. Les individus sont aujourd'hui perdus dans la foule. En politique, c'est presque un lieu commun de dire que c'est l'opinion publique qui dirige maintenant le monde. Le seul pouvoir digne de ce nom est celui des masses, et celui des gouvernements en tant qu'ils se font les organes des tendances et des instincts des masses. Cela vaut aussi bien pour les relations morales et sociales de la vie privée que pour les affaires publiques. Ceux dont les opinions passent pour l'opinion publique diffèrent selon les pays: en Amérique, c'est toute la population blanche; en Angleterre, c'est principalement la classe moyenne. Mais ils forment toujours une masse, c'est-à-dire une médiocrité collective. Et, nouveauté plus grande encore, la masse ne reçoit plus ses opinions des dignitaires de l'Eglise ou de l'Etat, de prétendus meneurs, ou des livres. Ses avis sont formés par des hommes très semblables à elle, qui s'adressent à elle ou parlent en son nom sous l'inspiration du moment, par l'intermédiaire des journaux. Je ne me plains de rien de tout cela. Je n'affirme pas que rien de mieux soit compatible, en règle générale, avec la médiocrité actuelle de l'esprit humain. Mais cela n'empêche pas le gouvernement de la médiocrité d'être un gouvernement médiocre. Jamais le gouvernement d'une démocratie ou d'une aristocratie importante ne s'est élevé et n'aurait pu s'élever au-dessus de la médiocrité, que ce soit dans ses actes politiques ou dans les opinions, le talent, et la mentalité qu'il produit, si la multitude souveraine ne s'est pas laissé guidée (comme elle l'a toujours fait à ses meilleurs moments), par les conseils et l'influence d'une minorité ou d'un homme plus doué et plus instruit. L'initiation aux choses sages et nobles vient et doit venir des individus, et d'abord, en général, d'un seul individu. L'honneur et la gloire de l'homme du commun est d'être capable de suivre cette initiative, d'avoir intérieurement le sens de ce qui est sage et noble, et de s'y laisser conduire les yeux ouverts. Je n'encourage pas ici cette sorte de "culte du héros[1]" qui applaudit l'homme fort et génial quand il s'empare du gouvernement du monde par la force, et le réduit à ses ordres contre son gré. Tout ce à quoi un tel homme peut prétendre, c'est la liberté de montrer la voie. Le pouvoir de forcer les autres à s'y engager est non seulement contraire à la liberté et au développement du reste de la population, mais également corrupteur pour l'homme fort lui-même. Il semble bien, cependant, que partout où les opinions des masses composées d'hommes seulement ordinaires dominent ou vont dominer, ce soit l'individualité toujours plus prononcée de ceux qui se tiennent sur les plus hauts sommets de la pensée qui doive être le contrepoids et le correctif de cette tendance. C'est surtout dans de telles circonstances qu'au lieu de réprimer les individus exceptionnels, il faudrait les encourager à agir différemment de la masse. En d'autres temps, il n'y avait aucun avantage à ce qu'ils agissent différemment, si ce n'était également pour agir mieux. A notre époque, le simple exemple de la non-conformité, le simple refus de plier le genou devant la coutume, est en soi un service.

---

1. Peut-être faut-il voir ici une référence à Thomas Carlyle, que Mill lut beaucoup dans sa jeunesse, et qui eut une influence considérable sur tous les intellectuels de la première moitié de l'ère victorienne. On pense à *On heroes, hero-worship, and the heroic in history*, Fraser, London, 1841.

C'est précisément parce que la tyrannie de l'opinion fait de l'excentricité une honte, qu'il est souhaitable, pour ouvrir une brèche dans cette tyrannie, que les gens soient excentriques. L'excentricité a toujours foisonné là où la force de caractère foisonnait aussi; et le niveau d'excentricité d'une société se mesure généralement à son niveau de génie, de vigueur intellectuelle, et de courage moral. Que si peu de gens osent maintenant être excentriques, voilà qui révèle le principal danger de notre époque.

J'ai dit qu'il était important de laisser le plus de champ possible aux pratiques contraires à la coutume, afin qu'on puisse voir en temps voulu lesquelles sont propres à passer dans la coutume. Mais l'indépendance d'action et le mépris de la coutume ne méritent pas seulement d'être encouragés pour l'opportunité qu'ils donnent de découvrir de meilleures façons d'agir et des coutumes plus dignes d'être adoptées par tous. Il n'y a pas que les gens dotés d'un esprit nettement supérieur qui puissent prétendre mener la vie qui leur plaît. Il n'y a pas de raison pour que toute existence humaine doive se construire sur un modèle unique ou sur un petit nombre de modèles seulement. Si une personne possède juste assez de sens commun et d'expérience, sa propre façon de tracer le plan de son existence est la meilleure, non pas parce que c'est la meilleure en soi, mais parce que c'est la sienne propre. Les êtres humains ne sont pas des moutons; et même les moutons ne se ressemblent pas au point qu'on ne puisse les distinguer. Un homme ne trouve un habit ou une paire de chaussures qui lui vont que s'ils sont faits sur mesure, ou s'il dispose d'un magasin entier pour y faire son choix. Est-il plus facile de lui trouver une vie à sa convenance qu'un habit à sa mesure? Ou se peut-il qu'il y ait moins de diversité dans la conformation physique et intellectuelle des hommes que dans la forme de leurs pieds? Il ne faut pas tenter de former tous les gens sur le même modèle, ne serait-ce que parce que les gens ont des goûts divers. Mais des personnes différentes ont également besoin de conditions différentes pour leur développement spirituel; de même que toutes les plantes ne peuvent pas vivre dans les mêmes conditions physiques et atmosphériques et sous le même climat, tous les hommes ne peuvent pas s'épanouir dans la même atmosphère morale. Les mêmes choses qui aident une personne à cultiver sa nature supérieure peuvent constituer des obstacles pour une autre. Le même mode de vie est pour l'une une stimulation salutaire qui entretient au mieux ses facultés d'action et de plaisir, tandis que pour l'autre, c'est un fardeau gênant qui suspend ou détruit toute vie intérieure. Il y a de telles différences entre les êtres humains, dans leurs sources de plaisir et dans leurs façons de souffrir et de ressentir l'effet des diverses influences physiques et morales, que sans une différence correspondante dans leurs modes de vie, ils ne pourront jamais prétendre à leur part de bonheur, ni s'élever à la stature intellectuelle, morale et esthétique dont leur nature est capable. Pourquoi faudrait-il donc que la tolérance se limite, dans le sentiment public, aux goûts et aux modes de vie qui arrachent l'assentiment par le nombre de leurs adhérents? Il n'y a personne (si ce n'est dans certaines institutions monastiques) pour nier complètement la diversité des goûts. Une personne peut, sans encourir de blâme, aimer ou ne pas aimer le canotage, la cigarette, la musique, la gymnastique, les échecs, les cartes, ou l'étude, et cela parce que ceux qui aiment ou n'aiment pas toutes ces choses sont trop nombreux pour être réduits au silence. Mais les hommes - et plus encore les femmes - qui peuvent être accusés soit de faire "ce que personne ne fait", soit de ne pas faire "ce que tout le monde fait", peuvent se voir tout autant dénigrés que s'ils avaient commis quelque grave délit moral. Il faut que les gens aient un titre ou quelque autre insigne qui les élève au niveau des gens de qualité dans l'opinion de leurs concitoyens pour qu'ils puissent se permettre tant soit peu le luxe de faire ce qui leur plaît sans nuire à leur réputation. Je répète: se le permettre tant soit peu, car quiconque se permet trop ce luxe risque bien pire que le dénigrement, à savoir d'être traduit devant une commission *de lunatico*[1] et de se voir enlever ses biens au profit de sa famille[2].

---

1. "Pour folie". Il s'agit d'une commission siégeant pour décider de l'incapacité mentale des personnes.
2. Il y a à la fois quelque chose de méprisable et de terrifiant dans le genre de témoignage sur lequel on peut se fonder pour déclarer quelqu'un judiciairement incapable de diriger ses propres affaires, et, après sa mort, pour tenir pour non avenue la disposition qu'il a faite de ses biens, si l'on trouve de quoi payer les frais qui sont prélevés sur les biens eux-mêmes. On fouille dans tous les plus infimes détails de sa vie quotidienne. Tout ce qu'on trouve et qui, vu au travers des facultés perceptives et descriptives des derniers d'entre tous les derniers, semble se démarquer quelque peu de la banalité la plus absolue, est présenté au jury comme une preuve de folie. Et cela réussit souvent, les jurés étant à peine moins vulgaires et ignorants que les témoins, tandis que les juges, avec cette extraordinaire ignorance de la nature humaine et de la vie qui ne laisse de nous étonner chez les juristes anglais, contribuent souvent à les induire en erreur. Ces procès en disent long sur l'état des sentiments et des opinions du vulgaire quant à la liberté humaine. Loin d'accorder la moindre valeur à l'individualité, et le droit à tout individu d'agir conformément à son jugement et à ses inclinations dans les choses qui ne concernent que lui, les juges et les jurés ne peuvent même pas concevoir qu'une personne saine d'esprit puisse même désirer une telle liberté. Autrefois, les gens charitables suggéraient de mettre dans une maison de fous les athées que l'on proposait de brûler. On ne s'étonnerait pas de voir faire la même chose aujourd'hui et de voir les acteurs se féliciter d'avoir adopté une manière si humaine et si chrétienne de traiter ces malheureux au lieu de les persécuter pour des questions religieuses, non sans une secrète satisfaction de leur avoir fait un tort selon leurs mérites. *Note de J. S. M.*

Il y a une caractéristique dans l'orientation actuelle de l'opinion publique qui est singulièrement de nature à la rendre intolérante envers toute démonstration marquée d'individualisme. En moyenne, les hommes ne sont pas seulement modérés dans leur intelligence, mais également dans leurs penchants. Ils n'ont pas de goûts ou de désirs assez vifs qui les incitent à faire quoi que ce soit d'extraordinaire. Par conséquent, ils ne comprennent pas ceux qui en ont, et ils les classent parmi les fous et les agités qu'ils ont l'habitude de mépriser. Maintenant, pour savoir à quoi nous devons nous attendre, supposons qu'outre ce fait général, un fort mouvement se soit amorcé en faveur du progrès moral. Un tel mouvement s'est en fait déjà amorcé de nos jours. On a en réalité déjà beaucoup fait pour promouvoir la régularité de la conduite et pour décourager les excès. Il y a dans l'air un esprit philanthropique qui ne trouve pas pour s'exercer de terrain plus propice que l'amélioration de nos semblables en fait de morale et de prudence. Ces tendances de l'époque rendent le public plus disposé qu'autrefois à prescrire des règles de conduite générales et à s'efforcer de rendre tout le monde conforme à la norme approuvée. Et cette norme, expresse ou tacite, est de ne rien désirer vivement. Son idéal de caractère est de n'avoir pas de caractère marqué; d'estropier, à force de compression, comme le pied d'une dame chinoise, toute partie saillante de la nature humaine qui tend à rendre le profil de la personne nettement dissemblable de celui du commun des hommes.

Comme il en va généralement des idéaux qui excluent la moitié de ce qui est désirable, la norme actuelle d'approbation ne produit qu'une imitation inférieure de l'autre moitié. Au lieu de grandes énergies guidées par une raison vigoureuse, et de forts sentiments puissamment contrôlés par une volonté scrupuleuse, elle produit de faibles sentiments et de faibles énergies, qui, pour cette raison même, peuvent se conformer extérieurement à la règle sans le recours d'aucune force, ni de la volonté, ni de la raison. Déjà les caractères énergiques et d'envergure appartiennent de plus en plus au passé. Aujourd'hui, dans notre pays, cette énergie ne s'exprime plus guère que dans les affaires. L'énergie qu'on y dépense peut encore être jugée considérable. Le peu qu'il en reste après cet emploi est utilisé à quelque passe-temps éventuellement utile, voire philanthropique, mais qui reste toujours une chose unique et généralement sans envergure. La grandeur de l'Angleterre est maintenant toute collective: petits individuellement, nous ne semblons capables de rien de grand que par notre habitude de nous associer; et cela suffit amplement à contenter nos philanthropes moraux et religieux. Mais ce sont des hommes d'une autre trempe qui ont fait de l'Angleterre ce qu'elle a été; et il faudra des hommes d'une autre trempe pour empêcher son déclin.

Le despotisme de la coutume est partout l'obstacle qui défie le progrès humain, parce qu'il livre une lutte incessante à cette disposition à viser quelque chose de mieux que l'ordinaire, et qu'on appelle, suivant les circonstances, l'esprit de liberté ou celui de progrès ou d'amélioration. L'esprit de progrès n'est pas toujours un esprit de liberté, car il peut viser à imposer le progrès à un peuple réticent. Et l'esprit de liberté, dans la mesure où il résiste à de telles tentatives, peut s'allier localement et temporairement aux adversaires du progrès. Mais la seule source permanente et intarissable de progrès est la liberté, puisque grâce à elle, il peut y avoir autant de foyers indépendants de progrès qu'il y a d'individus. Quoi qu'il en soit, le principe progressif, sous ses deux formes d'amour de la liberté et d'amour de l'amélioration, s'oppose à l'empire de la coutume, car il implique au moins l'affranchissement de ce joug; et la lutte entre ces deux forces constitue le principal intérêt de l'histoire de l'humanité. La plus grande partie du monde n'a, à proprement parler, aucune histoire, parce que le despotisme de la coutume y est total. C'est le cas dans tout l'Orient. La coutume y est, en toutes choses, le dernier arbitre. Justice et droit signifient conformité à la coutume. Personne ne songe à résister à la coutume, si ce n'est un tyran enivré de pouvoir. Et nous en voyons le résultat. Ces nations ont dû avoir, autrefois, de l'originalité. Elles ne sont pas sorties de terre peuplées, lettrées et versées dans les nombreux arts de vivre. Sous tous ces rapports, elles se sont faites elles-mêmes, et elles étaient alors les nations les plus grandes et les plus puissantes du monde. Que sont-elles aujourd'hui? Les sujets ou les vassaux de tribus dont les ancêtres erraient dans les forêts, tandis que les leurs avaient de magnifiques palais et des temples fastueux, mais sur lesquels la coutume partageait encore son pouvoir avec la liberté et le progrès. Un peuple, semble-t-il, peut progresser pour un certain temps, puis s'arrêter. Quand s'arrête-t-il? Quand il perd l'individualité. Si un tel changement devait affecter les nations de l'Europe, ce ne serait pas exactement sous la même forme: le despotisme de la coutume qui menace ces nations n'est pas exactement l'immobilisme. C'est un despotisme qui proscrit la singularité mais qui n'exclut pas le changement, pourvu que tout change en même temps. Nous en avons fini avec les costumes traditionnels de nos aïeux. Chacun doit encore s'habiller comme les autres, mais la mode peut changer une ou deux fois par an. Nous prenons alors soin de changer pour l'amour du changement, et non pour une quelconque idée de beauté ou de commodité; car la même idée de beauté ou de commodité ne frapperait pas tout le monde au même moment, et ne serait pas abandonnée par tous simultanément à un autre moment. Mais nous sommes tous progressistes comme nous sommes tous versatiles. Nous inventons continuellement de nouvelles choses en mécanique et nous les conservons jusqu'à ce qu'elles soient remplacées à leur tour par de meilleures. Nous sommes avides d'amélioration en politique, en éducation, et même en morale, quoique ici notre idée d'amélioration consiste surtout à persuader ou à forcer les autres d'être aussi bons que nous-mêmes. Ce n'est pas au progrès que nous nous opposons. Au contraire, nous nous flattons d'être le peuple le plus progressiste qui vécut jamais. C'est contre l'individualité que nous sommes en guerre: nous estimerions avoir accompli des miracles si nous nous étions rendus tous semblables, oubliant que la dissemblance d'une personne par rapport à une autre est généralement la première chose qui attire l'attention de l'une des deux sur les imperfections de son propre type et sur la supériorité d'un autre, ou encore sur la possibilité de produire quelque chose de meilleur que chacun d'entre eux, en combinant les avantages des deux. L'exemple de la Chine peut nous servir d'avertissement: nous avons là une nation fort ingénieuse et à, certains égards, douée de sagesse, grâce à l'insigne bonne fortune d'avoir reçu très tôt un ensemble de coutumes particulièrement bonnes et qui étaient, dans une certaine mesure, l'œuvre d'hommes auxquels les Européens les plus éclairés doivent accorder, dans certaines limites, le titre de sages et de philosophes. Les Chinois sont également remarquables par l'excellence de leur méthode pour imprimer autant que possible la meilleure sagesse qu'ils connaissent dans tous les esprits de la communauté, et pour s'assurer que ceux qui en sont le mieux pénétrés occuperont les postes honorifiques et les fonctions de commandement. Assurément, le peuple qui fait cela avait découvert le secret du progrès humain et aurait dû se maintenir à la tête du progrès universel. Mais au contraire, il s'est immobilisé pour des milliers d'années; et s'il doit jamais s'améliorer encore, ce sera nécessairement grâce à des étrangers. Il a réussi au-delà de toute espérance dans l'entreprise à laquelle les philanthropes anglais œuvrent avec zèle: uniformiser un peuple, tous réglant leur pensée et leur conduite sur les mêmes maximes. Voilà le fruit. Le *régime* moderne de l'opinion publique est, sous une forme non organisée, ce que sont les systèmes éducatif et politique chinois sous une forme organisée. Et si l'individualité n'est pas capable de s'affirmer contre ce joug, l'Europe, malgré ses nobles antécédents et le christianisme qu'elle professe, tendra à devenir une autre Chine.

Qu'est-ce qui, jusqu'à présent, a préservé l'Europe d'un pareil sort? Qu'est-ce qui a fait que la famille des nations européennes progresse au lieu de rester stationnaire? Ce n'est certes pas leurs prétendues qualités supérieures, car là où elles existent, c'est à titre d'effet et non de cause. C'est plutôt leur remarquable diversité de caractère et de culture. Les individus, les classes, les nations ont été dissemblables à l'extrême: ils se sont frayé une grande variété de chemins, chacun conduisant à quelque chose de précieux. Et bien qu'à chaque époque, ceux qui empruntaient ces différents chemins aient été intolérants les uns envers les autres et que chacun ait préféré obliger tous les autres à suivre sa route, leurs efforts mutuels pour contrarier leur développement ont rarement eu un succès définitif. A la longue, chacun en est venu, bon gré mal gré, à accepter le bien que les autres avaient offert. A mon avis, c'est à cette pluralité de voies que l'Europe doit la variété de son développement. Mais elle commence déjà à perdre cet avantage dans des proportions importantes. Elle avance décidément vers l'idéal chinois de l'uniformisation des personnes. M. de Tocqueville, dans sa dernière œuvre importante, remarque combien les Français d'aujourd'hui se ressemblent plus que ceux de la génération précédente[1]. La remarque vaudrait encore bien davantage pour les Anglais. Dans un passage déjà cité, Wilhelm von Humboldt désigne deux conditions nécessaires au développement humain - nécessaires pour rendre les hommes dissemblables-, à

1.*L'Ancien régime*, Lévy, Paris, 1856, p. 119.

savoir la liberté et la variété des situations[1]. La deuxième de ces conditions se perd chaque jour un peu plus dans ce pays. Les conjonctures qui encadrent les différentes classes et les différents individus et qui forment leurs caractères s'uniformisent chaque jour davantage. Autrefois, différents rangs sociaux, différents voisinages, différents métiers et professions vivaient pour ainsi dire dans des mondes différents; à présent, ils vivent tous largement dans le même monde. Aujourd'hui, ils lisent plus ou moins les mêmes choses, écoutent les mêmes choses, regardent les mêmes choses, vont aux mêmes endroits; leurs espérances et leurs craintes ont les mêmes objets. Ils ont les mêmes droits, les mêmes libertés et les mêmes moyens de les revendiquer. Si grandes que soient les différences de position qui subsistent, elles ne sont rien auprès de celles qui ont disparu. Et l'assimilation continue. Tous les changements politiques de l'époque la favorisent puisqu'ils tendent tous à élever les classes inférieures et à abaisser les classes supérieures. Toute extension de l'éducation la favorise, parce que l'éducation réunit les hommes sous des influences communes et leur donne accès à un stock général de faits et de sentiments. Le progrès des moyens de communication la favorise en mettant en contact personnel des habitants de contrées éloignées et en entretenant une succession rapide de changements de résidence d'un lieu à l'autre. Le développement du commerce et des manufactures la favorise en diffusant plus largement les avantages du confort et en offrant tous les objets de l'ambition, jusqu'aux plus élevés, à la compétition générale; d'où vient que le désir de s'élever n'appartient plus exclusivement à une classe, mais à toutes. L'établissement complet dans ce pays et dans d'autres pays libres de l'ascendant de l'opinion publique dans l'Etat est un moyen d'uniformisation générale plus efficace encore

---

1. Voir, *supra* p.(...), p 79, note n°2.

que ceux-là. A mesure que se nivellent les différents rangs hiérarchiques supérieurs de la société qui permettaient aux personnes qui s'y retranchaient de mépriser l'opinion de la multitude, à mesure que l'idée même de résister à la volonté du public, lorsque cette volonté est manifeste, disparaît de plus en plus de l'esprit des politiciens engagés dans la pratique, il cesse d'y avoir le moindre soutien social pour la non-conformité - c'est-à-dire un pouvoir indépendant dans la société, lui-même opposé à l'ascendance des masses, et dont l'intérêt est de prendre sous sa protection les opinions et les tendances opposées à celles du public.

La réunion de toutes ces causes forme une si grande masse d'influences hostiles à l'individualité, qu'on ne voit guère comment elle peut conserver son terrain. Elle ne le fera qu'avec une difficulté croissante, à moins que les plus intelligents n'apprennent à en sentir la valeur et ne comprennent qu'il est bon qu'il y ait des différences, même si elles ne vont pas dans le sens d'une amélioration, et même si certaines leur semblent apporter une dégradation. Si jamais les droits de l'individualité doivent être revendiqués, le temps est venu de le faire: l'uniformisation est loin d'être terminée. C'est seulement dans les premières phases que l'on peut réagir avec succès contre l'empiétement. L'exigence selon laquelle tous les autres doivent nous ressembler croît par ce dont elle se nourrit. Si la résistance attend que la vie soit *presque* réduite à un type uniforme, toutes les déviations par rapport à ce type finiront par être jugées impies, immorales, voire monstrueuses et contre nature. Les hommes deviennent rapidement incapables de concevoir la diversité une fois qu'ils en ont été déshabitués quelque temps.

CHAPITRE 4

DES LIMITES DE L'AUTORITE
DE LA SOCIETE SUR L'INDIVIDU

Quelle est donc la juste limite de la souveraineté de l'individu sur lui-même? Où commence l'autorité de la société? Quelle part de la vie humaine revient à l'individualité, et quelle part à la société?

Chacune recevra ce qui lui revient si chacune se préoccupe de ce qui la concerne plus particulièrement. C'est à l'individualité que devrait appartenir cet aspect de la vie qui intéresse d'abord l'individu, et à la société celui qui intéresse d'abord la société.

Bien que la société ne soit pas fondée sur un contrat, et qu'il ne serve à rien d'inventer un contrat pour en déduire les obligations sociales[1], tous ceux qui reçoivent protection de

---

1. Contrairement, bien évidemment, à ce que dit Rousseau, mais également Rawls: "Mon but est de présenter une conception de la justice qui généralise et porte à un plus haut niveau d'abstraction la théorie bien connue du contrat social telle qu'on la trouve, entre autres, chez Locke, Rousseau et Kant". *Théorie de la justice*, C. Audard, trad., Le Seuil, Paris, 1987, p. 37. On consultera à ce propos toute la section 1.1.3.

la société lui sont redevables de ce bienfait. Et le fait de vivre en société impose à chacun une certaine ligne de conduite envers autrui. Cette conduite consiste premièrement à ne pas nuire aux intérêts d'autrui, ou plutôt, à certains de ces intérêts qui, soit par disposition légale expresse, soit par accord tacite, doivent être considérés comme des droits; deuxièmement, à assumer sa propre part (à fixer selon un principe équitable) de travaux et de sacrifices nécessaires pour défendre la société ou ses membres contre les préjudices et les vexations. La société a le droit d'imposer ces obligations par tous les moyens à ceux qui chercheraient à s'en exempter. Mais ce n'est pas là tout ce que la société peut faire. Les actes d'un individu peuvent être préjudiciables aux autres ou ne pas suffisamment prendre en considération leur bien-être sans pour cela violer aucun de leurs droits constitués. Dans ce cas, l'offenseur peut être justement puni par l'opinion, mais non par la loi. A partir du moment où un aspect de la conduite de quelqu'un est préjudiciable aux intérêts d'autrui, la société a le droit de la juger; et la question de savoir si cette

---

Rawls propose que nous nous placions hypothétiquement dans une "position originelle" (*op. cit.*: 1.3) dans laquelle les contractants ne renoncent *pas* à leurs intérêts. On peut attribuer à ces contractants une connaissance des "lois de la psychologie humaine" et de "tous les faits généraux qui affectent le choix des principes de la justice" (*op. cit.*: 2.24, p. 169). C'est précisément cette connaissance des lois de la psychologie que Mill déplore comme "le manque de plus important du savoir contemporain" (*The subjection of women*, London, 1869, pp. 39-40). Voir *infra*, dans le dossier, p.212, la note de l'article de Richard Wollheim, et Mill: *The logic of the moral sciences*, Duckworth, 1987, ch. 5. Pour un compte rendu de l'ouvrage de Rawls, on consultera l'article d'A. Boyer in *Lectures philosophiques: éthique et philosophie politique*, F. Récanati (éd.), L'âge de la science, Odile Jacob, Paris, 1988.

intervention favorisera ou non le bien-être général est ouverte à la discussion. Mais cette question n'a pas lieu d'être posée tant que la conduite de quelqu'un n'affecte les intérêts de personne d'autre que lui-même, ou tant qu'elle ne les affecte que s'ils le veulent bien (toutes les personnes concernées étant d'âge adulte et en possession de toutes leurs facultés). Dans tous les cas de ce genre, on devrait avoir une entière liberté, légale et sociale, d'entreprendre n'importe quelle action et d'en assumer les conséquences.

Ce serait gravement se méprendre sur cette doctrine que d'y voir une défense de l'indifférence égoïste, selon laquelle les êtres humains ne s'intéressent nullement à la conduite des autres, et ne devraient s'inquiéter de leur "bien-agir" et de leur bien-être que lorsque leur propre intérêt est en jeu. Il ne faut pas moins, mais au contraire bien davantage d'efforts désintéressés pour promouvoir le bien d'autrui. Mais la bienveillance désintéressée peut trouver d'autres instruments que le fouet et la cravache, au sens propre comme au sens figuré, pour convaincre les gens de leur bien. Je suis le dernier à sous-estimer les vertus privées[1]. Mais elles ne viennent qu'en seconde position, après les vertus sociales. Il appartient à l'éducation de cultiver également les unes et les autres. Mais même l'éducation agit aussi bien par la conviction et la persuasion que par la contrainte, et c'est seulement par le premier moyen, qu'une fois l'éducation achevée, les vertus privées devraient être inculquées. Les hommes doivent s'aider les uns les autres pour distinguer le meilleur du pire, et s'encourager à préférer l'un et à éviter l'autre. Ils ne devraient cesser de se stimuler mutuellement à exercer leurs facultés les plus nobles, et à orienter leurs sentiments et leurs desseins vers des objets de contemplation sages et non pas ridicules, édifiants et non pas dégradants. Mais jamais une personne, ou un groupe de personnes, n'est autorisé à dire à une autre personne d'âge

---

1. *Self-regarding virtues.*

mûr que, dans son propre intérêt, elle ne doit pas faire de sa vie ce qu'elle a choisi d'en faire. C'est cette personne qui est la plus préoccupée par son bien-être. L'intérêt que toute autre personne peut y porter - hormis dans le cas d'un vif attachement personnel - est insignifiant par rapport au sien même. L'intérêt que la société lui porte individuellement (sauf dans sa conduite envers les autres) est partiel et somme toute indirect; tandis qu'en ce qui concerne ses sentiment et sa situation propres, les hommes ou les femmes les plus ordinaires savent infiniment mieux à quoi s'en tenir que n'importe qui d'autre. L'intervention de la société pour diriger le jugement et les desseins d'un individu dans ce qui regarde que lui doit toujours se fonder sur des présomptions générales qui peuvent très bien être totalement erronées et qui, même si elles étaient justes, risquent encore d'être fort mal appliquées aux cas individuels par des personnes qui ne sont pas mieux informées des circonstances particulières que celles qui les considèrent purement et simplement de l'extérieur. C'est par conséquent dans cet aspect des affaires humaines que l'individualité trouve son champ d'action privilégié. Pour ce qui est de la conduite des hommes les uns envers les autres, l'observance des règles générales est nécessaire afin que chacun puisse savoir à quoi s'attendre. Mais dans les affaires personnelles, la spontanéité individuelle a le droit de s'exercer librement. On peut proposer des conseils à quelqu'un - ou même le forcer à en écouter pour l'aider dans ses jugements - et des exhortations pour affermir sa volonté; mais il demeure le juge suprême. Toutes les erreurs qu'il peut commettre en dépit des conseils et des avertissements sont un moindre mal au vu de celui qui résulterait s'il laissait les autres le contraindre à faire ce qu'ils estiment être son bien.

Je ne veux pas dire que les sentiments qu'un individu éprouve pour autrui ne doivent en aucune manière être affectés par ses qualités et ses défauts personnels. Ce n'est ni possible, ni souhaitable. S'il possède au plus haut point les qualités qui contribuent à son propre bien, il est par là même digne d'admiration. Il n'en est que plus près de l'idéal de perfection de la nature humaine. Si, en revanche, ces qualités lui font manifestement défaut, c'est un sentiment contraire à l'admiration que l'on éprouvera pour lui. Il y a un degré de bêtise et de ce que l'on pourrait appeler (bien que l'expression ne soit pas entièrement satisfaisante) bassesse ou dépravation du goût, qui, bien qu'il ne justifie pas que l'on maltraite celui qui en est affligé, en fait nécessairement et naturellement un objet de répulsion, voire, dans les cas extrêmes, de mépris. Personne ne pourrait pleinement posséder les qualités opposées sans éprouver ces sentiments. Sans faire de tort à personne, quelqu'un peut agir de manière à nous forcer à le tenir pour sot ou pour un être d'une nature inférieure. Et puisque ce jugement et ce sentiment sont des choses qu'il préférerait éviter, c'est lui rendre un service que l'en prévenir à l'avance, ainsi que de toutes les autres conséquences désagréables auxquelles il s'expose. A vrai dire, il vaudrait mieux que la politesse nous permette de rendre ce service plus librement qu'elle ne le permet aujourd'hui et qu'une personne puisse signifier à une autre, en toute honnêteté, qu'elle la croit dans l'erreur, sans pour cela passer pour grossière ou prétentieuse. Nous avons également le droit d'agir de différentes façons, en fonction de notre opinion défavorable sur quelqu'un, dans la mesure où cela ne porte pas atteinte à son individualité, mais consiste simplement à exprimer la nôtre. Rien ne nous oblige, par exemple, à rechercher sa compagnie. Nous avons le droit de l'éviter (quoique sans ostentation), puisque nous avons le droit de choisir les fréquentations qui nous semblent le mieux nous convenir. Nous avons le droit - et cela est peut-être même un devoir - de mettre les autres en garde contre lui, si nous pensons que son exemple ou sa conversation pourraient avoir un effet pernicieux sur ceux qu'il fréquente. Nous pouvons lui préférer d'autres personnes lorsqu'il s'agit de rendre des services sans aucune obligation, sauf s'ils concourent à son amélioration. Une personne peut ainsi encourir de très sévères punitions de la part d'autrui, pour des fautes qui ne concernent directement que lui-même. Mais il subit ces sanctions seulement dans la mesure où elles sont les conséquences naturelles et pour ainsi dire spontanées de ces défauts eux-mêmes. On ne les lui inflige pas inten-tionnellement, dans le but de le punir. Une personne qui fait montre de précipitation, d'obstination, de vanité, qui ne peut vivre dans des conditions modestes et ne peut s'abstenir de plaisirs nuisibles, qui recherche des plaisirs primaires aux dépens de ceux que procurent le sentiment et l'intelligence, doit s'attendre à baisser dans l'opinion d'autrui et à moins s'attirer ses sentiments favorables. Mais elle n'a pas le droit de s'en plaindre, à moins qu'elle n'ait mérité leur faveur par des relations sociales particulièrement excellentes, qui lui aient acquis un droit à la reconnaissance à l'épreuve de ses torts personnels.

Ce que je soutiens, c'est que les inconvénients strictement liés au jugement défavorable d'autrui sont les seuls auxquels une personne devrait jamais être soumise pour les aspects de sa conduite et de son caractère qui ne concernent que son bien propre, mais qui n'affectent pas les intérêts de ceux avec qui elle est liée. Les actes préjudiciables aux autres requièrent un traitement entiè-rement différent. Empiéter sur leurs droits, leur infliger une perte ou un préjudice que les droits de ceux qui empiètent ainsi ne justifient pas, user du mensonge et de la duplicité en traitant des affaires avec eux, profiter à leurs dépens d'avantages déloyaux ou peu généreux, et même s'abstenir par égoïsme de les défendre contre des torts: voilà qui fait l'objet légitime de la réprobation morale, et dans les cas graves, de la sanction et de la punition morales. Et ce ne sont pas seulement ces actes, mais également les dispositions qui y conduisent, qui sont proprement immoraux, et qui font l'objet légitime d'une désapprobation qui peut aller jusqu'à l'exécration. La disposition à la cruauté, la méchanceté, l'envie - cette passion antisociale et odieuse entre toutes -, la dis-simulation et l'hypocrisie, l'irascibilité gratuite et le res-sentiment lorsqu'il est disproportionné par rapport à la provocation, l'amour de la domination, le désir d'accaparer plus que sa part de biens (la *pleonexia* des Grecs), l'orgueil qui tire satisfaction de l'abaissement des autres, l'égotisme pour qui la personne et ses intérêts sont plus importants que tout et décide de toute question douteuse en sa faveur: voilà des vices moraux qui constituent un caractère moral mauvais et odieux, à la différence des défauts personnels mentionnés précédemment, qui ne relèvent pas à proprement parler de l'immoralité ni de la méchanceté, même dans l'excès. Ils peuvent être la preuve d'un certain degré de bêtise ou de manque de dignité personnelle et de respect de soi, mais ils ne font l'objet d'une réprobation morale que lorsqu'ils impliquent le mépris des devoirs envers autrui, pour le bien desquels l'individu a le droit de veiller sur lui-même. Ce qu'on appelle les devoirs envers nous-mêmes ne constituent pas une obligation sociale, à moins que les circonstances n'en fassent simultanément des devoirs envers autrui. Le terme de "devoir envers soi-même", lorsqu'il signifie davantage que la prudence, signifie le respect de soi ou le développement personnel; or nul n'est responsable de cela devant ses semblables, puisque ce ne serait pas pour le bien de l'humanité que l'on pourrait être tenu responsable d'aucune de ces qualités.

La distinction entre le discrédit justifié que s'attire une personne par son manque de prudence ou de dignité personnelle et la réprobation qui lui revient parce qu'elle fait offense aux droits d'autrui n'est pas une distinction purement nominale. Il y a une différence énorme, aussi bien dans nos sentiments que dans notre conduite envers quelqu'un, selon qu'il nous déplaît dans les choses où nous estimons avoir le droit d'exercer un contrôle sur lui, ou dans celles où nous savons que nous n'avons pas ce droit. Nous pouvons exprimer notre aversion ou nous tenir à distance d'une personne ou d'une chose qui nous déplaît; mais dans ce cas, nous ne nous serons pas incités à lui rendre la vie difficile. Nous considérerons qu'elle porte déjà ou qu'elle portera l'entière responsabilité de son erreur. Si elle gâche sa vie en la dirigeant mal, ce n'est pas une raison pour désirer la lui gâcher davantage. Au lieu de vouloir la punir, nous devons plutôt nous efforcer d'alléger sa punition en lui montrant comment éviter ou guérir les maux auxquels sa conduite tend à l'exposer. Une telle personne pourra être pour nous un objet de pitié, voire d'aversion, mais pas de colère ou de ressentiment. Nous ne devons pas la traiter en ennemi de la société. Le pire que nous puissions nous estimer être en droit de faire, c'est de l'abandonner à elle-même, au cas où nous ne voudrions pas intervenir avec bienveillance ou montrer de l'intérêt pour elle. Il en va tout autrement si cette personne a enfreint les règles nécessaires à la protection de ses semblables, individuellement ou collectivement. Car dans ce cas, les conséquences néfastes de ses actes ne retombent par sur elle, mais sur les autres; et la société, en tant que protectrice de tous ses membres, doit exercer des représailles. Elle doit lui infliger des peines dans le but exprès de la punir, et doit s'assurer qu'elles soient suffisamment sévères. Dans le premier cas, le coupable comparaît devant nous, et nous sommes appelés non seulement à délibérer sur son cas, mais, d'une manière ou d'une autre, à exécuter la sentence que nous avons rendue. Dans l'autre cas, il ne nous revient pas de lui infliger des souffrances, sauf celles qui peuvent incidemment résulter du fait que nous faisons usage, dans la direction de nos propres affaires, de la même liberté que nous lui recon-naissons dans les siennes.

Beaucoup refuseront d'accepter la distinction faite ici entre l'aspect de la vie d'une personne qui la concerne seule, et celle qui concerne les autres. Comment, demandera-t-on, un aspect quelconque de la conduite d'un membre de la société peut-il rester indifférent aux autres membres? Personne n'est entièrement isolé. Il est impossible qu'un homme se nuise à lui-même sérieu-sement ou durablement, sans que le dommage touche au moins ses proches, et souvent un cercle bien plus large. S'il compromet ses biens, il nuit à ceux qui en tiraient directement ou indirectement leurs moyens d'existence, et en règle générale, il diminue dans une certaine mesure les ressources générales de la communauté. S'il détériore ses facultés physiques ou mentales, il fait non seulement du tort à tous ceux dont le bonheur dépendait de lui, au moins en partie, mais il se rend également incapable de rendre les services qu'il doit en général rendre à ses semblables. Peut-être même tombe-t-il à la charge de leur affection et de leur bienveillance. Et si une telle conduite était fréquente, il n'y aurait guère de faute plus susceptible de diminuer la somme générale du bien[1]. Enfin, on fera peut-être valoir que si une personne ne nuit pas directement aux autres par ses vices ou ses folies, elle est néanmoins pernicieuse par l'exemple qu'elle donne, et qu'il faudrait donc la forcer à se contrôler par égard pour ceux que la vue ou la connaissance de sa conduite pourrait corrompre ou égarer.

Et, ajoutera-t-on, même si les conséquences de l'inconduite pouvaient être limitées à l'individu vicieux ou irréfléchi, la société devrait-elle pour autant abandonner à leur propre gouverne les gens qui sont manifestement incapables de se conduire? Si l'on reconnaît que les enfants et les mineurs doivent être protégés contre eux-mêmes, la société n'est-elle pas également tenue de protéger contre eux-mêmes les adultes qui sont tout aussi incapables de se gouverner seuls? Si le jeu, l'ivresse, la débauche, l'oisiveté et la saleté, sont un obstacle au bonheur et au progrès au même titre que la plupart des actes interdits par la loi, pourquoi - demandera-t-on - la loi ne s'efforcerait-elle pas

---

1. *The general sum of good.*

également de réprimer tous ces abus, dans la mesure où cela est praticable et opportun socialement? Et pour suppléer aux inévitables imperfections de la loi, l'opinion ne devrait-elle pas tout au moins organiser une police puissante contre ces vices, et infliger avec sévérité des sanctions sociales à ceux qui sont connus pour les pratiquer. Il n'est pas question ici, dira-t-on, de restreindre l'individualité ou d'empêcher quiconque de tenter des expériences de vie nouvelles et originales. Tout ce que l'on cherche à éviter, ce sont les expériences tentées et condamnées depuis le commencement du monde jusqu'à aujourd'hui - les choses dont l'expérience a montré qu'elles n'étaient ni utiles ni convenables à l'individualité de personne. Il faut une somme considérable de temps et d'expérience pour qu'une vérité dictée par la morale ou la prudence soit considérée comme établie; et tout ce que l'on souhaite est d'éviter que, génération après génération, les gens ne retombent dans ces mêmes précipices qui ont été fatals à leurs prédécesseurs.

J'admets parfaitement que le tort qu'une personne se fait à elle-même puisse sérieusement affecter aussi bien les sentiments que les intérêts de ceux qui lui sont étroitement liés et, à un degré moindre, la société toute entière. Quand, par une conduite de ce genre, une personne est amenée à enfreindre une obligation distincte, et est assignable envers une ou plusieurs personnes, le cas cesse d'être de nature privée, et devient passible de la désapprobation morale au sens propre du terme. Si, par exemple, un homme, par intempérance ou extravagance, se trouve incapable de payer ses dettes, ou si, s'étant chargé de la responsabilité morale d'une famille, il devient incapable, pour les mêmes raisons, de la nourrir et de l'élever, il mérite la réprobation et peut être justement puni, mais simplement pour avoir manqué à son devoir envers sa famille et ses créditeurs, et non pour son extravagance. Si les ressources qui auraient dû leur être destinées s'étaient trouvées détournées de leur usage en vue de l'investissement le plus prudent, la culpabilité morale aurait été la même. George Barnwell[1] assassina son oncle afin d'obtenir de l'argent pour sa maîtresse, mais s'il l'avait fait pour monter une affaire, on l'aurait pendu également. De même, dans le cas fréquent où un homme cause le malheur de sa famille en s'adonnant à de mauvaises habitudes, c'est à juste titre qu'on peut lui reprocher son manque de gentillesse et son ingratitude. Mais on pourrait tout aussi bien les lui reprocher parce qu'il entretient des habitudes qui ne sont pas en elles-mêmes vicieuses, mais qui sont pénibles pour ceux avec lesquels il passe sa vie, ou qui, par le fait de liens personnels, dépendent de lui pour leur bien-être. Quiconque ne considère pas comme on le doit en général les intérêts et les sentiments d'autrui, sans y être contraint par un devoir plus impérieux ou sans pouvoir le justifier par une préférence admissible pour sa propre personne, est légitimement sujet à la réprobation morale pour ce manquement, mais ni pour la cause de ce manquement, ni pour les erreurs purement privées dont cette faute peut être la conséquence éloignée. De même, une personne qui, par une conduite purement privée, se rend incapable d'accomplir un devoir précis qui lui incombe envers le public, est coupable d'un crime contre la société. Personne ne devrait être puni uniquement pour ivresse, mais un soldat ou un policier doivent être punis s'ils sont ivres dans l'exercice de leurs fonctions. En bref, partout où il y a un dommage défini ou un risque défini de dommage, soit pour un individu, soit pour la société, le cas sort du domaine de la liberté et tombe sous la juridiction de la morale ou de la loi.

Mais en ce qui concerne le préjudice purement contingent - et que nous pourrions appeler "constructif" - qu'une personne cause à la société par une conduite qui n'enfreint aucun devoir spécifique envers le public et qui

---

1. Voir George Lillo: *The London merchant; or the history of George Barnwell*, Gray, London, 1731.

n'occasionne de dommage perceptible à nul autre qu'à elle-même, l'inconvénient est de ceux que la société peut se permettre de supporter dans l'intérêt de ce bien supérieur qu'est la liberté humaine. S'il fallait punir les adultes parce qu'ils ne prennent pas soin d'eux-mêmes, je préférerais que ce soit pour leur bien propre que sous prétexte de les empêcher de compromettre leur capacité à rendre à la société des services que celle-ci ne prétend pas par ailleurs avoir le droit de leur imposer. Mais je ne peux consentir à argumenter sur ce point comme si la société n'avait d'autres moyens pour amener ses membres les plus faibles à se conduire raisonnablement, que d'attendre qu'ils fassent une bêtise pour les punir, légalement ou moralement. La société a exercé sur eux un pouvoir absolu durant toute la première partie de leur existence. Elle a eu toute la période de l'enfance et de la minorité pour essayer de les rendre capables de se conduire raisonnablement dans la vie. La génération actuelle est maîtresse à la fois de l'éducation et de toute la situation dans laquelle se trouvera la génération à venir. Elle ne peut évidemment pas la rendre parfaitement bonne et sage, parce que la bonté et la sagesse lui font si lamentablement défaut à elle-même; et ses meilleurs efforts ne sont pas toujours, dans les cas individuels, les mieux récompensés. Mais elle est parfaitement capable de rendre la génération montante dans son ensemble aussi bonne, voire meilleure qu'elle-même. Si la société laisse un grand nombre de ses membres devenir de simples enfants que l'on est incapable d'influencer par la considération rationnelle de motifs généraux, c'est la société seule qui est à blâmer pour les conséquences. Forte non seulement de tous les pouvoirs de l'éducation, mais également de l'ascendance constante qu'a l'opinion reçue sur les esprits qui sont le moins capables de juger par eux-mêmes, aidée de surcroît par les sanctions naturelles qui tombent inévitablement sur ceux qui s'exposent au dégoût et au mépris de leur entourage, que la société ne prétende pas qu'elle ait besoin, en plus de tout cela, du pouvoir de commander et d'imposer l'obéissance dans le domaine des intérêts personnels des individus, dans lequel, selon tous les principes de justice et de politique, la décision devrait revenir à ceux qui doivent en supporter les conséquences. Et rien ne tend davantage à discréditer et à contrarier les meilleurs moyens d'influencer la conduite que d'avoir recours aux pires. Si, parmi ceux que l'on cherche à contraindre à la prudence ou à la tempérance, il s'en trouve qui ont l'étoffe dont sont faits les caractères vigoureux et indépendants, ils se révolteront immanquablement contre le joug. Aucun homme de cette trempe n'acceptera que les autres aient le droit de le contrôler dans ses affaires privées comme ils ont le droit de l'empêcher de nuire aux leurs. Et on en vient facilement à considérer comme une marque de caractère et de courage de résister à une autorité à ce point usurpée et de faire avec ostentation exactement le contraire de ce qu'elle prescrit, comme dans la mode de l'indécence, qui, à l'époque de Charles II[1], succéda à l'intolérance morale fanatique des puritains. Quant à ce qu'on dit de la nécessité qu'il y a à protéger la société du mauvais exemple que représentent pour les autres les hommes vicieux ou intempérants, il est vrai que le mauvais exemple peut avoir un effet pernicieux, surtout le fait de nuire aux autres impunément. Mais nous parlons maintenant de la conduite qui, bien qu'elle ne fasse aucun tort à autrui, est supposée faire un tort considérable à l'agent lui-même. Et je ne vois pas comment il est possible de ne pas remarquer qu'en fin de compte, l'exemple doit être plus salutaire que nuisible, puisqu'en exposant l'inconduite au grand jour, on expose également les conséquences pénibles ou dégradantes qui résultent dans la plupart des cas ou dans tous les cas similaires, si la conduite est justement censurée.

---

1. Charles II (1630-1685), roi d'Angleterre, d'Ecosse et d'Irlande, parfait représentant des libertins de son temps.

Mais l'argument le plus fort contre l'intervention du public dans la conduite purement personnelle reste que, quand il intervient, il y a fort à parier qu'il le fait mal, et mal à propos. Dans les questions de morale sociale et de devoir envers autrui, l'opinion du public, c'est-à-dire de la majorité dominante, bien qu'elle soit souvent fausse, est probablement juste plus souvent encore. En effet, dans de telles questions, les gens n'ont à juger que de leurs propres intérêts et de la façon dont certains modes de conduite les affecteraient s'ils étaient permis. Mais l'opinion d'une majorité semblable sur des questions ayant trait à la conduite purement personnelle et imposée comme une loi à la minorité, a tout autant de chances d'être erronée que d'être juste. Car ici, l'opinion publique signifie tout au plus l'opinion de certaines personnes sur ce qui est bon ou mauvais pour d'autres, et très souvent elle ne signifie même pas cela, puisque le public passe avec la plus parfaite indifférence au-dessus du plaisir ou du bien-être de ceux dont il censure la conduite, pour ne tenir compte que de ses préférences propres. Beaucoup de gens considèrent comme un préjudice personnel toute conduite qui leur déplaît, et ressentent ces conduites comme un outrage à leurs sentiments; comme ce bigot qui, accusé de mépriser les sentiments religieux des autres, répliqua que c'étaient eux qui méprisaient les siens en persistant dans leur culte ou leur croyance abominable. Mais il n'y a pas plus de commune mesure entre le sentiment que peut avoir une personne pour ses propres opinions et les sentiments d'une autre qui s'offense de ce qu'on les détienne, qu'entre le désir qu'éprouve un voleur de prendre un porte-monnaie et le désir qu'éprouve son propriétaire légitime de le garder. Le goût d'une personne est son affaire, au même titre que ses opinions ou son porte-monnaie. On peut facilement imaginer un public idéal, qui laisserait la liberté et le choix des individus s'exercer sans entraves dans toutes les questions incertaines, et qui leur demanderait simplement de renoncer aux modes de conduite que l'expérience universelle a condamnés. Mais a-t-on jamais vu un public imposer de telles limites à sa censure? Depuis quand le public se soucie-t-il de l'expérience universelle? Lorsqu'il intervient dans la conduite personnelle, il pense rarement à autre chose qu'à l'énormité que représente pour lui le fait d'agir ou de sentir différemment de lui. Et ce critère de jugement, à peine déguisé, est présenté à l'humanité par les neuf dixièmes des moralistes et des auteurs spéculatifs comme le précepte de la religion et de la philosophie. Ils nous enseignent que les choses sont justes parce qu'elles sont justes, et parce que nous sentons qu'elles le sont. Ils nous disent de chercher dans notre esprit et notre cœur les lois de conduite obligatoires pour nous-mêmes et pour les autres. Et que peut faire le pauvre public, sinon appliquer ces instructions et, en cas de relative unanimité, imposer au monde entier ses propres sentiments personnels de bien et de mal?

Le mal signalé ici n'est pas de ceux qui n'existent qu'en théorie, et on s'attend peut-être à ce que je cite les cas particuliers dans lesquels le public de notre époque et de notre pays investit mal à propos ses préférences propres du titre de lois morales. Je n'écris pas un essai sur les aberrations du sentiment moral actuel. C'est un sujet trop grave pour qu'on le discute comme entre parenthèses, et sous forme d'illustration. Néanmoins, les exemples sont nécessaires pour montrer que le principe que je défends a une grande importance pratique et que je ne m'efforce pas d'élever une barrière contre des maux imaginaires. Et il n'est pas difficile de montrer, par de nombreux exemples, qu'étendre les limites de ce qu'on peut appeler la police morale, jusqu'à ce qu'elle empiète sur la liberté la plus incontestablement légitime de l'individu, est de tous les penchants humains l'un des plus universels.

Comme premier exemple, considérez les antipathies que les hommes nourrissent du simple fait que des personnes d'opinions religieuses différentes n'observent pas leurs pratiques religieuses, particulièrement en matière d'abstinence. Pour citer un exemple plutôt trivial, rien dans la croyance ou dans la pratique des chrétiens n'envenime plus la haine des musulmans[1] que le fait de manger du porc. Il y a peu d'actes qui inspirent aux chrétiens et aux Européens un dégoût plus sincère que celui qu'inspire aux musulmans cette manière particulière de satisfaire sa faim. C'est d'abord une offense à leur religion. Mais cela n'explique nullement le degré ou la forme de leur répulsion, car le vin est également interdit par leur religion, et si les musulmans jugent qu'il est mal d'en boire, ils ne trouvent pas cela dégoûtant. L'aversion pour la chair de la "bête impure" a au contraire ce caractère particulier qui fait qu'elle ressemble à une antipathie instinctive que l'idée d'impureté semble toujours exciter une fois qu'elle a entièrement pénétré les sentiments, même chez ceux dont les habitudes personnelles sont loin d'être scrupuleusement pures, et dont le sentiment d'impureté religieuse chez les Hindous est un exemple remarquable. Supposez maintenant que chez un peuple à majorité musulmane, cette majorité insiste pour que l'on ne permette pas de manger de porc dans les frontières du pays. Il n'y aurait là rien de nouveau pour les pays musulmans[2]. S'agirait-il là d'un exercice légitime de l'autorité morale de l'opinion publique? Et sinon, pourquoi?

---

1. Dans ce paragraphe, Mill utilise tour à tour les expressions *"Mahomedans"* et *"Mussulmans"*.

2. Le cas des Parsis de Bombay nous offre à cet égard un curieux exemple. Lorsque les membres de cette tribu industrieuse et entreprenante, descendante des adorateurs du feu Perses, fuyant

Une telle pratique est vraiment révoltante pour un tel public. Il croit aussi sincèrement que la Divinité l'interdit et l'abhorre. On ne pourrait pas non plus censurer l'interdiction comme relevant de la persécution religieuse. Même si elle est religieuse dans ses origines, elle ne serait pas pour autant une persécution religieuse puisque aucune religion ne fait un devoir de manger du porc. Le seul motif de condamnation soutenable consisterait à faire valoir que le public n'a pas à se mêler des goûts personnels et des intérêts privés des individus.

Un peu plus près de nous, la majorité des Espagnols considèrent comme une marque grossière d'impiété, offensante au plus haut point pour l'Etre Suprême, de lui rendre un culte différent du culte catholique romain; et aucun autre culte public n'est permis sur le sol espagnol. Pour les peuples de l'Europe méridionale, un clergé marié est non seulement irréligieux, mais impudique, indécent, grossier et dégoûtant. Que pensent les protestants de ces sentiments parfaitement sincères et de la tentative de les imposer aux

---

leur pays natal devant les califes, arrivèrent en Inde occidentale, les souverains hindous acceptèrent de les tolérer, à la condition qu'ils ne mangent pas de bœuf. Lorsque ces contrées tombèrent plus tard sous la domination des conquérants musulmans, les Parsis obtinrent la prolongation de cette indulgence à condition de renoncer au porc. Ce qui ne fut d'abord qu'une soumission à l'autorité devint une seconde nature, si bien que les Parsis d'aujourd'hui s'abstiennent de manger aussi bien du bœuf que du porc. Bien que leur religion ne l'exige pas, cette double abstinence a eu tout le temps de s'imposer comme une coutume dans leur tribu; et en Orient, la coutume est une religion.

non-catholiques? Or, si les hommes peuvent légitimement interférer dans leur liberté réciproque dans des domaines qui ne concernent pas les intérêts d'autrui, sur quel principe peut-on se fonder pour exclure ces cas de manière cohérente? Qui peut blâmer les gens de chercher à supprimer ce qu'ils considèrent comme un scandale aux yeux de Dieu et des hommes? On ne peut trouver d'arguments plus puissants en faveur de l'interdiction de ce que l'on considère comme une immoralité personelle, que ceux avancés en faveur de la suppression de ces pratiques par ceux qui les jugent impies. Et à moins que nous ne soyons prêts à adopter la logique des persécuteurs et à soutenir que nous avons le droit de persécuter les autres parce que nous avons raison, et qu'ils ne doivent pas nous persécuter parce qu'ils ont tort, nous devons nous garder d'admettre un principe que nous ressentirions comme une injustice flagrante s'il nous était appliqué.

On pourra objecter, bien qu'à tort, que les exemples précédents sont tirés de conjonctures qui sont impossibles chez nous. Il est peu vraisemblable que l'opinion, dans ce pays, se mette à imposer l'abstinence de certaines viandes, ou à empêcher les gens de rendre leur culte ou de se marier ou non, conformément à leur croyance ou à leur inclination. Néanmoins, l'exemple suivant sera tiré d'une atteinte à la liberté dont la menace est loin d'être entièrement écartée. Partout où les puritains ont été suffisamment puissants, comme en Nouvelle-Angleterre et en Grande-Bretagne à l'époque de la République, ils ont cherché, avec un succès considérable, à réprimer tous les divertissements publics, et presque tous les divertissements privés: particulièrement la musique, la danse, les jeux publics, ou toute autre réunion de personnes dont le but était la distraction, et également le théâtre. Il y a toujours dans ce pays des groupes importants de personnes dont les notions de morale et de religion condamnent ces divertissements. Et comme ces personnes appartiennent pour la plupart à la classe moyenne, qui constitue la puissance dominante du royaume dans les conditions politiques et sociales actuelles, il n'est absolument pas impossible que les personnes qui ont ces sentiments jouissent un jour ou l'autre d'une majorité au Parlement. Comment le reste de la communauté réagira-t-il lorsqu'il verra ses divertissements réglementés par les sentiments moraux et religieux des calvinistes et des méthodistes les plus stricts? Ne prierait-il pas instamment ces hommes d'une piété si importune d'aller se mêler de ce qui les regarde? C'est précisément ce qui devrait être répondu à tout gouvernement et à tout public qui a la prétention de priver tout le monde des plaisirs qu'ils condamnent. Mais si le principe de prétention est admis, personne ne peut raisonnablement objecter à ce qu'il soit appliqué dans le sens de la majorité, ou d'un autre pouvoir dominant dans le pays; et chacun doit être prêt à se conformer à l'idée d'une république chrétienne, telle que la comprenaient les premiers colons de la Nouvelle-Angleterre, au cas où une secte religieuse similaire à la leur parviendrait un jour à regagner le terrain perdu, comme ce fut souvent le cas des religions que l'on croyait sur le déclin.

Imaginons maintenant une autre situation, peut-être plus susceptible de se réaliser que la précédente. De l'aveu de chacun, il y a dans le monde moderne une forte tendance dans le sens d'une constitution démocratique de la société, accompagnée ou non d'institutions politiques populaires. On affirme que dans le pays où cette tendance s'est réalisée le plus complétement - où à la fois la société et le gouvernement sont les plus démocratiques, c'est-à-dire aux Etats-Unis - le sentiment de la majorité, auquel déplaît toute apparence d'un style de vie plus luxueux et plus voyant que celui auquel elle peut prétendre, agit comme une loi somptuaire relativement efficace, et que dans maintes parties de l'Union, il est vraiment difficile à une personne disposant d'un revenu très important de trouver un moyen quelconque de le dépenser sans encourir la réprobation populaire. Bien que de telles affirmations donnent sans doute une représentation très exagérée des faits existants, l'état de choses qu'elles décrivent est non seulement concevable et possible, mais le résultat probable de l'union du sentiment démocratique et de l'idée que le public a un droit de veto sur la manière dont les individus dépensent leurs revenus. Il nous suffit de supposer en plus de cela une diffusion conséquente d'opinions socialistes, et il peut très bien devenir infâme aux yeux de la majorité de posséder davantage qu'une quantité très limitée de biens, ou qu'un revenu quelconque non acquis par un travail manuel. Des opinions semblables à celles-ci dans leur principe prédominent déjà dans la classe ouvrière et pèsent d'une manière oppressante sur ceux qui sont soumis principalement aux opinions de cette classe, à savoir ses propres membres. Il est notoire que les mauvais ouvriers, qui forment la majorité dans beaucoup de branches de l'industrie, croient fermement qu'ils devraient recevoir le même salaire que les bons, et que personne ne devrait être autorisé, par un travail à la pièce ou de toute autre manière, à gagner plus en faisant montre de plus d'habileté et d'assiduité que les autres. Et ils font usage d'une police morale, qui devient à l'occasion une police physique, pour dissuader les bons ouvriers de recevoir une rémunération plus importante pour de meilleurs services, et pour dissuader les patrons de la leur donner. Si le public a une juridiction quelconque sur les affaires privées, je ne vois pas pourquoi ces gens auraient tort, ou pourquoi il faudrait blâmer un public particulier pour prétendre à la même autorité sur la conduite d'un de ses individus, que celle que l'opinion publique impose aux gens en général.

Mais sans s'étendre plus sur des cas hypothétiques, on commet de nos jours des usurpations flagrantes dans le domaine de la vie privée, et d'autres plus grossières encore risquent d'être perpétrées, et on revendique le droit illimité du public non seulement d'interdire par la loi tout ce qu'il juge mauvais, mais, qui plus est, d'interdire un certain nombre de choses qu'il juge lui-même inoffensives pour mieux atteindre ce but.

Sous prétexte d'une lutte contre l'intempérance, les habitants d'une colonie anglaise et de presque la moitié des Etats-Unis se sont vus interdire par la loi tout usage de boissons alcoolisées, sauf à des fins médicales: car l'interdiction de la vente d'alcool est en réalité une interdiction de son usage; et du reste, c'est bien ainsi qu'on l'entendait. Et bien que l'inapplicabilité de la loi ait causé son abrogation dans plusieurs des Etats qui l'avaient adoptée, y compris celui qui lui avait donné son nom[1], on a néanmoins amorcé dans ce pays une campagne active pour promouvoir une loi similaire, et nombre de philanthropes éclairés la mènent avec un zèle considérable. L'association formée dans ce but, l'"Alliance" comme ils l'appellent, a acquis une certaine notoriété par la publicité donnée à une correspondance entre son secrétaire et l'un des très rares hommes publics anglais à maintenir que les opinions d'un politicien devraient se fonder sur des principes. La part de Lord Stanley[2] dans cette correspondance est propre à renforcer les espoirs qu'avaient déjà placés en lui ceux qui savent malheureusement combien sont rares, parmi ceux qui jouent un rôle dans la vie politique, ces qualités qu'il a parfois manifestées en public. Le porte-parole de l'Alliance qui "déplorait profondément la reconnaissance de tout principe susceptible d'être détourné pour justifier le sectarisme et la persécution", entreprend de nous montrer "la large et infranchissable barrière qui sépare de tels principes de ceux de l'association". "Toutes les questions relatives à la pensée, à l'opinion, à la conscience, me semblent, dit-il, se situer hors de la sphère de la législation. Toutes celles qui

---

1. Il s'agit de l'Etat du Maine.
2. Voir: "Lord Stanley, M.P. and the United Kingdom Alliance", The Times, 20 oct. 1856, pp. 9-10.

se rapportent aux actes sociaux, à l'habitude, aux relations, me semblent être seulement du ressort d'un pouvoir discrétionnaire de l'Etat, et non de l'individu, de sorte que cela tombe dans la sphère de la législation". Aucune mention n'est faite ici d'une troisième classe, différente des deux autres, à savoir celle des habitudes et des actes qui ne sont pas sociaux mais individuels, quoique l'acte de boire des boissons alcoolisées tombe assurément dans cette catégorie. Vendre des boissons alcoolisées est néanmoins un commerce, et le commerce est un art social. Seulement, l'infraction reprochée n'est pas la liberté du vendeur, mais celle de l'acheteur ou du consommateur, puisque l'Etat pourrait tout aussi bien lui interdire de boire du vin que de le mettre intentionnellement dans l'impossibilité de s'en procurer. Le secrétaire déclare pourtant : "En tant que citoyen, je réclame le droit de légiférer à chaque fois que les actes sociaux d'autrui empiètent sur mes droits sociaux." Et voici la définition de ces "droits sociaux" : "S'il se trouve une chose qui empiète sur mes droits sociaux, c'est bien le commerce des boissons alcoolisées. Il détruit mon droit fondamental à la sécurité en créant et en stimulant de manière constante le désordre social. Il empiète sur mon droit à l'égalité en tirant profit de la création d'une misère que j'entretiens par mes impôts. Il gêne mon droit à un libre développement moral et intellectuel, en semant des dangers sur ma route et en affaiblissant et en démoralisant la société dont je suis en droit d'attendre aide et secours mutuels." Cette théorie des "droits sociaux", telle qu'on ne l'avait sans doute jamais aussi clairement formulée jusqu'ici, se réduit à ceci: tout individu a un droit social absolu d'exiger que tout autre individu agisse en tout point comme il le doit. Quiconque manque un tant soit peu à ce devoir enfreint mon droit social et m'autorise par là même à exiger du corps législatif réparation pour ce grief. Un principe aussi monstrueux est infiniment plus dangereux que n'importe quel empiétement isolé sur la liberté. Il n'est pas de violation de la liberté qu'il ne puisse justifier. Il ne reconnaît aucun droit à une liberté quelconque, sauf peut-être celui de nourrir des opinions secrètes sans jamais les dévoiler, car dès qu'une opinion que je juge nuisible franchit les lèvres de quelqu'un, elle viole tous les "droits sociaux" que l'Alliance m'attribue. La doctrine attribue à l'humanité tout entière un droit acquis mutuel sur la perfection morale, intellectuelle, et même physique d'autrui, que chaque plaignant peut définir selon son propre critère.

Un autre exemple important d'empiétement illégitime sur la liberté légitime de l'individu, qui n'est pas une simple menace, mais qui a depuis longtemps pris triomphalement effet, est celui de la législation concernant le respect du Sabbat. Il ne fait aucun doute que la coutume de s'abstenir un jour par semaine des occupations ordinaires, autant que le permettent les exigences de la vie, est très bénéfique, bien que ce ne soit un devoir religieux que pour les Juifs. Et comme cette coutume ne peut être observée sans un accord général des classes travailleuses, dans la mesure où il suffit que quelques personnes travaillent pour que la nécessité d'en faire autant soit imposée aux autres, il peut être par conséquent permis et juste que la loi garantisse à chacun l'observance générale de la coutume en suspendant les principales activités de l'industrie un jour donné. Mais cette justification, fondée sur l'intérêt direct qu'ont les autres à ce que chacun observe cet usage, ne s'applique pas aux occupations privées auxquelles une personne juge bon de consacrer son temps de loisir. Elle ne vaut pas non plus le moins du monde pour les restrictions légales imposées aux divertissements. Il est vrai que l'amusement des uns est le travail des autres. Mais le plaisir, pour ne pas mentionner l'utile récréation d'un grand nombre de gens, vaut bien le travail de quelques-uns, à condition que leur occupation soit choisie librement et qu'elle puisse être abandonnée librement. Les ouvriers ont parfaitement raison de penser que s'ils travaillaient tous le samedi, ils donneraient le travail de sept jours pour le salaire de six. Mais tant que la plus grande partie des travaux est suspendue, le petit nombre de ceux qui doivent continuer à travailler pour le plaisir des autres obtient une augmentation proportionnelle de ses revenus; et il n'est pas obligé de continuer à travailler s'il préfère le loisir aux rémunérations auxiliaires. Si l'on cherche un remède supplémentaire, on pourra le trouver dans l'établissement, par la coutume, d'un autre jour de congé dans la semaine, pour cette classe particulière de personnes. Par conséquent, la seule raison qui reste pour justifier les restrictions sur les divertissements du dimanche consiste à faire valoir qu'ils sont mauvais d'un point de vue religieux; un motif de législation contre lequel on ne protestera jamais assez énergiquement. "Deorum injuriæ Diis curæ[1]." Il reste à prouver que la société ou l'un de ses fonctionnaires a reçu d'en haut le mandat de venger toute offense supposée au Tout-Puissant qui ne constitue pas également un tort infligé à nos semblables. L'idée qu'il est du devoir d'un homme de veiller à ce qu'un autre soit religieux a été le fondement de toutes les persécutions religieuses qui ont jamais été perpétrées; et si on admettait cette idée, elle justifierait pleinement ces persécutions. Bien que le sentiment qui se déclare dans les tentatives répétées d'arrêter le trafic des trains le dimanche, dans la résistance opposée à l'ouverture des musées et autres, n'ait pas le caractère de cruauté des anciennes persécutions, l'état d'esprit dont il fait preuve est fondamentalement le même. C'est une détermination à ne pas tolérer que les autres fassent ce que leur religion leur permet, parce que la religion du persécuteur ne le permet pas. C'est la croyance que non seulement Dieu déteste l'acte du mécréant, mais qu'il ne nous tiendra pas non plus pour innocents si nous le laissons agir en paix.

---

1. "Les offenses commises vis-à-vis des Dieux sont l'affaire des Dieux", Tacite: *Les annales*.

Je ne peux m'empêcher d'ajouter à ces exemples du peu de cas que l'on fait généralement de la liberté humaine, celui du langage de la persécution la plus déclarée qui éclate dans la presse de ce pays, partout où elle se sent appelée à souligner le phénomène remarquable du mormonisme. Il y aurait beaucoup à dire sur le fait inattendu et instructif qu'une prétendue révélation nouvelle, et une religion fondée sur elle, produit d'une imposture manifeste, et qui n'est même pas soutenue par le *prestige* de qualités extraordinaires chez son fondateur[1], soit l'objet de la croyance de centaines de milliers de personnes, et soit devenue le fondement d'une société au siècle des journaux, du chemin de fer et du télégraphe électrique. Ce qui nous intéresse ici, c'est que cette religion, comme beaucoup d'autres et de meilleures, a ses martyrs, que son prophète et fondateur a été mis à mort par la foule à cause de sa doctrine, que d'autres de ses adhérents ont perdu leur vie par les mêmes violences illégales, qu'ils ont été chassés de leur pays par la force, et que, maintenant qu'ils se trouvent isolés au milieu d'un désert, de nombreuses personnes dans ce pays déclarent qu'il serait juste (mais peu commode) de lancer une expédition contre eux et de les contraindre à se conformer à l'opinion des autres. L'article de la doctrine mormone qui inspire au plus haut point une antipathie qui passe ainsi outre les barrières habituelles de la tolérance est l'autorisation de la polygamie, qui, bien qu'elle soit permise aux musulmans, aux Hindous et aux Chinois, semble exciter une animosité inextinguible lorsqu'elle est pratiquée par des gens qui parlent anglais et qui prétendent être un genre de chrétiens. Personne ne désapprouve plus profondément que moi cette institution mormone, parce que, entre autres choses, loin d'être sanctionnée par le principe de liberté, elle constitue une infraction directe à ce principe, en rivant simplement les chaînes d'une moitié de

---

1. Joseph Smith.

la communauté, et en émancipant l'autre moitié d'une réciprocité d'obligation envers la première. Il faut néanmoins rappeler que cette relation est tout aussi volontaire, de la part des femmes concernées et qui semblent en être les victimes, que dans n'importe quelle autre forme d'institution matrimoniale. Et aussi surprenant que ce fait puisse paraître, on en trouve l'explication dans les coutumes et idées ordinaires de ce monde, qui, en enseignant aux femmes à considérer le mariage comme la chose qui leur est le plus nécessaire, expliquent le fait que bien des femmes préfèrent être l'une des plusieurs épouses d'un même homme plutôt que de ne pas être mariées du tout. Dans d'autres pays, on n'a pas à reconnaître de telles unions, ou à dispenser une partie des citoyens de suivre les lois en faveur des opinions mormones. Mais quand les dissidents ont cédé devant les sentiments hostiles des autres, bien plus qu'on ne saurait légitimement l'exiger, quand ils ont quitté les pays où leurs doctrines étaient inacceptables et se sont installés dans un coin perdu de la terre qu'ils ont été les premiers à rendre habitable, il est difficile de voir au nom de quels principes, si ce n'est ceux de la tyrannie, on pourrait les empêcher d'y vivre comme ils l'entendent, pourvu qu'ils n'agressent pas les autres nations et laissent toute liberté de partir aux mécontents. Un auteur récent, et de grand mérite à certains égards, propose (pour reprendre ses propres termes), non pas une croisade, mais une *civilisade* contre cette communauté polygamique, pour mettre un terme à ce qui lui semble constituer un pas en arrière dans la marche de la civilisation. C'est bien aussi ce qu'il me semble, mais je ne sache pas qu'une communauté ait le droit de forcer une autre à être civilisée. Tant que les victimes des mauvaises lois ne demandent pas l'aide des autres communautés, je ne peux admettre que ceux qui sont sans aucun rapport avec elles puissent intervenir et exiger qu'une situation qui semble satisfaire tous les intéressés soit abolie, sous prétexte qu'elle est un scandale pour des gens vivant à quelques milliers de kilomètres de là, qui n'y prennent aucune part, et n'y ont aucun intérêt. Qu'ils envoient donc des missionnaires, si bon leur semble, pour prêcher contre elle, et qu'ils s'opposent au progrès de doctrines semblables chez eux, par des moyens équitables (et imposer le silence à ceux qui l'enseignent n'en est pas un). Si la civilisation a vaincu la barbarie quand la barbarie dominait le monde, il est excessif de prétendre craindre qu'elle puisse revivre pour reconquérir la civilisation. Une civilisation qui succombe ainsi à l'ennemi qu'elle a vaincu doit d'abord avoir dégénéré au point que ni ses prêtres, ni ses maîtres officiels, ni personne, n'aient la capacité ou ne veuillent prendre la peine de la défendre. Si c'est le cas, plus vite elle reçoit son congé, mieux c'est. Elle ne peut aller que de mal en pis, jusqu'à ce que des barbares énergiques la détruisent et la régénèrent, comme cela fut le cas pour l'Empire romain d'Occident.

CHAPITRE 5

APPLICATIONS

Les principes affirmés dans ces pages doivent être plus généralement admis comme base en vue d'une discussion des points de détail, avant qu'une application systématique puisse en être tentée avec une quelconque chance de succès, dans les différents domaines de la politique et de la morale. Les quelques observations que je me propose de faire sur des questions de détail ont pour but d'illustrer les principes plutôt que d'en déduire les conséquences. Je ne propose pas tant des applications que des échantillons d'application susceptibles d'éclairer davantage le sens et les limites des deux maximes qui constituent à elles deux toute la doctrine de cet Essai, et d'aider le jugement à maintenir l'équilibre entre elles dans les cas où l'on hésite à appliquer l'une ou l'autre.

Ces maximes sont les suivantes: d'abord, l'individu n'est pas responsable de ses actions devant la société, tant qu'elles ne concernent les intérêts de personne d'autre que lui-même. Les autres peuvent avoir recours aux conseils, à l'instruction, à la persuasion et à la mise à l'écart, s'ils estiment que cela est nécessaire pour leur propre bien. C'est là la seule manière pour la société d'exprimer d'une manière légitime son aversion ou sa désapprobation vis-à-vis de la conduite d'un individu. Deuxièmement, en ce qui concerne les actions qui portent préjudice aux intérêts d'autrui, l'individu est responsable et peut être soumis à une punition sociale ou légale, si la société juge que sa protection exige l'une ou l'autre.

En premier lieu, il ne faut en aucune façon s'imaginer que, parce qu'il est seul à pouvoir justifier l'intervention de la société dans certains cas, un dommage ou un risque de dommage aux intérêts d'autrui justifie une telle intervention dans tous les cas. Dans de nombreux cas, un individu, en poursuivant un but légitime, cause nécessairement et donc légitimement de la peine ou des pertes à d'autres, ou bien s'empare d'un bien qu'ils pouvaient raisonnablement espérer obtenir. De telles oppositions d'intérêt entre individus proviennent souvent de mauvaises institutions sociales, mais sont inévitables tant que durent ces institutions; et certaines seraient inévitables sous n'importe quelles institutions. Quiconque réussit dans une profession où les concurrents abondent, ou bien à un concours, quiconque est préféré à un autre dans une lutte quelconque pour un objet qu'ils désirent tous deux, tire un bénéfice de l'échec des autres, de la vanité de leurs efforts et de leur déception. Mais il est communément admis qu'il vaut mieux, pour l'intérêt général de l'humanité, que les gens poursuivent leurs buts sans se laisser retenir par ce genre de conséquences. Autrement dit, la société ne reconnaît aux compétiteurs déçus aucun droit moral ou légal à l'immunité devant ce type de souffrance, et elle ne se sent appelée à intervenir que lorsque les moyens employés pour obtenir le succès sont ceux que l'intérêt général ne saurait autoriser, à savoir: la fraude, la trahison, et la force.

Répétons-le: le commerce est un acte social. Quiconque entreprend de mettre une marchandise en vente dans le public fait quelque chose qui affecte les intérêts d'autrui et de la société en général. Par conséquent, sa conduite tombe en principe sous la juridiction de la société. C'est pour cela qu'on estimait autrefois qu'il était du devoir du gouvernement de fixer les prix et de réglementer les procédés de fabrication dans tous les cas importants. Mais c'est seulement aujourd'hui que l'on reconnaît, après une longue lutte, que le seul moyen de garantir à la fois des prix bas et des produits de bonne qualité, est de laisser les producteurs et les vendeurs entièrement libres, sans autre contrôle que celui de l'égale liberté des acheteurs de se fournir ailleurs. C'est la doctrine dite du "Libre Echange", qui repose sur des bases différentes mais non moins solides que celles sur lesquelles repose le principe de liberté individuelle défendu dans cet Essai. Les restrictions imposées au commerce ou à la production commerciale sont bien des contraintes. Et toute contrainte, *en tant que* contrainte, est un mal. Mais les contraintes en question affectent seulement cette partie de la conduite humaine qu'il revient à la société de contraindre, et elles ne sont mauvaises que dans la mesure où elles ne produisent pas réellement les résultats escomptés. Le principe de liberté individuelle n'étant pas impliqué[1] dans la doctrine du libre échange, il ne l'est pas non plus dans la plupart des questions qui se posent sur les limites de cette doctrine; comme celle, par exemple, de savoir quelle est la part du contrôle public que l'on doit autoriser pour empêcher la fraude des marchandises par frelatage, et jusqu'à quel point les précautions sanitaires ou les mesures de protection pour les ouvriers employés à des travaux dangereux doivent être imposées aux employeurs. De telles questions n'impliquent de considérations relatives à la liberté que dans la mesure où il vaut toujours mieux laisser les gens livrés à eux-mêmes, *caeteris paribus*, que les contrôler. Mais il est indéniable qu'en principe, ils peuvent légitimement être contrôlés à ces

---

1. *Involved.*

fins. D'autre part, il y a des questions qui ont trait à l'intervention dans le commerce et qui sont essentiellement des questions de liberté, comme par exemple la loi du Maine, mentionnée plus haut, l'interdiction d'importer de l'opium en Chine, et la restriction sur la vente des produits toxiques; bref, tous les cas où le but de l'intervention est de rendre impossible ou difficile d'obtenir certains produits. Ces interventions sont contestables, non pas parce qu'elles empiètent sur la liberté du producteur ou du vendeur, mais parce qu'elles empiètent sur la liberté de l'acheteur.

L'un de ces exemples, celui de la vente des produits toxiques, pose une nouvelle question: celle des limites appropriées de ce que l'on peut appeler les fonctions de la police. Jusqu'à quel point peut-on légitimement empiéter sur la liberté pour prévenir un crime ou un accident? C'est l'une des fonctions incontestées du gouvernement que de prendre des précautions contre le crime avant qu'il ne soit commis, aussi bien que de le découvrir et de le punir après coup. La fonction préventive du gouvernement risque néanmoins de donner lieu à des abus au préjudice de la liberté, bien plus que sa fonction punitive; car il n'y a guère d'aspects de la liberté d'action légitime d'un homme que l'on ne pourrait représenter, et cela en toute honnêteté, comme favorisant davantage une forme ou une autre de délinquance. Néanmoins, si une autorité publique ou même une personne privée voit quelqu'un se préparer de toute évidence à commettre un crime, elle n'est pas obligée de se poser en observatrice, en restant inactive jusqu'à ce que le crime soit commis. Elle peut s'interposer pour l'en empêcher. Si on n'achetait et n'utilisait les produits toxiques que dans le but de commettre des meurtres, il serait juste d'en interdire la fabrication et la vente. On peut néanmoins en avoir besoin à des fins non seulement inoffensives, mais utiles; et des restrictions ne peuvent être imposées dans ce cas sans opérer aussi dans l'autre. C'est encore une fois à l'autorité publique de prévenir les accidents. Si un fonctionnaire public ou quelqu'un d'autre voyait une personne essayer de traverser un pont reconnu pour dangereux et qu'il soit trop tard pour l'avertir du danger, il aurait alors le droit de l'empoigner et de la forcer à reculer sans pour autant empiéter sur sa liberté[1]. Car la liberté consiste à faire ce que l'on souhaite, et une telle personne ne souhaite certainement pas tomber dans un fleuve. Néanmoins, lorsqu'il n'y a qu'une menace et non pas une certitude de danger, seule la personne concernée elle-même peut juger de la validité du motif qui la pousse à courir ce risque. Par conséquent, dans ce cas (à moins qu'il ne s'agisse d'un enfant, d'une personne en état de délire, d'excitation ou de distraction l'empêchant de réfléchir normalement), on devrait, me semble-t-il, l'avertir simplement du danger, et non pas recourir à la force pour l'empêcher de s'y exposer. Des considérations du même ordre appliquées à la vente des produits toxiques peuvent nous permettre de décider lesquels des divers modes de régulations possibles sont ou non contraires au principe. On peut par exemple, sans violer la liberté, prendre la précaution d'étiqueter la drogue pour en indiquer le caractère dangereux: l'acheteur ne peut désirer ignorer que l'article qu'il achète a des propriétés toxiques. Mais exiger dans tous les cas le certificat d'un médecin rendrait parfois impossible et en tout cas toujours onéreuse l'obtention d'un article pour un usage légitime. Il me semble que le seul moyen de prévenir les empoisonnements sans violer d'une manière notable la liberté de ceux qui souhaitent obtenir une substance toxique à d'autres fins, est de fournir ce que Bentham appelle fort à propos une "preuve préalable[2]". Ce genre de disposition est communément incluse dans tous les contrats. Lorsqu'on conclut un contrat, il est courant et par ailleurs justifié que la loi requière comme conditions de sa valeur légale que

---

1. *Without any real infringement of his liberty.*
2. *Preappointed evidence*. Voir Bentham: *An introductory view of the rationale of evidence in works*, vol. VI, p. 60.

certaines formalités comme les signatures, l'attestation des témoins, etc., soient observées, afin qu'en cas de dispute ultérieure la preuve puisse être fournie que le contrat a été réellement conclu et que rien dans les circonstances ne l'invalidait. L'effet de ces dispositions est de mettre des obstacles importants aux contrats fictifs ou aux contrats faits dans des conditions qui, si elles venaient à être connues, les rendraient caducs. Des précautions semblables pourraient être imposées à la vente d'articles propres à servir d'instruments de crime. On pourrait par exemple exiger du vendeur qu'il note sur un registre la date exacte de la transaction, le nom et l'adresse de l'acheteur, la qualité et la quantité précises vendues, qu'il s'enquière du but pour lequel l'acheteur a besoin de l'article en question, et qu'il consigne sa réponse. On pourrait requérir la présence d'une tierce personne au cas où il n'y aurait pas d'ordonnance délivrée par un médecin, pour prouver le fait contre l'acheteur au cas où il y aurait lieu de croire par la suite que l'article a été utilisé à des fins criminelles. De tels règlements ne constitueraient en général aucun obstacle matériel à l'obtention de l'article, mais un obstacle considérable à la possibilité d'en faire un usage illicite sans être découvert.

Le droit inhérent à la société d'opposer des mesures préventives aux crimes qui la visent suggère des limites évidentes à la maxime selon laquelle on ne peut s'ingérer par des mesures préventives ou punitives dans la mauvaise conduite lorsqu'elle est purement privée. L'ivresse, par exemple, n'est pas d'ordinaire un sujet normal d'inter-vention législative. Mais je trouverais parfaitement légi-time qu'on impose une restriction légale spéciale et per-sonnelle à un homme convaincu de quelque violence envers autrui sous l'influence de la boisson, et qu'il soit passible d'une amende si on le trouve ivre une deuxième fois; et que s'il commet à nouveau un délit dans ce même état, la punition reçue soit encore plus sévère. Pour une personne que l'ivresse conduit à faire du mal à autrui, le fait de s'enivrer est un crime contre les autres. De même, l'oisiveté ne peut être un sujet de punition légale sans qu'il y ait par là même tyrannie; sauf dans le cas où la personne est à la charge du public, ou bien si son oisiveté constitue une rupture de contrat. Mais si, soit par oisiveté, soit par une autre raison facilement évitable, un homme manque aux devoirs envers autrui que la loi lui impose - comme par exemple d'entretenir ses enfants -, le forcer à travailler pour remplir ses obligations, à supposer que l'on ne trouve pas d'autres moyens, ne constitue pas un acte de tyrannie.

En outre, il y a de nombreux actes qui, bien qu'ils soient directement dommageables aux agents eux-mêmes, ne devraient pas être interdits par la loi, mais qui, s'ils sont commis en public, constituent une violation des bonnes mœurs, tombent par conséquent dans la catégorie des offenses faites à autrui, et peuvent donc être justement interdits. C'est le cas des atteintes à la décence, sur lesquelles il n'est pas nécessaire de nous étendre, d'autant plus qu'elles n'ont qu'un rapport indirect avec notre sujet, puisqu'on peut objecter au caractère public d'un acte, même si celui-ci n'est blâmable en lui-même pour personne.

Il y a une autre question à laquelle il faut trouver une réponse cohérente avec les principes que nous avons posés. Dans le cas où une conduite personnelle est tenue pour blâmable, mais où le respect de la liberté empêche la société de la prévenir ou de la punir, parce que le mal qui en résulterait retomberait entièrement sur l'agent, doit-on avoir la même liberté de conseiller ou d'inciter à faire ce que l'agent fait librement? Cette question n'est pas sans difficulté. Le cas d'une personne qui incite une autre à accomplir un acte n'est pas strictement identique à un cas de conduite personnelle. Donner des conseils à quelqu'un ou le pousser à agir est un acte social; on peut par conséquent estimer qu'un tel acte doit être soumis au contrôle social, à l'instar de toute action qui affecte autrui en général. Mais une réflexion un peu plus poussée corrige cette première impression et nous montre que si le cas n'entre pas strictement dans la définition de la liberté individuelle, on peut néanmoins lui appliquer les raisons sur lesquelles se fonde le principe de liberté. Si on doit autoriser les gens à agir comme bon leur semble et à leurs propres périls dans tout ce qui ne concerne qu'eux-mêmes, ils doivent également être libres de demander conseil aux autres sur ce qu'il convient de faire, ainsi que d'échanger des opinions et de donner et de recevoir des suggestions. Il faut que l'on permette de conseiller tout ce qu'on permet également de faire. La question devient douteuse lorsque l'instigateur tire un profit personnel de son conseil, lorsqu'il en fait un métier pour en vivre ou pour s'enrichir, ou encore pour promouvoir ce que la société et l'Etat considèrent comme un mal. On introduit alors en effet un élément de complication: à savoir l'existence d'une classe de personnes dont les intérêts sont opposés à ce qui est considéré comme le bien public et dont le mode de vie est fondé sur l'opposition à ce bien. Faut-il intervenir dans ce cas? La fornication, par exemple, doit être tolérée, ainsi que le jeu. Mais est-on libre pour autant d'être un souteneur ou un tenancier de maison de jeu? C'est le genre de cas qui se situe à le frontière des deux principes, et on ne voit pas immédiatement duquel des deux il doit dépendre. Il y a des arguments des deux côtés. Du côté de la tolérance, on dira qu'il ne peut pas être criminel d'exercer comme métier, pour en vivre et s'enrichir, une activité qui serait par ailleurs admissible; que l'acte devrait soit être toujours permis, soit être toujours interdit; que si les principes que nous avons défendus jusqu'ici sont vrais, la société, *en tant que* société, n'a pas à se mêler de déclarer mauvais ce qui ne concerne que l'individu; qu'elle ne peut aller au-delà de la dissuasion; et qu'enfin, une personne devrait être aussi libre de persuader qu'une autre de dissuader. En opposition à cela, on pourra défendre l'idée que bien que le public ou l'Etat ne soient pas autorisés à décider de manière autoritaire, dans le but de réprimer et de punir, que telle ou telle conduite purement privée qui n'affecte que les intérêts de l'individu concerné est bonne ou mauvaise, ils sont parfaitement en droit de supposer que, s'ils jugent certains actes mauvais, le fait qu'ils le soient réellement ou non est ouvert à la discussion. Cela étant admis, ni le public ni l'Etat ne peuvent mal agir en s'efforçant d'éliminer l'influence de sollicitations qui ne sont pas désintéressées, et d'ins-tigateurs qui ne sauraient être impartiaux et qui ont un intérêt personnel direct orienté d'un côté que l'Etat juge être le mauvais, et qui, de plus, avouent le promouvoir à des fins exclusivement personnelles. On pourra avancer qu'on ne perdra rien et qu'aucun bien ne sera sacrifié si l'on ordonne les choses de façon à ce que les gens fassent spontanément leur choix, que ce soit sagement ou bêtement, de leur propre chef, en étant autant que possible à l'abri des subterfuges de ceux qui stimulent leurs inclinations par intérêt personnel. Et on fera donc valoir que bien que la réglementation des jeux illicites soit absolument indéfendable, et bien que tout le monde doive être libre de jouer chez soi, chez les autres, ou dans un lieu de rencontre fonctionnant sur cotisation et dont l'accès est strictement réservé aux membres et à leurs invités, les maisons de jeu publiques devraient être interdites. Il est vrai que l'interdiction n'est jamais efficace et que, aussi tyrannique que puisse être le pouvoir de la police, les maisons de jeu parviennent toujours à survivre sous d'autres prétextes. Mais elles peuvent se voir contraintes de conduire leurs opérations avec un certain degré de mystère et de secret, de façon à ce que seuls ceux qui les recherchent les connaissent; et qui plus est, la société devrait se contenter de ce résultat. Ces arguments ont une force considérable. Je ne me risquerai pas à décider s'ils suffisent à justifier l'anomalie morale consistant à punir les complices alors qu'on laisse libres les principaux instigateurs (cette dernière disposition étant par ailleurs tout à fait juste), à mettre à l'amende ou à jeter en prison l'entremetteur mais non le fornicateur, le tenancier de la maison de jeu, mais non le joueur. De tels motifs devraient encore moins entrer en ligne de compte dans les transactions commerciales courantes. Presque tout article susceptible d'être acheté et vendu peut donner lieu à des excès, et les vendeurs ont un intérêt pécuniaire à l'encourager. Mais on ne peut fonder aucun argument sur cette considération, en faveur, par exemple, de la loi de l'Etat du Maine; parce que tous les marchands de boissons alcoolisées, malgré leur intérêt à ce qu'on en abuse, restent néanmoins indispensables pour l'usage légitime de ces mêmes boissons. L'intérêt de ces marchands à favoriser l'intempérance est par contre un mal véritable, et justifie que l'Etat impose des restrictions et exige des garanties qui, sans cette justification, constitueraient alors des violations de la liberté légitime.

Une autre question est de savoir si l'Etat, tout en tolérant une conduite qu'il estime contraire aux intérêts les plus essentiels de l'agent, devrait néanmoins la décourager indirectement. Ne devrait-il pas, par exemple, lutter contre l'ivrognerie en augmentant le prix de l'alcool, ou en faisant en sorte qu'il soit plus difficile de s'en procurer en limitant le nombre des établissements qui en vendent? Ici, comme dans la plupart des autres questions pratiques, il est nécessaire de faire de nombreuses distinctions. Il n'y a qu'une distinction de degré entre la disposition qui consiste à taxer les alcools dans le seul but de les rendre plus difficiles à obtenir et celle qui consiste à les interdire totalement. La première n'est justifiable que si la deuxième l'est aussi. Chaque augmentation de prix est une interdiction pour ceux dont les moyens sont insuffisants pour payer les nouveaux. Pour ceux qui ont les moyens, c'est une manière de pénaliser leur volonté de satisfaire un goût particulier. Une fois qu'ils ont rempli leurs obli-gations morales envers l'Etat et les individus, le choix de leurs plaisirs et leur manière de dépenser leurs revenus ne regardent qu'eux-mêmes et ne doivent dépendre que de leur seul jugement. A première vue, il peut sembler que ces considérations condamnent le choix des alcools en tant que source particulière de revenus fiscaux. Mais il faut rappeler que la taxation pour des raisons fiscales est absolument inévitable, et que dans la plupart des pays cet impôt ne peut être en grande partie qu'indirect; et que l'Etat, par conséquent, ne peut que pénaliser l'usage de certains articles de consommation par des taxes qui, pour certains, peuvent être prohibitives. Il est donc du devoir de l'Etat de considérer, dans l'imposition des taxes, quelles sont les marchandises dont les consommateurs peuvent se passer le plus facilement; et *a fortiori*, de choisir de préférence celles dont il estime l'usage réellement nuisible au-delà d'une quantité très modérée. Par conséquent on doit non seulement admettre mais également approuver la taxation des alcools jusqu'au taux qui produit le maximum de revenus (à supposer que l'Etat ait besoin des revenus qu'elle rapporte).

La question de savoir s'il faut faire de la vente de ces marchandises un privilège plus ou moins exclusif doit recevoir une réponse différente suivant les buts auxquels la restriction est subordonnée. Tous les lieux publics exigent la présence de la police; et plus particulièrement les lieux de ce genre puisqu'ils deviennent facilement le théâtre de délits contre la société. Il est donc opportun de limiter le droit de vente de ces marchandises (tout au moins pour la consommation sur place) à des personnes dont la respectabilité dans la conduite est reconnue et garantie, de réglementer les heures d'ouverture et de fermeture en fonction des exigences de la surveillance publique, et de retirer sa licence au tenancier de la maison si des troubles répétés se produisaient avec sa complicité ou à cause de son incapacité, ou s'il devient un lieu de rendez-vous où l'on complote et prépare des infractions à la loi. Je ne vois pas qu'aucune restriction supplémentaire soit justifiable en principe. Par exemple, la limitation du nombre des brasseries et des débits de boissons dans le but délibéré d'en rendre l'accès plus difficile et de diminuer les occasions de tentation constitue non seulement un inconvénient pour tout le monde sous prétexte que certains abuseraient de ces dispositions, mais cette mesure n'est finalement adaptée qu'à un état de la société dans laquelle les classes ouvrières sont traitées ouvertement comme des enfants ou des sauvages, et sont soumises à une éducation contraignante qui les préparera à jouir plus tard des privilèges de la liberté. Dans les pays libres, les classes ouvrières ne sont pas gouvernées selon ce principe, et quiconque a de l'estime pour la liberté ne consentira jamais à ce qu'elles le soient, à moins qu'après avoir tout fait pour les initier à la liberté et pour les gouverner comme des hommes libres, il ait été définitivement prouvé qu'elles ne peuvent être gouvernées que comme des enfants. Le simple énoncé de l'alternative montre toute l'absurdité qu'il y a à supposer que de tels efforts aient été réalisés dans tous les cas qui nous intéressent ici. C'est uniquement parce que les institutions de ce pays ne forment qu'un tissu de contradictions[1] qu'on accepte de mettre en pratique des mesures qui relèvent du despotisme ou de ce qu'on appelle le paternalisme, alors que la liberté générale de nos institutions nous interdit d'exercer le contrôle nécessaire pour imposer la contrainte comme éducation morale.

Nous avons signalé dans un chapitre antérieur de cet Essai que la liberté de l'individu, dans tout ce qui ne concerne que lui, implique une liberté correspondante pour un nombre quelconque d'individus, de régler par consentement mutuel les choses qui les concernent ensemble et ne regardent personne d'autre. Cette question ne pose aucune difficulté tant que la volonté des intéressés ne change pas. Mais comme elle peut changer, il est souvent nécessaire qu'ils prennent des engagements mutuels, même dans les choses où ils sont seuls concernés; et lorsqu'ils le font, il convient en règle générale que ces engagements soient tenus. Pourtant, il est probable qu'il y a des

---

1. *A mass of inconsistencies.*

exceptions à cette règle générale dans les lois de tous les pays. Non seulement les gens ne sont pas tenus de respecter des engagements qui violent le droit d'un tiers, mais on estime même parfois qu'il suffit qu'un engagement leur soit dommageable à eux-mêmes pour les en libérer. Par exemple, dans ce pays et dans la plupart des pays civilisés, un engagement par lequel quelqu'un se vendrait lui-même ou consentirait à ce qu'on le vende comme esclave serait nul et non avenu, et ne recevrait l'appui ni de la loi ni de l'opinion. La raison pour laquelle on limite ainsi le pouvoir d'un individu à disposer volontairement de son propre sort est évidente; et on la perçoit très clairement dans ce cas extrême. La raison pour ne pas intervenir dans les actes volontaires d'une personne, si ce n'est en considération des autres, est le respect de sa liberté. Le choix volontaire d'un homme est la preuve qu'il choisit ce qu'il juge désirable ou tout au moins supportable pour lui-même; et en fin de compte, la meilleure manière de pourvoir à son bien est de lui laisser choisir ses propres moyens pour l'atteindre. Mais en se vendant comme esclave, un homme abdique sa liberté; par ce seul acte, il renonce à tout usage futur de sa liberté. Il annule donc dans son propre cas le but même qui justifie la permission qu'il a de disposer de lui-même. Il n'est plus libre, mais il se trouve désormais dans une position telle qu'on ne peut plus présumer qu'il ait délibérément choisi d'y rester. Le principe de liberté ne peut exiger qu'il soit libre de ne pas être libre. Ce n'est pas la liberté que d'avoir la permission d'aliéner sa liberté. Ces raisons, dont la force est si évidente dans ce cas particulier, ont naturellement une application beaucoup plus large. Cependant, les nécessités de la vie leur imposent partout des limites, car il nous faut continuellement, non pas vraiment renoncer à notre liberté, mais du moins consentir à la limiter d'une manière ou d'une autre. Toutefois, le principe qui exige l'entière liberté d'action dans tout ce qui concerne seulement l'agent lui-même, exige également que ceux qui sont liés l'un à l'autre en toutes choses qui ne concernent pas un tiers puissent se libérer réciproquement de leur engagement. Et même sans cette libération volontaire, il n'y a peut-être finalement aucun contrat, excepté ceux qui sont relatifs à l'argent ou aux valeurs pécuniaires, dont on puisse s'aventurer à dire qu'il ne devrait laisser absolument aucun droit de rétractation. Le baron Wilhelm von Humboldt, dans l'excellent essai déjà cité, affirme que, selon lui, les engagements qui impliquent des relations ou des services personnels ne devraient jamais lier légalement les parties au-delà d'un temps limité; et que le plus important de ces engagements, le mariage, dont la particularité est de manquer son but dès lors que les sentiments des deux parties se s'accordent plus avec lui, devrait pouvoir être dissout par la simple volonté expresse d'un des deux partenaires[1]. Ce sujet est trop important et compliqué pour qu'on puisse en discuter entre parenthèses, et je ne fais que l'effleurer à des fins d'illustration. Si la concision et la généralité de l'essai du baron von Humboldt ne l'avaient obligé à se contenter d'énoncer sa conclusion sans discuter ses prémisses, il aurait très certainement reconnu qu'on ne peut trancher une telle question en se fondant sur des principes aussi simples que ceux auxquels il se confine. Lorsqu'une personne, soit par une promesse expresse, soit par sa conduite, a encouragé une autre à se fier au fait qu'elle continuera à agir d'une certaine manière, - à fonder des espérances et à faire des calculs, et à hasarder une partie du plan de sa vie sur cette supposition - une nouvelle série d'obligations morales naissent de sa part envers cette personne, et ces obligations peuvent éventuellement être annulées, mais jamais ignorées. En outre, si la relation entre les deux parties contractantes a eu des conséquences pour d'autres, si elle a placé des tiers dans une position particulière, ou si, comme dans le cas du mariage, elle a même donné naissance à des tiers, des

---

1. *The sphere and duties of government*, p. 34.

obligations envers ces tierces personnes naissent du côté des deux parties, dont l'accomplissement sera grandement affecté par la continuation ou la rupture de la relation entre les deux parties originelles du contrat. Il ne s'ensuit pas - et je ne saurais l'admettre - que ces obligations aillent jusqu'à exiger l'accomplissement du contrat au prix du bonheur de la partie réticente; mais elles constituent un élément nécessaire de la question. Et même si, comme von Humboldt le soutient, elles ne devraient faire aucune différence en ce qui concerne la liberté *légale* qu'ont les parties de se défaire de leur engagement (et je pense aussi qu'elles ne devraient pas en faire *beaucoup*), ces obligations font nécessairement une grande différence en ce qui concerne la liberté *morale*. L'individu doit nécessairement prendre ces circonstances en compte avant de se résoudre à franchir un pas qui peut affecter des intérêts si importants pour autrui. Et s'il n'accorde pas à ces intérêts le poids qui leur revient, il est moralement responsable du dommage qui est causé. Je n'ai fait ces remarques évidentes que pour mieux illustrer le principe général de liberté, et non parce qu'elles apporteraient quoi que ce soit à la question que nous avons considérée, et qui, au contraire, est toujours discutée comme si l'intérêt des enfants était tout et celui des adultes, rien.

J'ai déjà observé que, du fait de l'absence de principes généraux reconnus, la liberté est souvent accordée là où elle devrait être refusée, et refusée là où elle devrait être accordée; et l'un des cas où le sentiment de liberté est le plus fort dans le monde européen moderne est précisément un de ceux où, selon moi, il est tout à fait déplacé. Une personne devrait être libre de faire ce qu'elle désire en ce qui concerne ses propres affaires, mais elle ne devrait pas être libre de faire ce qu'elle désire lorsqu'elle agit pour un autre, sous prétexte que ses affaires sont également les siennes. L'Etat, bien qu'il respecte la liberté de chacun dans ce qui le concerne personnellement, est tenu de continuer à contrôler de près la façon dont l'individu use du pouvoir qu'on lui a octroyé sur les autres. Cette obligation est presque entièrement négligée dans le cas des relations familiales - cas qui, par son influence directe sur le bonheur de l'homme, est plus important que tous les autres pris ensemble. Il n'est pas nécessaire de s'étendre ici sur le pouvoir à peu près despotique des maris sur leur femme, car il ne faut rien de plus que d'accorder aux femmes les mêmes droits et la même protection légale qu'aux autres personnes pour extirper ce mal; et parce que, sur ce sujet, les défenseurs de l'injustice établie ne se prévalent pas de l'excuse de la liberté, mais se posent ouvertement comme les champions du pouvoir. C'est dans le cas des enfants que le mauvais usage de la notion de liberté empêche réellement l'Etat de faire son devoir. C'est presque à croire que les enfants d'un homme sont supposés faire littéralement, et non pas métaphoriquement, partie de lui-même, tant l'opinion est jalouse de la moindre intervention de la loi dans le contrôle absolu qu'il exerce sur eux, plus encore que du moindre empiétement sur la liberté d'action privée; tant il est vrai que l'humanité attache généralement plus de prix au pouvoir qu'à la liberté. Prenons donc l'exemple de l'éducation. N'est-ce pas un axiome évident que l'Etat doive exiger et imposer l'éducation de ses jeunes citoyens, au moins jusqu'à un certain niveau? Pourtant, qui n'est pas effrayé de connaître et de défendre cette vérité? Presque personne ne niera en effet que c'est un des devoirs les plus sacrés des parents (ou du père, étant donné la loi et l'usage actuels), après avoir mis un être au monde, que de lui donner une éducation qui lui permettra de bien jouer son rôle dans la vie, tant envers les autres qu'envers lui-même. Mais bien que l'on déclare universellement que cela relève des devoirs du père, pratiquement personne dans ce pays ne souffrira l'idée qu'on puisse l'obliger à accomplir ce devoir. Au lieu d'exiger d'un homme qu'il fasse des efforts et des sacrifices pour assurer l'éducation de son enfant, on lui laisse le choix de refuser ou d'accepter une éducation qui est offerte gratuitement! On n'a toujours pas reconnu que mettre un enfant au monde sans être également à peu près certain de pouvoir lui donner non seulement la nourriture nécessaire à son corps, mais l'instruction et l'exercice nécessaires à son esprit, est un crime moral, à la fois contre l'infortuné rejeton et contre la société; et que si les parents ne satisfont pas à cette obligation, c'est à l'Etat de veiller à ce qu'il y soit pourvu, autant que possible à la charge des parents.

Si on admettait un jour le devoir d'imposer l'éducation universelle, les difficultés quant à savoir ce que l'Etat doit enseigner et comment il doit le faire seraient résolues. Pour le moment, ces difficultés transforment le débat en un véritable champ de bataille pour les différents partis et sectes; et c'est ainsi que l'on perd un temps et un travail que l'on devrait consacrer à l'éducation elle-même et non à la querelle. Si le gouvernement se décidait enfin à *exiger* une bonne éducation pour tous les enfants, il pourrait s'éviter la peine d'avoir à en *fournir* une. Il pourrait laisser aux parents le soin d'obtenir cette éducation pour leurs enfants où et comme ils le souhaitent, et se contenter de payer une partie des frais de scolarité des enfants des classes les plus pauvres, et de prendre entièrement à sa charge ceux des enfants qui n'ont personne d'autre pour les payer. Les objections que l'on fait valoir à bon escient contre l'éducation publique ne s'appliquent pas au fait que l'Etat impose une éducation, mais au fait que l'Etat se charge de la diriger, ce qui est une chose entièrement différente. Je réprouve tout autant que quiconque l'idée de laisser la totalité ou une grande partie de l'éducation des gens aux mains de l'Etat. Tout ce que j'ai dit sur l'importance de l'individualité du caractère et de la diversité des opinions et des modes de vie, implique tout autant la diversité de l'éducation, et lui donne donc la même importance. Une éducation générale publique instituée par l'Etat n'est qu'une pure invention visant à mettre les gens dans le même moule; et comme ce moule est celui qui satisfait le pouvoir dominant au sein du gouvernement –

qu'il s'agisse d'un monarque, d'une caste de prêtres, d'une aristocratie, ou bien de la majorité de la génération actuelle - , plus cette éducation est efficace, plus elle établit un despotisme sur l'esprit, qui ne manque pas de gagner le corps. Une éducation instituée et contrôlée par l'Etat ne devrait exister qu'à titre d'expérience parmi d'autres en compétition, et n'être entreprise qu'à titre d'exemple et de stimulant dans le but de maintenir un certain niveau de qualité dans les autres expériences. A moins, bien évidemment, que la société dans son ensemble ne soit dans un état si arriéré qu'elle ne puisse ou ne veuille se doter des institutions scolaires convenables sans que le gouvernement s'en charge; alors bien sûr, dans ce cas, le gouvernement peut prendre sur lui la charge des écoles et des universités pour choisir le moindre de ces deux grands maux, comme il peut se charger de constituer des sociétés par actions quand il n'existe pas d'entreprises privées de taille à entreprendre de grands travaux industriels. Mais en général, si le pays dispose d'un nombre suffisant de personnes qualifiées pour enseigner sous les auspices du gouvernement, ces mêmes personnes pourraient tout autant enseigner dans un système privé d'écoles libres, puisque leur rémunération serait garantie par une loi rendant l'éducation obligatoire, doublée d'une aide de l'Etat destinée à ceux qui sont incapables de prendre la dépense à leur charge.

Il n'y aurait pas d'autre moyen de faire respecter la loi qu'en instituant des examens publics pour tous les enfants, et ce dès le plus jeune âge. On pourrait fixer un âge auquel tout enfant (garçon ou fille) doit passer un examen pour savoir s'il sait lire. S'il s'avère qu'un enfant en est incapable, le père, à moins d'une excuse valable, pourrait recevoir une amende modérée, à acquitter si nécessaire sur son salaire, pour qu'on puisse envoyer l'enfant à l'école à ses frais. L'examen devrait avoir lieu une fois par an et porter sur un éventail de matières toujours plus étendu, de façon à rendre pratiquement obligatoire l'acquisition et

177

surtout la mémorisation d'un minimum de connaissances générales. Au-delà de ce minimum, il y aurait des examens facultatifs sur toutes les matières, en vertu desquels tous ceux qui seraient parvenus à un certain niveau de compétence auraient droit à un certificat. Afin d'empêcher l'Etat d'exercer une influence indue sur l'opinion par le biais de ces dispositions, la connaissance requise pour passer un examen devrait, même aux niveaux supérieurs - au-delà des domaines purement instrumentaux du savoir, comme celui des langues et de leur pratique - se limiter exclusivement à la connaissance des faits et à la science positive. Les examens sur la religion, la politique, ou toute autre matière controversée, ne devraient pas porter sur la vérité ou la fausseté des opinions, mais sur le fait que telle ou telle opinion est défendue par tels ou tels arguments, et par tels ou tels auteurs, écoles, ou Eglises. Dans ce système, la génération montante ne serait pas plus mal pourvue que celle d'aujourd'hui face à toutes les vérités controversées. Les jeunes seraient élevés comme aujourd'hui pour être des anglicans ou des membres d'une autre secte, l'Etat se contentant de veiller à ce qu'ils soient instruits dans tous les cas. Rien n'empêcherait qu'on leur enseigne la religion, au cas où leurs parents le souhaiteraient, dans les mêmes écoles où ils reçoivent le reste de leur éducation. Toutes les tentatives de l'Etat pour influencer les conclusions de ses citoyens sur les questions controversées sont mauvaises; mais l'Etat peut parfaitement proposer de s'assurer et de certifier qu'une personne est en possession des connaissances requises pour qu'elle puisse elle-même tirer des conclusions dignes d'être écoutées sur un sujet donné. Un étudiant en philosophie gagnerait à pouvoir passer un examen à la fois sur Locke et sur Kant, quel que soit celui des deux auquel il donne son accord, ou même s'il n'en suit aucun; et on ne peut raisonnablement rien objecter à ce qu'on interroge un athée sur les preuves du christianisme, pourvu qu'on ne l'oblige pas à professer sa foi en elles. Il me semble toutefois que dans les domaines supérieurs du savoir, les examens devraient être entièrement facultatifs. Ce serait donner un pouvoir trop dangereux aux gouvernements que de leur permettre d'exclure qui bon leur semble de certaines professions - même de la profession d'enseignant - sous prétexte d'un manque de qualifications. Et je suis d'accord avec Wilhelm von Humboldt pour dire que les diplômes ou autres certificats publics de connaissances scientifiques devraient être accordés à tous ceux qui se présentent à un examen et le réussissent, mais que de tels certificats ne devraient donner sur les autres concurrents aucun autre avantage que le poids que l'opinion publique accorde à leur témoignage[1].

Il n'y a pas que dans le domaine de l'éducation que les idées de liberté utilisées mal à propos empêchent la reconnaissance des obligations morales des parents et l'imposition d'obligations légales là où il y aurait les meilleures raisons de le faire. Le fait même de donner naissance à un être humain est l'une des actions qui, de toute une vie humaine, entraînent le plus de responsabilités. Prendre cette responsabilité, donner une vie qui peut s'avérer être une bénédiction ou une malédiction, est un crime envers l'être à qui on la donne s'il n'a pas les chances ordinaires de mener une vie désirable. Et dans un pays surpeuplé ou en passe de le devenir, le fait de mettre au monde des enfants au-delà d'un petit nombre, avec pour conséquence la dévaluation du prix du travail par leur entrée en compétition, constitue un tort sérieux à tous ceux qui vivent de leur travail. Les lois qui, dans de nombreux pays du continent, interdisent le mariage aux couples qui ne peuvent apporter la preuve qu'ils peuvent subvenir aux besoins d'une famille, n'outrepassent pas le pouvoir légitime de l'Etat; par ailleurs, que de telles lois soient ou non opportunes (question qui dépend principalement de la

---

1. *The sphere and duties of government*, p. 123.

situation et des sentiments locaux), on ne peut leur reprocher d'être des violations de la liberté. De telles lois sont le fait de l'intervention de l'Etat dans le but d'empêcher un acte mauvais, un acte dommageable à autrui, qui devrait faire l'objet d'une réprobation et d'un blâme social, même si l'on juge inopportun de lui ajouter une punition légale. Néanmoins, les idées courantes de liberté, qui se prêtent si facilement aux violations réelles de la liberté de l'individu dans ce qui concerne uniquement lui-même, opposeraient une résistance à toute tentative de restreindre tant soit peu ses penchants, et cela même lorsque leur satisfaction condamne sa progéniture à une vie de misère et de dépravation et cause à son entourage de nombreuses souffrances. Si l'on compare l'étrange respect de l'humanité pour la liberté à l'étrange manque de respect qu'elle a pour cette même liberté, on pourrait presque imaginer qu'un homme doit nécessairement avoir le droit de nuire aux autres, et aucun droit de se satisfaire lui-même sans faire souffrir quelqu'un.

J'ai réservé pour la fin une classe importante de questions concernant les limites de l'intervention gouvernementale, qui, bien qu'elles soient directement liées au sujet de cet Essai, n'en font pas rigoureusement partie. Il s'agit des cas où les raisons contre cette intervention ne se fondent pas sur le principe de liberté: la question n'est pas de savoir s'il faut restreindre le champ d'action des individus, mais s'il faut les encourager à agir. Il s'agit de savoir si le gouvernement devrait faire, ou donner les moyens de faire quelque chose pour leur bien, au lieu de laisser les individus s'en occuper seuls, ou en s'associant librement.

Les objections contre l'interférence du gouvernement, là où elle n'implique pas une violation de la liberté, peuvent être de trois sortes.

La première s'applique au cas où la chose à faire est susceptible d'être mieux faite par les individus que par le gouvernement. En général, personne n'est plus à même de diriger une affaire, ou de décider comment ou par qui elle doit être dirigée, que ceux qui y sont personnellement intéressés. Ce principe condamne donc les interventions, autrefois si fréquentes, du législateur ou des fonctionnaires dans les opérations ordinaires de l'industrie. Mais cet aspect de la question a été suffisamment développé par les économistes politiques et n'est pas particulièrement lié au sujet de cet Essai.

La deuxième objection s'y rattache plus étroitement. Dans de nombreux cas, bien qu'en moyenne les individus ne soient pas capables de faire certaines choses aussi bien que les fonctionnaires, il est néanmoins souhaitable que ce soit eux qui les fassent et non le gouvernement, afin de contribuer à leur propre éducation intellectuelle et comme moyen de fortifier leurs facultés d'action, d'exercer leur jugement, et de leur rendre familière la connaissance des sujets dont on les laisse s'occuper. C'est là la principale, mais non la seule recommandation du jugement par jury (dans les cas non politiques), des institutions libres et populaires à l'échelon local et municipal, et de la conduite des entreprises industrielles et philanthropiques par des associations volontaires. Ce ne sont pas là des questions de liberté, et elles ne se rapportent que de loin à notre sujet. Ce sont des questions de développement. Il n'y a pas lieu de s'étendre ici sur toutes ces choses en tant qu'aspects de l'éducation au niveau national. Elles font en réalité partie de l'éducation particulière du citoyen et de l'aspect purement pratique de l'éducation politique d'un peuple libre. Elles ont pour objet de faire sortir l'individu du cercle étroit de l'égoïsme personnel et familial pour le familiariser avec les intérêts communs et la direction des affaires communes, de l'habituer à agir en vertu de motivations publiques ou semi-publiques, d'orienter sa conduite par rapport à des fins qui l'unissent à autrui au lieu de l'en isoler. Sans ces habitudes et ces facultés, on ne peut ni faire fonctionner, ni perpétuer une constitution libre, comme le montre trop souvent la nature transitoire de la liberté politique dans les pays où elle n'est pas fondée sur une base relativement solide de libertés locales. La direction des affaires purement locales par les pouvoirs locaux et des grandes entreprises industrielles par l'union de ceux qui les financent volontairement, se recommande en outre par tous les avantages qui ont été présentés dans cet essai, comme relevant du développement individuel et de la diversité des modes d'action. Les opérations du gouvernement ont tendance à être partout les mêmes. Au contraire, avec les individus et les associations volontaires, nous avons une immense variété de tentatives et d'expériences. Ce que l'Etat peut faire utilement, c'est de jouer le rôle de collecteur central et de diffuseur actif des expériences résultant de ces nombreuses tentatives. Son rôle est de permettre à tout expérimentateur de bénéficier des expériences des autres, et non pas de ne tolérer que la sienne.

La troisième et la plus forte raison[1] pour restreindre l'intervention du gouvernement est le mal extrême qu'il y a à augmenter sans nécessité son pouvoir. Toute fonction ajoutée à celles qu'exerce déjà le gouvernement contribue à un élargissemnt de son influence sur les espoirs et les craintes des citoyens, et transforme dans une plus large mesure les éléments actifs et ambitieux du public en parasites ou en comploteurs dont le but est de prendre sa place. Si les routes, les chemins de fer, les banques, les compagnies d'assurances, les grandes sociétés à capital social, les universités, les institutions de charité publique devenaient tous des organes du gouvernement; et si, de plus, les corporations municipales et les conseils locaux, avec tout ce qui leur incombe aujourd'hui, devenaient des départements de l'administration centrale; si les employés de toutes ces entreprises étaient nommés et payés par le gouvernement et se tournaient vers lui pour leur avance-

---

1. *Most cogent reason.*

ment, toute la liberté de presse et toute la constitution démocratique ne pourraient suffire à faire de ce pays ou d'aucun autre, des pays libres autrement que par le nom. Et le mal serait d'autant plus important que la machine administrative serait construite plus efficacement et plus scientifiquement, et qu'on aurait recours aux procédés les plus ingénieux pour se procurer les mains et les cerveaux les plus qualifiés pour la faire fonctionner. En Angleterre, on a récemment proposé de sélectionner tous les membres de l'administration gouvernementale par voie de concours, afin d'obtenir pour ces emplois les personnes les plus intelligentes et les plus instruites; et cette proposition a fait couler beaucoup d'encre[1]. L'un des arguments sur lesquels ses adversaires ont le plus insisté consiste à faire valoir que l'emploi de fonctionnaire permanent de l'Etat n'offre pas la perspective de recevoir une rémunération suffisante et de jouer un rôle assez important pour attirer les meilleurs talents, car ceux-ci pourront toujours trouver des carrières plus attrayantes dans les professions libérales, ou au service de compagnies ou d'autres corps publics. On n'aurait pas été surpris de voir les partisans de la proposition utiliser cet argument pour répondre à la difficulté principale qu'elle soulève. Venant de ses adversaires, il est pour le moins curieux. Ce qu'on avance comme une objection est en réalité la soupape de sécurité du système en question. En effet, si on *pouvait* attirer les meilleurs talents de ce pays au service du gouvernement, une proposition visant à atteindre ce résultat pourrait sûrement inspirer de l'inquiétude. Si toutes les affaires de la société qui nécessitent une organisation et une coordination, ou des vues larges et englobantes, étaient aux mains du gouvernement, et si les organes de ce gouvernement étaient partout aux mains des

---

1. Voir John Stuart Mill: "Reform of the civil service" in *Collected Works*, vol. XVIII, pp. 205-211. Le texte date de 1854.

hommes les plus capables, toute la culture et l'intelligence pratique développées dans ce pays, à l'exception de l'intelligence purement spéculative, seraient le fait d'une bureaucratie importante, dont le reste de la communauté attendrait tout: des conseils et des ordres pour la masse, de l'avancement personnel pour les ambitieux et les gens d'intelligence supérieure. Etre admis dans les rangs de la bureaucratie et y monter les échelons une fois admis seraient les seuls objets d'ambition. Sous ce régime, non seulement le public extérieur est mal qualifié, par manque d'expérience pratique, pour critiquer ou surveiller la manière dont fonctionne la bureaucratie, mais même si les aléas du fonctionnement naturel d'institutions démocratiques ou despotiques portent au sommet un ou plusieurs dirigeants réformateurs, aucune réforme contraire aux intérêts de la bureaucratie ne peut être effectuée. Telle est la triste condition de l'empire russe, telle qu'elle est décrite par ceux qui ont pu l'observer. Le tzar lui-même est impuissant face au corps bureaucratique. Il peut envoyer chacun de ses membres en Sibérie, mais il ne peut gouverner sans eux ou contre leur volonté. Ils ont un droit tacite de veto sur tous ses décrets: il leur suffit de s'abstenir de les mettre en vigueur. Dans des pays d'une civilisation plus avancée et d'un esprit plus insurrectionnel, les gens, habitués à ce que l'Etat fasse tout à leur place, ou tout du moins, à ne rien faire par eux-mêmes sans que l'Etat leur en ait non seulement accordé la permission, mais également indiqué la marche à suivre, tiennent tout naturellement l'Etat pour responsable de tous les maux qui peuvent leur arriver; et lorsque ces maux excèdent leur patience, ils se soulèvent contre le gouvernement et font ce qu'on appelle une révolution; ensuite de quoi, quelqu'un d'autre, avec ou sans l'autorité légitime de la nation, s'empare du trône, donne ses ordres à la démocratie, et tout reprend à peu près comme avant, la bureaucratie n'ayant pas changé, et personne n'étant capable de la remplacer.

Un peuple habitué à mener ses propres affaires offre un spectacle tout différent. En France, où une grande partie des gens ont fait leur service militaire, et où beaucoup d'entre ceux qui l'ont fait ont au moins obtenu un grade de sous-officier, il se trouve toujours plusieurs personnes compétentes pour prendre le commandement et improviser un plan d'action acceptable en cas d'insurrection populaire. Ce que les Français sont dans les affaires militaires, les Américains le sont dans tous les genres d'affaires civiles. Laissez-les sans gouvernement, et n'importe quel groupe d'Américains est capable d'en improviser un et de mener cette affaire ou toute autre affaire publique avec un degré suffisant d'intelligence, d'ordre et de décision. Voilà ce qu'il devrait en être de tout peuple libre; et un peuple capable de cela est certain d'être libre. Il ne se laissera jamais réduire à l'esclavage par un homme ou un groupe d'hommes simplement parce qu'il est capable de s'emparer de l'administration centrale et d'en tenir les rênes. Aucune bureaucratie ne peut espérer contraindre un tel peuple à faire ou à subir ce qui ne lui plaît pas. Mais là où tout passe par les mains de la bureaucratie, rien de ce à quoi elle s'oppose ne peut être fait. La constitution de tels pays est le fruit de l'organisation de l'expérience et des aptitudes pratiques de la nation, concentrées en un corps discipliné qui a pour but de gouverner les autres. Et plus cette organisation est parfaite en elle-même, mieux elle réussit à attirer à elle et à éduquer pour son propre bénéfice les gens les plus brillants de toutes les classes de la société, et plus l'asservissement de tous, y compris des membres de la bureaucratie eux-mêmes, est complet. Car les gouvernants sont tout autant les esclaves de leur propre organisation et de leur propre discipline que les gouvernés le sont des gouvernants. Un mandarin chinois est tout autant l'outil et la créature du despotisme que le plus humble des cultivateurs. Un Jésuite est, au plus haut point d'avilissement, l'esclave de son ordre, bien que cet ordre lui-même existe en vue de la puissance collective de ses membres et de leur prestige.

Il ne faut pas non plus oublier que l'annexion de toutes les grandes intelligences d'un pays à la classe gouvernante est fatale à plus ou moins longue échéance à l'activité et au progrès même de cette classe. Liés comme le sont les membres de cette classe pour faire fonctionner un système qui, comme tous les systèmes, procède nécessairement en grande partie conformément à des règles fixes, le corps des fonctionnaires est continuellement tenté de sombrer dans une routine indolente; ou s'il se risque de temps à autre à y échapper, c'est pour se précipiter sur telle idée mal comprise qui a frappé l'imagination d'un de ses membres influents; et le seul moyen de contrôle sur ces tendances très proches, quoique apparemment opposées, le seul moyen de maintenir les intelligences de ce corps à un niveau élevé, est qu'il reste ouvert à une critique vigilante, mais indépendante, et qui lui est extérieure. Il est par conséquent indispensable qu'indépendamment du gouvernement, on se donne les moyens de former de telles compétences et de leur fournir les occasions et l'expérience nécessaires pour former un jugement correct sur les affaires pratiques. Si nous voulons disposer en permanence d'un corps de fonctionnaires habile et efficace, et par-dessus tout susceptible d'être à l'initiative de progrès, si nous ne voulons pas que notre bureaucratie dégénère en "pédantocratie", ce corps ne doit pas accaparer tous les emplois qui forment et cultivent les facultés requises pour le gouvernement des hommes.

Déterminer où commencent ces maux qui sont si redoutables pour la liberté et le progrès des hommes, ou plus exactement, déterminer où ils commencent à l'emporter sur les bénéfices résultant de l'usage collectif de la force sociale sous la directive de ses chefs officiels pour supprimer les obstacles à notre bien-être; en bref, garantir le plus possible des avantages de la centralisation du pouvoir et de l'intelligence sans pour autant faire passer une trop grande partie de l'activité générale par le canal officiel; voilà une des questions les plus difficiles et les plus complexes de l'art de gouverner. C'est en grande partie une question de détail, où l'on doit prendre en compte les considérations les plus nombreuses et les plus variées, et où aucune règle absolue ne peut être posée. Mais je suis persuadé que le principe pratique duquel dépend notre salut, l'idéal qu'il nous faut garder en vue, le critère qui permet de juger de tous les dispositifs inventés pour vaincre la difficulté, peut s'exprimer dans cette formule: la plus grande dissémination du pouvoir conciliable avec l'efficacité, mais la plus grande centralisation de l'information et sa plus grande diffusion possibles à partir du centre. C'est ainsi que dans l'administration municipale, comme dans les Etats de la Nouvelle-Angleterre, on partagerait minutieusement entre les différents fonctionnaires élus par les localités, toutes les affaires qu'on n'aurait pas avantage à laisser aux mains des personnes directement intéressées. Mais à côté de cela, il y aurait dans chaque département s'occupant des affaires locales, une superintendance centrale, formant une branche du gouvernement centralisé. L'organe de cette super-intendance concentrerait, comme en un foyer, la variété des informations et des expériences provenant de la direction de cette branche des affaires publiques dans toutes les localités, ainsi que de tout ce qui se fait d'analogue à l'étranger et de ce qu'on peut tirer des principes généraux de la science politique. Cet organe central devrait avoir le droit d'être informé de tout ce qui se fait, et son devoir spécifique serait de rendre cette connaissance, acquise dans un endroit, disponible ailleurs. Emancipés des préjugés mesquins et des vues étriquées d'une localité donnée de par leur position élevée et de par l'étendue de leur sphère d'observation, ses conseils auraient naturellement beaucoup d'autorité; mais leur pouvoir réel, en tant qu'institution permanente, devrait, me semble-t-il, se limiter à obliger les fonctionnaires locaux à obéir aux lois établies pour les diriger. Pour tout ce qui n'est pas prévu par des règles générales, on devrait laisser ces fonctionnaires libres d'exercer leur propre jugement et d'en répondre devant leurs mandants. Ils seraient responsables de la violation des règles devant la loi, et les règles elles-mêmes devraient être édictées par le pouvoir législatif, l'autorité administrative centrale ne faisant que veiller à leur application; et si elles n'étaient pas appliquées comme il se doit, l'autorité en appellerait, selon la nature du cas, soit au tribunal pour faire respecter la loi, soit aux électeurs pour faire renvoyer les fonctionnaires qui ne l'auraient pas exécutée conformément à son esprit. Telle est, dans sa conception générale, la superintendance centrale que le Bureau de la Loi des Pauvres est censé exercer sur les administrateurs du Conseil des Pauvres dans tout le pays. Quelle que soit l'usurpation de pouvoir que puisse commettre le Bureau, elle est juste et nécessaire dans ce cas particulier, afin de corriger les habitudes invétérées de mauvaise administration dans les questions qui intéressent non seulement les localités, mais en fait la totalité de la communauté, puisque aucune localité n'a moralement le droit de devenir, de par une administration défectueuse, un nid de paupérisme naturellement susceptible de gagner d'autres localités, et compromettant la condition physique et morale de toute la communauté ouvrière. Bien que les pouvoirs administratifs de coercition et de législation subordonnée qui reviennent au Bureau de la Loi des Pauvres (mais qu'il n'utilise que très insuffisamment vu l'état de l'opinion sur le sujet), soient parfaitement justifiables là où il y va des intérêts nationaux de la première importance, ils seraient totalement déplacés dans la superintendance d'intérêts strictement locaux. Mais un organe central d'information et d'instruction pour toutes les localités aurait également toute sa valeur dans tous les départements de l'administration. Un gouvernement ne peut jamais posséder trop du genre d'activité qui, loin d'empêcher, aide au contraire à stimuler l'effort et le développement individuels. Le mal commence quand, au lieu de mettre en jeu l'activité et les pouvoirs des individus et des associations, le gouvernement leur substitue sa propre activité; quand, au lieu d'informer, de donner des conseils et à l'occasion de dénoncer, il les force à travailler dans les fers, ou leur ordonne de se tenir à l'écart pour faire le travail à leur place. A la longue, la valeur d'un Etat est la valeur des individus qui le composent; et un Etat qui subordonne les intérêts de l'élargissement et de l'élévation de *leur* esprit à un peu plus de compétence administrative dans le détail des affaires - ou à l'apparence qu'en donne la pratique -; un Etat qui réduit ses hommes jusqu'à en faire des instruments dociles entre ses mains, même en vue de bienfaits, s'apercevra que rien de grand ne peut vraiment s'accomplir avec de petits hommes, et que la perfection de la machinerie à laquelle il a tout sacrifié n'aboutit finalement à rien, faute de cette puissance vitale qu'il a préféré proscrire pour faire tourner régulièrement la machine.

DOSSIER

PRESENTATION

Deux grands thèmes sont développés dans l'essai de Mill. Nous trouvons au chapitre 2 l'esquisse d'une théorie de la vérité et de la fixation de la croyance rationnelle. Les autres chapitres développent plus spécifiquement le problème de la définition des limites de l'ingérence légitime du gouvernement ou du public dans les droits inaliénables de l'individu à former des opinions et à les exprimer. Les deux textes inclus dans ce dossier correspondent à ces deux grandes directions. Celui de Feyerabend, "Imre Lakatos", porte sur la méthodologie adoptée par Mill dans les sciences sociales; celui de Wollheim, "Mill: La finalité de la vie et les préliminaires de la moralité", sur l'éthique utilitariste et pluraliste défendue tout au long de l'Essai.

Mais on aurait tort de croire que la question de la nature de la vérité et de son acquisition rationnelle par les individus de la société civile n'a qu'un rapport *indirect* avec la question du pluralisme des valeurs; notamment avec le problème de savoir si le genre de morale baptisée "pluraliste et non hiérarchique" par Wollheim, et dans laquelle les différentes valeurs ou échelles de valeurs individuelles ne sont pas subsumées sous le principe fondamental de maximisation de la somme totale de plaisir ou de bonheur, peut être utilitariste au moins dans l'esprit.

Comme le fait très justement remarquer John Rees[1], l'argument "méthodologique" *repose* sur l'idée que la liberté de pensée et de discussion est une condition *nécessaire* pour atteindre à la vérité des propositions et pour en comprendre les fondements. Si cela est bien le cas, on ne peut *a fortiori* décider la question clé de l'Essai -celle de la détermination des limites légitimes de l'ingérence du gouvernement et du public dans le domaine de l'individu - sans également poser la nécessité de l'argumentation libre comme condition de possibilité de sa résolution. Isaiah Berlin remarque également que la liberté est défendue comme ce qui nous permet d'arriver à la vérité[2].

Pour Feyerabend, le point de vue adopté par Mill dans le *Système de logique*[3] est en partie incompatible avec celui de *De la liberté*. Il faut se rappeler que dans la perspective millienne, les mauvaises institutions sont en grande partie le produit d'une philosophie défectueuse, et le but du sixième livre du *Système*[4] est précisément de formuler une logique des sciences morales pour remédier à cet état de choses.

A ce propos, Mill lui-même prend soin de remarquer: 1. qu'on ne peut espérer subsumer les phénomènes sociaux

---

1. John C. Rees: *John Stuart Mill's "On liberty"*. Oxford U.P., Oxford, 1985, p. 117. On se référera surtout au chapitre 4. Ce chapitre avait fait l'objet d'une publication antérieure sous la forme d'un article: "The thesis of the two Mills", *Political Studies*, vol. 25, n°3 (1977).
2. Isaiah Berlin: "John Stuart Mill et la question des fins de l'existence" in *Eloge de la liberté*, Calmann-Lévy, 1988, p. 226.
3. *Système de logique déductive et inductive*, Louis Peisse trad., Pierre Margada, Bruxelles, 1988.
4. Il n'est malheureusement pas traduit dans l'édition française du *Système de logique*, qui s'arrête au livre 3. On le trouve publié en volume séparé, avec une introduction de A.J. Ayer, sous le titre *The logic of the moral sciences*, Duckworth, 1987.

sous des lois strictes comme on peut le faire des phénomènes naturels, et 2. qu'il est utopique de penser pouvoir édicter des maximes pratiques pour l'établissement des gouvernements ou des systèmes juridiques, dont l'application serait universelle[1]. Mais bien qu'on ne puisse avoir de connaissances suffisantes pour effectuer des *prédictions* quant aux états futurs de la société, de ses institutions politiques, ou du degré et du genre de liberté civile dont les citoyens pourront ou non bénéficier, Mill suggère qu'une telle connaissance peut nous servir de *guide* dans nos actions. Mill pense donc qu'il n'est pas *a priori* impossible de trouver les lois générales des sciences sociales qui nous permettront de comprendre les causes de nos institutions, de déterminer lesquelles pourront exister avec une certaine probabilité dans le futur ou quelles forme elles pourront avoir; et, partant, de choisir de modifier ou de prévenir certains effets afin d'assurer le maximum de liberté aux individus. Mill insiste sur le fait que nous devons chercher des lois générales et les appliquer à des *cas historiques concrets et particuliers*. Feyerabend oppose à cette méthode "historique", selon laquelle on ne peut évaluer une théorie que dans un cadre historique spécifié, la méthode positiviste, qui consiste à évaluer, non pas la science elle-même dans son cadre historique, mais une formulation logique de la science, en la confrontant aux observations séparées du contexte historique. Il met donc en parallèle le programme de Lakatos[2] en philosophie des sciences avec la méthodologie de Mill en sciences sociales, en soulignant le caractère historique *de chacune*.

---

1. John Stuart Mill: *The logic of the moral sciences*, chap. 6, §1, 2.

2. Imre Lakatos est né à Budapest en 1922. Il a enseigné à l'Institut de Mathématiques de l'Académie des Sciences de Hongrie. Arrivé à Cambridge en 1957, il y a soutenu sa thèse en 1961. Elle sera publiée dans une version remaniée sous le titre

Selon Lakatos[1], il faut rejeter aussi bien le *justificationisme* (l'identification de la connaissance à la connaissance démontrée), que le *probabilisme* (les théories scientifiques ont différents degrés de probabilité ou de confirmation), et le *falsificationisme dogmatique* (la science progresse en rejetant les théories à l'aide de faits). Il faut adopter le pluralisme théorique: aucune expérience isolée ne peut être "cruciale"; aucune ne peut amener, seule, à la falsification d'une théorie. Ce ne sont pas des théories isolées que nous devons chercher à évaluer, mais des programmes de recherche, des ensembles de théories munis de règles méthodologiques indiquant quelles directions sont à éviter (le "noyau dur" des théories), et quelles directions il faut poursuivre (par la mise au point d'hypothèses auxiliaires). Il n'y a pas, comme dit Lakatos, de "rationalité

"Proofs and refutations" (Cambridge U.P., Cambridge, 1964). Il a enseigné dans le département de philosophie et de logique de la London School of Economics dès 1960, et a succédé à Popper à la tête de ce département en 1969. Il a organisé en 1965 le Colloque International de Philosophie des Sciences. Il est mort en 1974.

On pourra consulter: *Philosophical papers*, vol. 1: *The methodology of scientific research programmes*; et *Philosophical papers* vol. 2: *Mathematics, science and epistemology*, J. Worrall and G. Currie (eds.), Cambridge U.P., London, New York, 1977-1978; *Preuves et réfutations: essai sur la logique de la découverte mathématique*. N. Balacheff et J.M. Laborde, trad., Hermann, Paris, 1984.

1. L'article de référence de Feyerabend est "Falsification and the methodology of scientific research programmes". Il est reproduit comme premier chapitre des *Philosophical papers*, vol. 1.

instantanée[1]". Selon Feyerabend, Mill, en partageant ce souci méthodologique, serait à la fois plus près de la vraie science et plus à distance des logiques et des épistémologies parasitaires occupées à des faux problèmes de justification[2]. Il ne semble pas, en tout cas, que l'anarchisme épistémologique défendu par Feyerabend puisse être d'esprit millien. Pourquoi la défense de la liberté de pensée et d'expression des opinions du chapitre 2 de *De la liberté* militerait-il en sa faveur? Comme le remarque Rees[3], il n'y a *a priori* aucune raison de supposer que, si les individus membres de la société civile ont pu développer leur individualité en toute liberté, ils ne peuvent ni ne désirent même s'accorder sur un modèle commun pour évaluer les théories.

---

1. Lakatos: *Philosophical papers*, vol.2, p.86.
2. On trouve chez nous comme un écho de cette idée. Je pense notamment à Michel Serres, parlant de l'obstructionnisme des logiciens et des épistémologues: "Voici vingt ans à peine, un discours seul s'arrogeait le droit de parler de science: les manuels qui le tenaient s'intitulaient logique, allez savoir pourquoi. (...) Lorsqu'on n'invente pas, il faut bien investir l'énergie quelque part. (...) Le logicien parle de la science, l'historien de la science aussi, mais nul des deux ne la *produit*. (...) A cet égard, le positivisme (...) est la philosophie rendue nécessaire par la situation du travailleur, du chercheur, de l'homme de la preuve ou du laboratoire." Michel Serres: *Hermès V: Le passage du Nord-Ouest*, Minuit, 1980, pp. 117-120. On pense également à Jean Largeault: "La théorie de la connaissance scientifique dépasse les moyens intellectuels des philosophes. (...) Carnap et Popper sont devenus les totems d'un quarteron de mandarins et rationalistes et puritains. Au moins sur les épigones, Feyerabend avait vu juste." J.Largeault: *Quine: questions de mots, questions de faits*, Privat, 1980, notes n°19, 12, pp. 185-186.
3. John Rees, *op. cit.*, p. 119.

L'article de Wollheim développe l'idée que les principes seconds d'une morale utilitariste - dont fait partie, par exemple, la dignité de la personne[1] -, pourraient ne pas être subordonnés au principe fondamental de l'hédonisme, qui exige que l'on agisse toujours en vue de la maximisation du bonheur (mais sans motivation égotistique, c'est-à-dire en restant indifférent quant au problème de savoir à qui il revient). Dans la "seconde révision" de l'utilitarisme, les principes seconds ne sont plus des moyens en vue d'une fin (la maximisation du bonheur sans motivation égotistique); et nous pouvons agir conformément à ces principes sans les subordonner au principe fondamental de l'hédonisme. Si la vérité et la rationalité font partie des buts fixés par les principes seconds[2], nous devons donc reconnaître la liberté de contredire toutes les opinions, même celles qui semblent le plus fondées, d'autant plus que Mill soutient une théorie de la vérité selon laquelle la vérité sur un sujet donné n'est très souvent que *partielle*. Nous ne pouvons présumer qu'une opinion concernant la conduite que nous devons suivre en certaines circonstances constitue *toute* la vérité sur le sujet. Mais nous pouvons reconnaître la légitimité de l'entière liberté de discussion, sans pour autant supposer que cela soit un moyen en vue d'une fin. Si Wollheim a raison de voir dans l'"utilitarisme complexe" un utilitarisme à part entière, alors il a répondu à l'objection de Berlin, qui ne voyait dans la valeur accordée par Mill à la diversité des opinions et à la faillibilité - comme corollaire d'une poursuite éventuellement indéfinie de croyances vraies acceptées rationnellement - qu'une expression de son scepticisme[3].

---

1. Voir la section III de l'article de Wollheim.
2. Voir la section V de l'article de Wollheim.
3. Isaiah Berlin, *op. cit.*, pp. 235, 238.

Paul Feyerabend

Notice biographique et bibliographique

Paul Feyerabend a suivi, après la guerre, une formation de physicien et d'homme de théâtre, à Weimar, puis à Vienne. Il refusa de devenir l'assistant de Brecht, avant de se tourner définitivement vers l'histoire et la philosophie des sciences.

Il a publié de nombreux articles d'épistémologie, d'histoire et de philosophie des sciences, réunis en deux volumes: *Philosophical papers*, vol. 1: *Realism, rationalism and scientific method*; et *Philosophical papers,* vol. 2: *Problems of empiricism*, Cambridge U.P., 1981. Il a également publié *Against method* (New Left Books, London 1975; trad. fr. B. Jurdant et A. Schlumberger: *Contre la méthode*, Le Seuil, 1979), et *Farewell to reason* (Verso, London, 1987; trad. fr. B. Jurdant: *Adieu la raison*, Le Seuil, 1989).

Il enseigne actuellement la philosophie à l'Université de Californie à Berkeley et à l'Institut de Technologie de Zurich.

Paul Feyerabend

Imre Lakatos[1]*

I

Imre Lakatos, qui mourut soudainement et de manière tout à fait inattendue en février 1974, était une personne fascinante, un penseur de la première importance, et le meilleur philosophe des sciences dans notre siècle étrange et inquiet. C'était un rationaliste, puisqu'il pensait que l'homme a le devoir d'utiliser sa raison, aussi bien dans ses affaires privées que dans toute recherche concernant la relation entre lui-même, la nature, et ses semblables. C'était un optimiste, puisqu'il pensait que la raison est capable de résoudre la plupart des problèmes qui peuvent se poser au cours d'une telle recherche. Il avait des idées réalistes à propos de cette capacité de la raison, puisqu'il mettait

---

1. La traduction est établie d'après le texte publié in *The British Journal for the Philosophy of Science*, vol. 26, n°1 (1975), pp. 1-18.

* Une version plus ancienne de cet article a été considérablement critiquée par le professeur J.W.N. Watkins et Mr. John Worrall. J'ai retenu certaines de leurs suggestions. *Note de l'auteur.*

(Imre Lakatos, directeur de ce *Journal* est mort subitement le 2 février 1974. C'est peu après que le professeur Feyerabend a été invité par le directeur intérimaire à écrire un compte rendu critique sur Imre Lakatos. *Note du directeur.*)

l'accent sur le fait qu'on ne peut pas toujours l'exprimer sous forme de règles, et qu'une simple comparaison de règles est tout à fait insuffisante pour l'améliorer, même si elle est guidée par les principes généraux les plus profonds. Si la raison doit avoir prise sur ce monde, avec ses époques complexes, ses idées et ses institutions à vous faire dresser les cheveux sur la tête, alors elle doit être à la fois astucieuse et sophistiquée. Dans les sciences, par exemple, la raison ne doit pas être plus primitive que les théories qu'elle est censée évaluer. Mais elle ne doit pas non plus être trop stricte, sinon il devient impossible de construire *(build up)* la science ou bien de perfectionner les idées, les expérimentations, et les institutions qui existent déjà. Nous avons besoin d'un type de raison qui établit un équilibre raisonnable entre la *contemplation* inactive (mais pas le moins du monde silencieuse) de la science, et le zèle réformateur. Les exigences de la raison doivent être adaptées aux propriétés historiques, psychologiques, physiques, économiques, de ce qui est à changer.

C'est à peine si cet aspect de la méthodologie a été examiné par les philosophes des sciences. La manière de procéder standard consiste à commencer par inventer un modèle très naïf *(simple-minded)* de la connaissance, puis à évaluer un ensemble de règles en les comparant avec le modèle. La théorie de la falsification de Popper, par exemple, est née de l'observation triviale suivante: alors qu'un énoncé singulier peut impliquer *(entail)* la négation d'un énoncé universel, il n'implique jamais aucun énoncé universel. On fit bientôt remarquer que les règles suggérées étaient soit inutiles, soit désastreuses. Le matériau du scientifique est beaucoup trop incohérent et délicat à manier pour survivre à une attaque popperienne intransigeante.

Par contre, ce matériau n'est pas hors de portée de toute critique épistémologique. En analysant les méthodes de preuve en mathématiques[1], Imre Lakatos se rendit compte que les théories complexes sont souvent des tentatives pour dissimuler des difficultés qui surgissent au cours d'une discussion de problèmes simples et même quasi empiriques. Certains problèmes sont résolus, et une machinerie compliquée dissimule les problèmes supplémentaires qui surgissent en cours de solution. D'autre part, il est possible de suggérer des solutions qui conduisent à des problèmes nouveaux et inattendus, et qui nous font découvrir des faits (mathématiques) nouveaux et inattendus. Si on préfère les théories de ce dernier type, en dépit de toutes les difficultés qu'elles créent, et si on leur laisse le temps de se développer, alors nous disposons d'un critère qui est strict sans être définitif, qui a prise sur la pratique scientifique sans restreindre la liberté du scientifique; et cela inclut la liberté des entreprises intellectuelles audacieuses. Lakatos a étendu le critère aux sciences empiriques, et en a donné une explication détaillée dans un essai qui fait date: "La falsification et la méthodologie des programmes de recherche scientifique[2]". La théorie de la science qui sous-tend ce critère associe la critique stricte à la décision libre, l'accident historique aux règles de la raison. C'est une des réalisations les plus importantes de la philosophie du vingtième siècle. Elle est importante parce qu'elle résout presque tous les problèmes créés par le premier essor du rationalisme occidental (les Présocratiques) et par sa nouvelle performance du seizième et dix-septième siècles.

Mais Imre Lakatos n'était pas simplement un théoricien. C'était aussi un meneur de campagne, un journaliste et un politicien. Ses conférences étaient un mélange d'argumentation et de performance brillante; en conversation privée, son humour était mordant et sa force de persuasion charmante. Très rapidement, il se créa un cercle de gens

---

1. Lakatos (1963-1964). *Note de l'auteur.*
2. Lakatos (1970). *Note de l'auteur.*

partageant les mêmes goûts intellectuels - c'est délibérément que je n'utilise pas le mot de "penseurs", car Lakatos tenait en horreur les simples machines à penser - et qui voulaient faire table rase de cet ennui infini et prétentieux qui semble être aujourd'hui la caractéristique essentielle de l'érudition. Le cercle ne se limitait pas aux rationalistes, car Lakatos était tout sauf un esprit étroit; et même un dadaïste comme moi pouvait travailler avec lui et profiter de ses conseils. Puis des étudiants et des collègues plus âgés se joignirent à cette nouvelle communauté intellectuelle, fondée sur l'amitié et l'intérêt sceptique plutôt que sur la soumission servile. Cela était possible parce que Imre Lakatos était par-dessus tout un être gentil et chaleureux, profondément concerné par l'injustice et l'irrationalité croissantes de ce monde, par le pouvoir presque invincible de la médiocrité dans tous les domaines et chez tous les gens, et également dans la prétendue "jeunesse"; parce qu'il était prêt à défendre ses idées et ses prises de position, même dans des circonstances inconfortables et dangereuses, et qu'il ne se laissait jamais réduire au silence, bien qu'il eût pris conscience de l'absurdité ultime de toute entreprise humaine. On ne pourra jamais entièrement comprendre un homme comme lui en se fondant uniquement sur son œuvre écrite. Et cette œuvre ne survivra que dans les mains des gens qui possèdent la même liberté, la même joie de vivre, et la même profusion d'idées.

Ma propre évaluation du travail d'Imre Lakatos sera résolument subjective. Je me pencherai sur certains aspects de sa théorie d'une manière plutôt personnelle, comme quelqu'un qui se penche sur le travail d'un ami et *non pas* sur le travail d'un érudit sans visage, appartenant à une époque depuis longtemps révolue. Je mettrai l'accent sur les éléments qui ne sont pas manifestes si on se réfère uniquement à son œuvre écrite, et dont l'existence est niée par ses collègues les plus rationalistes. Je donnerai également une brève esquisse de développements historiques qui, à première vue, semblent ne rien avoir en commun avec la méthodologie des programmes de recherche. Je fais cela parce que je pense que ces développements ont créé des problèmes qui n'étaient pas résolus, mais pour lesquels Imre Lakatos a approché d'une solution. Je commence mon esquisse historique avec un compte rendu des Présocratiques.

II

La science a commencé en Occident à partir du moment où des gens extraordinaires se mirent à préférer les résultats de certains jeux intellectuels à ce qu'ils pouvaient apprendre de leurs sens et de la tradition. (Je parle de "jeux" plutôt que de "règles de pensée" ou de "découvertes intellectuelles" pour mettre l'accent sur le caractère souvent *arbitraire* des principes qui furent par là même introduits. Les Présocratiques argumentaient relativement peu souvent avec leurs prédécesseurs. Ils introduisirent une nouvelle forme de vie et un nouveau modèle d'excellence)[1]. Nous ignorons comment les jeux qui constituèrent ce nouveau modèle furent introduits, et nous ne pouvons qu'être surpris de la manière dont ils affectèrent bientôt la perception, la pensée, et les relations sociales. L'épistémologie et la philosophie des sciences sont le résultat des nombreuses difficultés créées par ce développement. *Xénophane*[2], par exemple, avait fait remarquer que Dieu ne peut être pluriel et ne peut être créé. S'il est pluriel, alors cette pluralité est soit égale, soit inégale. Si elle est égale, alors elle est une. Si elle est inégale, alors ce qui est différent de l'unité, qui *est*, ne peut *être*; et par conséquent, il n'y aura encore que l'unité. D'autre

---

1. Par exemple, les penseurs précédents sont critiqués pour leur *polumatié**, mais personne n'explique pourquoi un exposé unifié est préférable à une liste. *Note de l'auteur.*

(* "Grand savoir". Le mot est attesté chez Héraclite.)
2. Xénophane (VIème siècle av. J. - C., ou entre 540 et 440).

part, si Dieu est créé, soit il vient du même, soit il vient de ce qui est différent. S'il vient du même, alors il n'est pas créé. Mais le différent est ce qui n'est pas, et rien ne peut venir de ce qui n'est pas. Ces arguments entraient en contradiction à la fois avec la *tradition* (Homère[1], Hésiode[2]) et avec *l'expérience directe* (qui, à l'époque qui nous intéresse, comprenait l'expérience de l'intervention divine d'une grande diversité de dieux, parfois bienveillants, parfois malfaisants[3]). Ils introduisirent des récits entièrement nouveaux, qui prétendaient contenir une vérité supérieure, et ils en appelaient à un nouveau type de recherche, ayant pour objet la relation entre ces récits et les comptes rendus conventionnels.

Amorçant ce nouveau type de recherche d'une manière directe et plutôt dogmatique, Xénophane déclare que ses "arguments" l'emportent sur tout ce qui entre en conflit avec eux. Le sentiment, si caractéristique chez les anciens Grecs, que la nature est le lieu de divertissement des dieux et qu'il est plein de vie intelligente, est erroné, même si l'expérience et le langage le confirment[4]. D'autre part, il est possible de *réformer l'expérience* en éliminant ses ingrédients théologiques. Une telle expérience réformée ne nous dit pas que "le soleil se lève". En parlant de cette manière, on présuppose une permanence dont on ne peut donner aucune preuve, que l'on peut suspecter d'être proche de

---

1. Homère (vers 850 av. J.-C., selon Hérodote).
2. Hésiode (milieu du VIIIème siècle av. J. - C.). On lui doit *Les travaux et les jours* et *La théogonie*. Pour l'histoire de la philosophie présocratique, on pourra consulter W.K.C. Guthrie, *A history of greek philosophy*, vols. 1 & 2, Cambridge U.P., 1965.
3. Nietzsche (1873); Wilamowitz-Moellendorf (1955); Dodds (1957); Nilsson (1949), etc. *Note de l'auteur.*
4. Les termes tels que "chaud" et "froid" signifient également la chaleur de l'amour et la froideur de la colère et de la haine. *Note de l'auteur.*

l'ancienne théologie, et qui, de plus, entre en conflit avec des phénomènes comme celui du caractère toujours plus informe du "soleil" lorsqu'il approche de la brume et des nuages sur l'horizon. Elle ne nous dit pas non plus qu'il y a un ciel. L'idée du ciel est un résidu de conceptions plus anciennes rejetées par l'argument[1]. Cette expérience réformée n'est pas non plus un processus naturel. C'est un *artefact*, aussi bien d'un point de vue phénoménologique (l'observateur doit être *entraîné* à ne pas projeter trop de vie dans le monde extérieur; il doit *apprendre* à voir le soleil comme une pierre et le ciel comme un système mécanique compliqué), que d'un point de vue théorique (il ne doit pas non plus utiliser de mauvais concepts; par exemple, il ne doit plus utiliser les concepts familiers de chaud et de froid). En introduisant cet artefact dans la spéculation cosmologique, Xénophane crée l'empirisme avec sa dichotomie entre l'*évidence* (constituée par les différentes parties du nouveau type d'expérience qui vient d'être inventé), et les conceptions qui vont au-delà de l'évidence, mais qui ont besoin de la *confirmation de l'évidence*; ainsi que la dichotomie toute différente entre notre expérience naturelle et les processus fabriqués *(manufactured)* qui seuls, peuvent constituer une évidence[2]. Nous avons à présent le problème de savoir comment trouver le type approprié de confirmation de l'évidence. Autrement dit, nous avons le *problème de l'évidence* et le *problème de l'induction*[3].

La "démonstration" de Xénophane montre également que les cosmologies qui expliquent comment le monde est né à

---

1. Telle que celle selon laquelle il y a une séparation entre le ciel et la terre. *Note de l'auteur.*
2. Pour une analyse désormais classique de la manière dont la théorie peut influencer le contenu même de l'observation, on consultera N.R. Hanson, *Patterns of discovery*, Cambridge U.P. (1958), ch. 1 & 2. Voir également Feyerabend, *Contre la méthode*, ch. 9.
3. Ceci n'est qu'une première approximation. *Note de l'auteur.*

partir de formes plus simples sont fondamentalement
incorrectes. Nous pouvons dire *ce qu'est le monde*; nous ne
pouvons pas dire *comment il est devenu ce qu'il est*. Les
comptes rendus historiques comme ceux d'Hésiode et
d'Anaximandre[1] doivent par conséquent être remplacés par
des principes fondamentaux. Le professeur Szabò a montré[2]
comment cela nous amène directement à l'*approche
axiomatique* qui devait dominer la pensée occidentale jusqu'à
nos jours.

Aristote continue dans la voie tracée par Xénophane et
Parménide, mais en apportant des modifications
extrêmement intéressantes. Il maintient l'idée que la
connaissance procède à partir de principes. Il maintient aussi
la première des deux dichotomies mentionnées ci-dessus,
mais abandonne la seconde[3]. Il revient à la conception
antérieure selon laquelle l'expérience naturelle de l'homme et
sa manière naturelle de parler sont fondamentalement
correctes, et il tente de les harmoniser avec la nouvelle
machinerie de l'argumentation abstraite. Il sait pertinemment que nos sens ne sont pas parfaits, et il discute de
nombreux cas dans lesquels l'erreur a toutes les chances de
se produire. Mais nous pouvons avoir confiance dans
certains contenus de la perception, lorsqu'elle a lieu dans
certaines conditions. Ce sont ces conditions et ces contenus
qui conduisent aux principes de nos sciences, et également
à une théorie générale du mouvement et de la causalité. Ils
nous y conduisent de deux manières: logiquement, en
excluant les conceptions extravagantes (Aristote dispose
d'un principe de falsification), et causalement, en donnant

---

1. Anaximandre (v. 610 av. J. - C. - v. 547).
2. Szabò (1969). *Note de l'auteur.*
3. Parménide, Zénon et Platon ajoutent des problèmes à ces
deux-là: le rationalisme occidental commence par tenter de
résoudre les problèmes que son apparition a créés (et qui étaient
absents des conceptions du monde précédentes). *Note de
l'auteur.*

naissance aux idées qui constituent les principes. L'évidence et les principes sont fabriqués par l'organisme lui-même, qui *reçoit* les formes inhérentes dans la nature, les *conserve* par un processus d'"impression" graduelle, et les *impose* finalement à un matériau plus chaotique que celui que nous pouvons trouver dans des conditions normales, conduisant, même dans ce cas, à des perceptions claires. Le problème de l'évidence et le problème de l'induction disparaissent de la philosophie et sont "résolus" par la physiologie). Les perceptions ne sont ni changées ni mutilées à la manière suggérée par Xénophane. Mais on ne considère pas non plus qu'elles sont données. Chaque événement perceptuel peut être expliqué sur la base d'une théorie générale du mouvement, qui comprend une théorie du mouvement local, de la sensation, de la croissance biologique, etc., et qui indique quand et sous quelles conditions physiques l'erreur va se produire (l'erreur perceptuelle n'est pas le résultat d'une préméditation, mais simplement un cas de fonctionnement défectueux).

Cette cosmologie fantastique et unique qui donne sa part à la spéculation abstraite sans toutefois lui permettre de jeter un doute sur les capacités fondamentales de l'homme, et qui fait de la connaissance une partie intégrante de l'univers physique, a été écrasée et mise de côté par l'*ascension de la science moderne*. Il est devenu clair ces dernières années (grâce aux travaux de Burtt, de Koyré[1] et d'autres), que la science moderne n'est pas née à cause de problèmes empiriques créés par le caractère inadéquat des formes plus anciennes de pensée. Elle est née parce qu'*une nouvelle idéologie a été imposée de l'extérieur*[2]. D'une

---

1. Alexandre Koyré. Nous lui devons, entre autres: *Etudes newtoniennes* (Gallimard, Paris, 1968); *Etudes galiléennes* (Hermann, Paris, 1939); *Du monde clos à l'univers infini* (Gallimard, Paris, 1988).
2. Voir, par exemple, Gingerich (1974). Pour un compte rendu fascinant de la manière dont les nouvelles conceptions se sont

certaine manière, la situation était identique à celle des Présocratiques, mais la ligne de démarcation n'était pas aussi nette que dans le cas précédent. Les partisans de la nouvelle conception ne se contentèrent pas de présenter leurs idées et de laisser l'histoire suivre son cours. Ils essayèrent également d'obtenir l'appui de l'opposition, et ils s'engagèrent dans une des campagnes de propagande les plus réussies de l'histoire de la pensée. En conséquence, la nouvelle cosmologie apparut comme moins radicale, et le sens commun comme plus sophistiqué qu'ils ne l'étaient en réalité. Tandis que la science moderne se développait, on se rendit compte que certains points de conflit avec la conception aristotélicienne avaient fait surface.

(1) La science moderne entre en contradiction avec la théorie d'Aristote selon laquelle l'homme naturel est en harmonie avec le monde, au sens où ses pouvoirs naturels (la perception des sens, le langage, etc.) ne le trompent pas sur sa structure fondamentale. (2) Elle entre en contradiction avec la théorie d'Aristote selon laquelle les principes fondamentaux sont, et doivent être nécessaires. (3) Elle fait appel à une nouvelle théorie du mouvement, restreinte au mouvement local, qui annonce que d'autres formes de mouvement y seront finalement réduites, bien qu'elle ne tienne jamais sa promesse (ce procédé et ce développement sont en partie responsables du renouveau d'un semblant d'abîme entre "l'évidence livrée par nos sens" et les créatures de la pensée pure). (4) La science moderne apporte également avec elle un nouveau *but* pour la recherche scientifique. *Auparavant*, le but avait été de développer une cosmologie qui pouvait en principe expliquer tous les faits. Un manquement à ce but indiquait qu'on n'avait pas encore trouvé la cosmologie correcte, ou jetait un doute sur les

---

immiscées petit à petit pour s'imposer sans aucun argument, voir Kocher (1953). *Note de l'auteur.*

méthodes utilisées pour découvrir le fait récalcitrant. *Aujourd'hui*, l'extension constante de l'horizon des faits devient une condition nécessaire de l'acceptabilité de la science. Le nouveau but n'est atteint que petit à petit, et nous ne sommes pas loin de la vérité en disant que la première formulation *explicite* de cette idée se trouve chez Lakatos (ou, si l'on tient à chipoter, chez Popper, et se trouve reformulée par Lakatos).

III

Il est clair que des changements aussi radicaux ne pouvaient être expliqués par les épistémologies traditionnelles qui les ont souvent exclus, et de nouvelles conceptions ont été proposées pour remédier à cette situation. Le développement qui avait commencé avec les Présocratiques et qui avait donné naissance à de si nombreux problèmes, se remettait en route après un arrêt temporaire. D'une certaine manière, nous sommes toujours au beau milieu de ce développement. Nous essayons toujours de comprendre la science et le genre de rationalisme que les Grecs ont inventé. C'est pourquoi j'ai commencé mon exposé avec Xénophane. Les conceptions nouvelles étaient soit plus englobantes *(comprehensive)*, soit au contraire plus restreintes. Les plus restreintes décrivent un idéal de connaissance et indiquent de quelle manière la science s'y conforme. Les conceptions englobantes donnent un exposé des changements qui sont nécessaires pour transformer l'aristotélisme, ou n'importe quelle autre idéologie non scientifique, en science (moderne). La plupart du temps, on admet simplement l'idéal sans le discuter (ceci vaut également pour un penseur sophistiqué comme Imre Lakatos).

Parmi les conceptions englobantes, la plus intéressante et celle qui a eu le plus d'influence est celle de *Bacon*[1]. Bacon se rend compte qu'une nouvelle science doit être fondée sur de nouvelles expériences et de nouvelles manières de penser; et comme elles ne peuvent surgir que dans un homme nouveau, il veut reconstruire l'homme afin qu'il devienne un simple miroir du monde, et un miroir non déformant[2]. L'activité qui permet d'accomplir cette grande reconstruction ne peut être fondée sur l'expérience: l'ancienne expérience est sans valeur, et nous ne disposons pas encore de la nouvelle. L'activité est par conséquent sans fondement: Bacon est le premier penseur moderne à concevoir l'idée d'*une science sans fondement* (mais il lui assigne une fonction simplement transitoire: elle conduit à une science future qui, elle, repose sur un fondement. Mais cette fois-ci, le fondement est irrécusable, et se trouve en accord avec le monde).

Pendant longtemps, on a pensé que *la science de Newton*[3] était la science nouvelle et bien fondée que Bacon nous avait promise. Les "phénomènes" sur lesquels elle se fonde ne sont ni les sensations, ni les expériences normales. Ce sont de simples lois de la nature, quelque peu idéalisées,

---

1. Francis Bacon (1561-1626). Il publia le *Nouvel organon* (*Novum organum scientiarum*) en 1620 (et non en 1608 comme l'indique la bibliographie de Feyerabend). L'ouvrage est célèbre pour sa tentative de substituer à l'ancienne logique d'Aristote et des scolastiques, une nouvelle logique expérimentale et inductive. Mill y fait explicitement référence in *The logic of the moral sciences*, Duckworth (1987), ch. 7.
2. Bacon (1608), aphorismes 41, 50, 95, 115. Quand Bacon parle des "sens sans préjugés" (aphorisme 97), il n'entend pas parler des données des sens *(sense-data)*, ou des "sensations brutes" *(raw feels)*, mais des perceptions de l'homme de l'avenir qui est harmonie avec la réalité. *Note de l'auteur*.
3. Les *Principes mathématiques de philosophie naturelle* furent publiés en 1687.

exprimées en termes mathématiques, et susceptibles, à l'occasion, de démonstration expérimentale directe[1]. Newton développa aussi une méthodologie et une philosophie des sciences. Elle appartient au type restreint et a servi de modèle pour pratiquement tout ce qui a été pensé sur le sujet après lui. Selon Newton, on construit la science en commençant par trouver des phénomènes, en en dérivant des lois, puis en les généralisant, en ayant toujours soin de tester ces généralisations à l'aide de nouvelles expérimentations, et en construisant ensuite des hypothèses pour les expliquer. Les phénomènes, les lois et les hypothèses, peuvent être corrigés dans le progrès de la recherche. Par exemple, on peut, à l'aide de nouvelles observations, limiter l'application d'une loi qui a été obtenue par généralisation d'un énoncé dérivé de phénomènes. Mais de telles corrections doivent toujours venir du même niveau, ou d'un niveau inférieur. Elles ne peuvent venir d'"au-dessus". Par exemple, les hypothèses ne peuvent corriger les phénomènes.

Newton était certain d'avoir trouvé la méthode correcte pour découvrir et justifier les énoncés généraux, et ceci était confirmé par le succès apparent qu'il avait obtenu en dérivant sa loi de la gravitation "à partir des phénomènes". Le newtonianisme domina la science et la philosophie des sciences jusqu'au vingtième siècle[2]. Bien évidemment, Hume montra que la justification ne peut être ni dérivée de l'expérience, ni réduite à un calcul de probabilités[3]. Mais ses objections n'eurent d'abord qu'une influence limitée. Elles n'étaient pas formulées en termes mathématiques et, de plus, elles paraissaient opposer un démenti aux résultats

---

1. Voir Feyerabend (1970). *Note de l'auteur.*
2. Voir Born (1949). *Note de l'auteur.*
3. Voir Hume, *A treatise of human nature*, L.A. Selby-Nigge & P.H. Nidditch (eds.), Clarendon Press, Oxford (1978), Bk. I, Part III, Section XII. Feyerabend se réfère plus spécifiquement aux pages 138-139.

de Newton, ou les réduire à une série d'accidents. Hegel n'eut pas plus de succès quand il compara la théorie newtonienne des perturbations à sa propre "dérivation", en faisant remarquer que cette dernière n'était qu'une simple transcription des formules de Kepler[1]. Et même au vingtième siècle, après *Duhem*[2], on continua à diriger les efforts dans le but d'utiliser l'évidence d'une manière "positive", par exemple en définissant des méthodes qui permettent de sélectionner les théories, sans aucune interférence "venue d'en haut", en montrant qu'elles sont "bien confirmées" par l'évidence, ou tout au moins, mieux confirmées que leurs rivales[3]. Il y eut seulement deux philosophies qui tentèrent de donner un exposé différent de la relation entre évidence et théories: l'idéalisme transcendantal de Kant et la philosophie du conventionalisme.

Le conventionalisme concède que les théories ne peuvent être "justifiées" de la manière imaginée par les formes simples d'inductivisme. Elles sont justifiées par l'ordre qu'elle apportent dans les faits connus et par les concepts et les principes de mise en ordre qu'elles fournissent pour ce qui est encore à découvrir. L'ordre n'est jamais complet, car il y a toujours des phénomènes récalcitrants. Cela n'invalide

---

1. Hegel (1817), section 270. *Note de l'auteur.* (*Encyclopédie des sciences philosophiques en abrégé* (1830), trad. M.de Gandillac, Classiques de la Philosophie, Gallimard, Paris, 1970.)
2. Pierre Duhem (1861-1916): *La théorie physique - son objet, sa structure* (1906); réédition P. Brouzeng. J.Vrin, Paris, 1981.
3. Sur l'étrange histoire des théories qui ont surgi de cette manière, et sur leur dégénérescence progressive, voir Lakatos (1968). Soit dit en passant, le résultat de Duhem, lorsqu'on le traduit dans le calcul des prédicats du premier ordre, révèle le besoin d'une logique de la confirmation dans laquelle "tous les corbeaux sont noirs" peut être fortement confirmé par des corbeaux gris. *Note de l'auteur.*

pas le schéma choisi, mais permet de mettre ses défenseurs en demeure de reconstruire les phénomènes jusqu'à ce qu'ils s'y conforment. Le schéma est choisi, soit parce qu'il rend facilement compte de certaines régularités empiriques (on a alors affaire au conventionalisme empiriquement motivé), soit parce qu'il résulte de certains postulats théoriques (c'est la version dinglerienne). Une fois que le schéma est accepté et incorporé à la pratique scientifique, il transforme les faits tout à fait automatiquement, et dispose ainsi de toute critique "fondée sur l'expérience". L'*idéalisme transcendantal* présuppose que l'homme classifie les données automatiquement, sans avoir pris une décision consciente en faveur de l'adoption d'un schéma de mise en ordre. Les lois qui sous-tendent ses classifications sont trouvées et démontrées par la déduction transcendantale.

Ni l'idéalisme transcendantal, ni le conventionalisme (du type empiriquement motivé) ne sont des théories universelles. Elles offrent des moyens de justifier des vues très générales, mais elles deviennent inductivistes lorsqu'elles ont affaire à des régularités simples. Et même dans le cas des meilleures conceptions, la solution dépend de lois empiriques: Kant suppose que l'esprit humain ne change pas, les conventionalistes (et cela inclut maintenant les Dingleriens) supposent que la décision du scientifique de s'attacher à certaines formes de pensée imprimera pour toujours ces formes sur son matériau. Le problème de la justification est déplacé, mais il n'est pas résolu.

IV

Il n'est pas plus résolu dans une autre théorie qui a été formulée deux fois au dix-neuvième siècle, d'abord par Mill, dans son essai immortel *De la liberté*, et ensuite par des penseurs comme Boltzmann qui ont étendu l'application du Darwinisme au fonctionnement de la science elle-même. Cette théorie prend le taureau par les cornes: les théories *ne peuvent pas* être justifiées et n'ont pas *besoin* de l'être. *Il n'y a aucune explication positive du succès des hypothèses scientifiques, des théories, des lois, si ce n'est au moyen d'autres hypothèses, théories et lois. Et il n'y a aucune raison positive pour accepter les hypothèses, les théories et les lois.* Nous ne pouvons pas les dériver des faits. Nous ne pouvons pas garantir qu'elles continueront à être couronnées de succès. Nous ne pouvons pas garantir que les faits sont bien tels qu'ils sont décrits. Nous ne pouvons même pas garantir que les théories que nous avons choisies sont conformes aux exigences de la logique formelle. Mais rien de tout cela n'est nécessaire. La science ne procède pas par éloge du bien, mais par élimination du mal ou de ce qui est comparativement inférieur. La "différence fondamentale entre (cette) approche et (l'inductivisme ou d'autres types de justificationisme) est qu'elle met l'accent sur les *arguments négatifs*, comme par exemple les exemples négatifs ou les contre-exemples, les réfutations et les tentatives de réfutation, bref, sur la critique"; alors que les empiristes de la tradition newtonienne mettent en général l'accent sur les arguments et les exemples positifs, et autres choses du même genre[1]. "Cette discipline (critique) est si essentielle à une compréhension réelle des sujets moraux et humains, que si les adversaires de toutes les vérités importantes n'existaient pas, il serait indispensable de les imaginer et de les pourvoir des arguments les plus forts que puisse invoquer le plus habile avocat du diable[2]." La théorie qui survit au débat n'est bien évidemment pas exempte de défauts. Elle domine la discipline non pas parce qu'elle a été

---

1. Popper (1972), p. 20. Bien évidemment, Popper dit "*mon* approche" au lieu de "*cette* approche". *Note de l'auteur.*
2. Mill (1859), cité par Cohen (1961), p. 228. Mill ne restreint pas l'application de sa méthode aux "sujets humains et moraux". Il l'applique également aux théories scientifiques. Voir *infra. Note de l'auteur.* (Pour la citation de Mill, voir, *supra*, pp. 53-54.)

prouvée (ou parce qu'elle est hautement probable), ou parce qu'elle possède une autre caractéristique attrayante comme la cohérence. Même la meilleure théorie scientifique est d'ordinaire dans un piteux état. Ce qui *est* décisif, c'est que ses défauts sont moindres que ceux de la théorie rivale, tout au moins pour un certain temps. Et donc, "les croyances pour lesquelles nous avons le plus de garantie n'ont pas d'autre caution sur laquelle s'appuyer que l'invitation constante faite au monde entier de démontrer qu'elles sont sans fondement", c'est-à-dire de trouver des raisons pour les rejeter. "Si nous saisissons toutes les occasions pour contester qu'une (certaine hypothèse) n'a pas été réfutée, alors nous considérerons qu'elle est meilleure qu'une autre qui, bien que confirmée par toute l'évidence dont nous disposons "n'est pas passée par un processus similaire." "S'il était interdit de questionner même la philosophie newtonienne, l'humanité ne pourrait ressentir l'assurance de sa vérité aussi complètement qu'aujourd'hui"[1]. Et donc, "l'édifice de notre connaissance ne consiste pas en (...) des vérités bien établies (...). Il est très largement constitué d'éléments arbitraires (...), de prétendues hypothèses[2]". Ou bien encore, comme le répète Popper : "(...) tout ce qui peut être *"positif"* dans notre connaissance scientifique ne l'est *que* dans la mesure où, à certains moments, on préfère certaines théories à d'autres, à la lumière de notre discussion *critique* (...). Et donc, même ce que l'on peut appeler "positif" ne l'est *que* par rapport à des *méthodes négatives*[3]."

L'analogie avec Darwin est évidente. Avant Darwin, on avait l'habitude de concevoir les organismes comme créés par l'action divine et, *par conséquent*, comme des solutions

---

1. Mill, *op. cit.*, pp. 209, 208, et à nouveau 209. *Note de l'auteur.* (Voir, *supra*, p. 30.)
2. Boltzmann (1905), ch. 8. *Note de l'auteur.*
3. Popper, *op.cit.*, p. 20. *Note de l'auteur.*

parfaites aux problèmes de la vie sur cette planète[1]. Au dix-neuvième siècle, on prit conscience des nombreuses dé-faillances du processus de la vie. Ce processus n'est pas une tentative méticuleusement organisée et exécutée pour mener à bien un dessein conçu à l'avance. Il est déraisonnable, gaspilleur. Il produit une immense variété de formes et *laisse soin à la nature d'éliminer les avatars*. Les formes qui subsistent sont étonnamment efficaces, *comme si* elles avaient été conçues selon un plan défini. Il n'y a pourtant aucun plan, aucune "méthode de justification", et on peut douter qu'une planification consciente aurait jamais pu produire un résultat comparable.

L'analogie ne résout pas les problèmes méthodo-logiques; elle montre seulement quels genres de solutions *sont possibles*. Le monde d'un organisme est un monde naturel; il agit aveuglément. Le monde de la théorie est un monde social, construit par les scientifiques *qui doivent décider* ce qu'il faut garder et ce qu'il faut éliminer. La décision doit-elle être complètement arbitraire, doit-elle procéder conformément à des règles explicites; et si c'est le cas, quelles règles choisirons-nous? Voilà les questions qui surgissent dès que nous nous en remettons à des méthodes d'élimination au lieu de chercher des méthodes de justification.

Mill se passe de règles générales et juge chaque cas en fonction de ses qualités intrinsèques, au sein même de la réalité historique concrète dans laquelle il se produit[2]. Il semble penser que la forme des théories rivales et la situation historique dans laquelle elles se font concurrence devraient influencer notre jugement, et que notre ingéniuté

---

1. *De l'origine des espèces par voie de sélection naturelle* parut en 1859.
2. Quand je parle de Mill, je parle du Mill de *De la liberté* et non pas du Mill du *Système de logique*. Mill était un de ces rares individus qu'un argument peut persuader de changer radicalement son point de vue. *Note de l'auteur*.

devrait être autorisée à réagir, et réagira d'une manière différente à différents types d'influence. "Les facultés humaines de perception, de jugement, de discernement, d'activité mentale, et même de préférence morale (et donc, pouvons-nous ajouter, méthodologique), s'exercent (...) en faisant un choix" et elles se trouvent "perfectionnées" par cet exercice[1]. Ne devrait-on pas donner toute latitude à ces facultés perfectionnées de produire des jugements perfectionnés, fondés sur des modèles perfectionnés?

---

1. Popper (1972), p. 252. *Note de l'auteur.*

V

Cette question judicieuse et relativement sophistiquée, qui fait de la méthodologie une partie intégrante du processus historique, n'a pas survécu. Les positivistes logiques ne l'ont certainement pas posée, ces partisans belliqueux de la vie réglée dans les sciences. Tout au contraire, ils niaient implicitement que le développement de la méthodologie eût quoi que ce soit à faire avec le développement des aptitudes humaines. Ils instituèrent des règles de procédure qui traitent toutes les théories de la même manière, indépendamment de la situation historique à partir de laquelle elles sont évaluées, et indépendamment de tout développement possible de notre imagination méthodologique. L'histoire, qui avait commencé à jouer un rôle dans l'évaluation des théories, est maintenant à nouveau ignorée. Par rapport à Mill (et à Hegel), ceci constitue un pas en arrière considérable, et remarquez bien que ce recul n'est pas le résultat d'arguments, mais d'une obéissance inculte aux précédentes méthodologies non historiques. Karl Popper partage cette idéologie de base avec les positivistes logiques. On peut, à partir de là, prendre au moins deux points de vue différents.

Il y a d'abord le point de vue choisi par Lakatos dans son essai "La falsification et la méthodologie des programmes de recherche scientifique[1]". Lakatos établit un rapport entre ses idées et celles de Karl Popper. Il accepte le cadre faillibiliste général de la philosophie de Popper et introduit les changements suivants. *(a)* Les modèles sont séparés des règles d'acceptation et des règles de rejet. *(b)* Ils ne sont pas appliqués à des théories individuelles, mais à des séquences de théories reliées entre elles par des techniques de modification, appelées programmes de recherche. *(c)* Les éléments qui constituent un programme de recherche n'ont

---

1. Lakatos (1970). *Note de l'auteur.*

pas besoin d'être réécrits, ou "reconstruits" conformément aux règles d'un système logique particulier. Ils peuvent être utilisés sous la forme même qui est la leur dans la science, laissant tels quels tous leurs défauts logiques et empiriques. De cette manière, les théories et les formes de vie dont elles font partie peuvent être examinées toutes les deux. *(d)* Les modèles permettent de juger l'évolution d'un programme de recherche sur une période de temps donnée, au lieu de juger sa forme à un moment particulier. Ils permettent de juger cette évolution en la comparant à l'évolution des programmes de recherche concurrents, et non pas en isolation. Il est par conséquent possible pour un programme de recherche de rester à l'intérieur de la science, même si toutes les théories qu'il produit sont contradictoires *(self-inconsistent)* et assaillies par un océan d'anomalies. Un programme de recherche est dit "progressif" s'il fait des prédictions qui sont confirmées par des recherches ultérieures, et conduit donc à la découverte de faits nouveaux. Il est dit "en voie de dégénérescence" si, au lieu de faire de telles prédictions, il se limite à l'absorption du matériau découvert par les programmes concurrents. Il n'est pas inutile de répéter que les théories qui constituent des programmes de recherche progressifs peuvent être pleines d'anomalies, contenir des postulats *(assumptions)* cachés, et être imparfaitement formulées. Rien de tout cela n'a d'importance. Si la séquence de théories produites par les techniques propres au programme de recherche - par ce qu'on appelle son "heuristique" -, conduit à de nouvelles découvertes, alors la séquence tout entière conduit au progrès, et c'est tout ce qui compte. (C'est pourquoi on peut dire que le système de Copernic constitue un progrès par rapport au système de Ptolémée, malgré les difficultés dynamiques et optiques fondamentales de la théorie.) *(e)* Les modèles permettent d'évaluer les programmes de recherche. Ils ne dictent pas aux scientifiques ce qu'ils doivent faire. Cette caractéristique de la méthodologie affaiblit considérablement le puritanisme et le pharisaïsme du débat scientifique. Il n'y a pas de règle qui impose à un scientifique de se débarrasser d'un programme en voie de dégénérescence; et à juste titre, car un tel programme peut très bien se rétablir et reprendre le dessus. (C'est exactement ce qui s'est passé dans le cas de l'atomisme, de la finitude temporelle du monde, et du mouvement de la terre. Tous ces programmes ont progressé et dégénéré à de nombreuses reprises, et tous font maintenant solidement partie de la science.) Il peut donc être *rationnel* de poursuivre un programme de recherche dans une de ses ramifications en voie de dégénérescence, même s'il a été supplanté par un programme concurrent. Mais il est également rationnel de construire des *institutions* qui interdisent la poursuite de programmes en voie de dégénérescence, à moins qu'ils ne se montrent prometteurs en permettant de faire de nouvelles prédictions. Chacun peut choisir librement et rationnellement en la matière. Imre Lakatos choisit la deuxième voie, et il gagne du terrain en choisissant de la qualifier de "rationnelle", avec les restrictions qu'elle implique, pour les besoins de sa propagande. *(f)* L'évaluation des modèles peut être très proche de l'évaluation des programmes de recherche. Nous considérons que ce sont des programmes de recherche *historiques*, et que les prédictions qui permettent de décider de *leur* caractère progressif et de *leur* degré de dégénérescence sont des prédictions qui concernent des jugements de *valeur* fondamentaux (des jugements comme : "La théorie de la relativité générale d'Einstein de1915 est meilleure que la mécanique céleste de Newton dans la forme sous laquelle elle était disponible à la même époque").

En comparant avec Popper, nous remarquons que certains éléments ont été ajoutés (la procédure de critique des modèles), alors que d'autres ont été éliminés (la règle beaucoup trop stricte de falsification), et que la formulation scientifique plutôt que logique des programmes de recherche a permis de rapprocher considérablement notre discussion de la réalité scientifique, plus que dans *La logique de la découverte scientifique*[1]. Nous parlons de programmes de recherche au lieu de théories, de formulation scientifique plutôt que logique de ces programmes - quelle que soit l'importance des "défauts" -, de modèles qui permettent d'évaluer les développements plutôt que de situation particulière à un moment donné, etc. Si nous nous permettons une comparaison avec Mill, nous observons un changement d'un genre tout différent. Mill propose un cadre ouvert, qui reflète certaines caractéristiques décisives de la science, et auquel peuvent se joindre les résultats de la recherche historique concrète. Nous n'avons nullement besoin, ni de corriger Mill, ni d'atténuer certaines de ses formulations. Le chemin qui va de Mill à Lakatos en passant par Popper est un chemin détourné: il inclut un pas en arrière de la réalité scientifique. Le chemin de Mill à Lakatos est direct. En le suivant, nous nous rapprochons de plus en plus de la science. Il est par conséquent plus naturel, du point de vue des idées (du point de vue du troisième monde, comme dirait Lakatos), de voir dans Lakatos un développement de Mill plutôt que de Popper. Et c'est le point de vue que j'ai adopté. Bien évidemment, la raison pour laquelle Popper constitue un pas en arrière, est qu'il a été influencé par la philosophie de l'empirisme logique.

VI

Mill et les darwinistes évaluent une théorie en la confrontant à l'arrière-plan historique dans lequel elle s'insère; et ceci constitue pour eux quelque chose de très similaire à ce que Lakatos appelle un programme de recherche. Les positivistes logiques évaluent une théorie - et

---

1. Karl Popper: *La logique de la découverte scientifique* (trad. fr. N.Thyssen-Rutten et P. Devaux, Payot, Paris, 1973).

une théorie consiste pour eux en un *énoncé* exprimé dans un langage qui diffère de manière tranchée du langage de la plupart des scientifiques - en la comparant à certains *éléments* de cet arrière-plan: aux dites observations qui, de plus, ont été séparées de l'histoire et rendues conformes à des exigences formelles. Les positivistes logiques limitent le cadre de leur recherche et le rendent plus étroit; ils s'éloignent de la pratique scientifique réelle. La compréhension historique des sciences qui avait si bien avancé avec Mach et Duhem est en retrait et devient presque non existante (à l'époque des Lumières, la situation était à peu près la même). Mais la science moderne, et en réalité toute science, est trop complexe et trop problématique pour recevoir l'assistance des modèles simples des philosophes. Et donc, la tentative de *participer activement à son développement*, d'anticiper ses étapes futures, de contribuer à la solution des problèmes urgents qui ont joué un rôle important dans chacune de ces étapes, est remplacée petit à petit par la tentative plus traditionnelle de *comprendre ce qui existe*. Mais à présent, cette compréhension ne relève plus d'une relation aux sciences qui permette à quiconque de faire des découvertes. Comprendre la science revient à s'occuper des problèmes qui surgissent une fois qu'on a choisi un ensemble donné d'abstractions, de façon à ce que cet ensemble soit discuté et non la science elle-même. Au lieu d'une philosophie scientifique, nous avons une école philosophique de plus, qui emprunte le *nom* de la science mais qui n'a presque rien à voir avec elle. Popper a montré comment un modèle formé à partir de cet ensemble peut fonctionner sans à-coups, c'est-à-dire sans enfreindre ni les exigences de la logique, ni une autre exigence qui semble provenir de la science, à savoir l'exigence selon laquelle on ne doit pas faire intervenir d'hypothèses ou de principes *ad hoc*. Mais bien évidemment, le fait que le modèle fonctionne sans à-coups ne signifie pas que l'on ait compris la science, car *le modèle et la science ont peu de choses en commun*. Par ailleurs, Mill est bien plus près de la science, car bien que sa théorie soit très générale, elle a trait à des événements et à des éléments *qui appartiennent véritablement à la science*; et il nous dit très justement, quoique d'une manière générale, de quelle manière ils sont organisés. Il fournit aussi une critique des modèles, bien qu'il ne précise pas de quelle manière la critique doive être menée. Il donne des précisions sur certaines conditions générales de la critique: nous devons, par exemple, disposer d'une multiplicité de théories et de faits, plutôt que d'une théorie et de faits qui lui sont "pertinents". Il nous laisse également évaluer tous les éléments de la science qui ne se laissent pas exprimer d'une manière soignée et ordonnée. Nous sommes sur la bonne voie. Il nous faut simplement plus de détails. Imre Lakatos nous les donne. C'est grâce à eux que Mill se rapproche encore plus de la science. Il le corrige pourtant sur un point mineur: alors que Mill avait exclu les mathématiques de sa théorie, Lakatos montre que les mathématiques informelles - cette partie des mathématiques qui est responsable du développement de cette science - peuvent être incorporées au schéma faillibiliste. Il élimine le dernier élément aristotélicien de la science moderne: l'élément de nécessité[1]. Et il corrige l'idée, dont l'initiative revient à Xénophane et à Parménide, que la connaissance a affaire à des entités non changeantes et doit être *présentée* sous la forme de principes décrivant ces entités. Il va en sens inverse d'une tendance qui a dominé la pensée occidentale pendant plus de deux millénaires. Que pouvons-nous dire de son exposé?

---

1. Voir Lakatos (1963-1964). En un certain sens, il semble que Lakatos finisse par adopter une position proche de celle de Quine. Elle est proche de Quine au sens où la formulation de la loi de la gravitation de Newton est proche de celle de Hooke. *Note de l'auteur.*

VII

Il est décidément préférable à tous les exposés auxquels nous avons eu droit, depuis Newton jusqu'aux empiristes logiques inclus. Il laisse le soin au scientifique de formuler ses théories et d'inventer les moyens de les critiquer et de les améliorer. Il suppose que le scientifique, puisqu'il est en contact avec la réalité concrète de la recherche, aura suffisamment développé ses talents pour savoir comment aborder les problèmes qui surgissent, et comment changer ses théories pour les résoudre. Sur ce point, Lakatos convient avec Mill que nous pouvons espérer que nos facultés de jugement seront perfectionnées par l'exercice de notre faculté de choisir. Il est également d'accord pour dire qu'il existe comme un instinct pour la justice et l'injustice, développé par une interaction concrète avec le matériau historique, et qu'on ne peut entièrement exprimer. Même les exigences "externes", comme celles de la logique ou de la théologie, peuvent influencer le scientifique; mais aucune, pas plus que les instincts, ne peut s'évaluer *elle-même*. On ne peut *automatiquement* présupposer qu'une science qui est conduite par l'instinct et qui est logiquement acceptable et théologiquement sûre est meilleure qu'une science qui ne remplit aucune de ces conditions. Quelles que soient les influences, la science est *évaluée*. Elle est évaluée par la somme de progrès qu'elle apporte, conformément aux modèles choisis.

Les modèles eux-mêmes sont défendus d'un point de vue historique, en tant qu'ils conduisent la science moderne à ce qu'elle fait de *mieux*. Cela étant, ils peuvent également être dirigés contre le développement de la science elle-même, s'il s'avère que ce développement n'est pas en accord avec ce qu'il y a de meilleur en elle. Cela nous montre déjà qu'en fondant les modèles sur l'histoire, nous n'utilisons pas une procédure circulaire. Par ailleurs, nous constatons que nous ne pouvons pas utiliser ces modèles contre la magie, ou contre l'aristotélisme. Tout ce que nous pouvons dire, c'est que l'aristotélisme est *différent* de ce qu'il y a de mieux dans la science moderne. Mais nous ne pouvons pas dire que c'est pire. On doit, sur ce point, préférer le point de vue de Mill à celui de Lakatos. Mill ne choisit pas sa méthode en fonction du sujet. Il la choisit parce qu'il pense que c'est en agissant conformément à elle que l'individualité de l'homme sera perfectionnée, et qu'elle fera de lui un meilleur penseur et un homme plus heureux.

Il y a une caractéristique de la méthodologie des programmes de recherche qui la distingue nettement de toutes les autres méthodologies, à savoir que, pour pouvoir l'appliquer, nous devons étudier l'histoire dans le plus grand détail. Un falsificationiste naïf qui veut juger une théorie donnée, étudiera, soit la théorie elle-même (ou, dans la plupart des cas, une image de cette théorie déformée par une logique simpliste, une soi-disant "reconstruction" de la théorie), soit la relation de la théorie à l'"évidence". Une fois qu'il aura trouvé un certain échantillon d'évidence qui entre en conflit avec cette théorie, et ce, *quel que soit l'environnement historique dans lequel il l'aura trouvé*, il abandonnera la théorie. La méthodologie des programmes de recherche n'examine pas les théories mais les programmes de recherche, c'est-à-dire des séquences de théories constituées et organisées autour de noyaux durs, et reliées entre elles par des méthodes heuristiques et des attitudes intuitives, *qui n'ont pas toutes besoin d'être formulées explicitement*. Même à ce niveau, la recherche doit être plus profonde que ne le sera jamais celle d'un popperien. De plus, la méthodologie des programmes de recherche n'examine pas seulement les programmes de recherche en eux-mêmes, mais elle les compare aux programmes concurrents. L'enquête doit par conséquent s'étendre et prendre en considération tous les programmes de recherche qui sont en compétition à une période donnée. Ce genre d'enquête incluait, au seizième et au dix-septième siècles, des programmes de recherche que nous considérerions aujourd'hui comme non-scientifiques (comme relevant de la théologie, etc.). Troisièmement, nous devons examiner si les prédictions qui sont faites sont nouvelles, ou si elles ne sont que des répétitions de ce qui était déjà connu. Ceci implique que nous devions également savoir à quel genre de résultat on pouvait raisonnablement s'attendre à l'époque, et ce qui constituait alors les "faits acceptés". Pour prononcer un jugement, nous devons en savoir long sur l'histoire des idées; et même cela est souvent absent des compte rendus *historiques* habituels. C'est tout cet ensemble de choses qui nous permet de juger si le programme de recherche a progressé ou dégénéré, *à une période donnée*, et si sa partie heuristique était stérile, ou au contraire féconde, *pendant cette même période*. Nous ne pouvons rien dire de plus. Le programme de recherche peut très bien avoir été excellent avant que sa dégénérescence n'ait commencé, et il peut se rétablir immédiatement après. Il est évident que des modèles de ce genre jetteront un éclairage entièrement nouveau sur des disciplines comme l'*astrologie* qui, jusqu'à présent, ont été condamnées par de purs et simples préjugés, ou sur la base de critères naïfs. Il se peut très bien que l'astrologie, malgré toutes ses contradictions internes et ses anomalies, ait progressé au quinzième siècle pour dégénérer ensuite, et ne se soit pas rétablie depuis. C'est quelque chose que nous pourrions très bien découvrir. Mais il faudrait pour cela en savoir beaucoup plus qu'aujourd'hui sur l'astrologie. C'est en nous fondant sur des modèles falsificationistes naïfs que nous croyons son cas réglé depuis longtemps.

VIII

Jusqu'ici, j'ai comparé la théorie des programmes de recherche avec les théories de la science qui supposent que les résultats scientifiques sont susceptibles d'être évalués, que certains résultats sont meilleurs que d'autres, et que les règles d'évaluation peuvent être librement discutées et critiquées. Pour ces théories, la connaissance est un processus objectif auquel chaque génération contribue, et qui est toujours amélioré et modifié. Aristote est le premier à avoir brillamment et clairement exposé cette conception de la connaissance, et ceci explique pourquoi toutes ses discussions débutent par un exposé des idées de ses prédécesseurs. Il ressort de toute cette discussion que Lakatos nous offre, de loin, le meilleur exposé de cette connaissance objective dont nous disposons aujourd'hui. L'exposé n'est pas exempt de défauts. Nous pouvons l'améliorer. Mais jusqu'ici, c'est le meilleur. Il existe également d'autres théories de la science qui laissent de côté certaines présuppositions des objectivistes. Le *scepticisme*, par exemple, suppose que les théories et les conceptions du monde sont toutes également bonnes ou mauvaises, et que toute tentative pour distribuer l'éloge et le blâme se heurte tôt ou tard à des difficultés. Une autre école, baptisée *stalinisme* épistémologique par Lakatos (au cours d'entretiens, mais dans aucune de ses publications) présuppose que l'évaluation des théories dépend du jugement d'un Grand Homme, ou d'un Grand Groupe: les bonnes théories sont celles que les grands scientifiques ou les groupes de grands scientifiques *déclarent* bonnes. Conformément à cette conception, la science est un mécanisme d'adaptation complexe que des êtres complexes, les scientifiques, font fonctionner, très souvent sans savoir ce qu'ils font, mais ayant développé une sorte d'instinct, de *Fingerspitzengefühl*[1], qui les rend capables, isolément ou en groupe, de faire "ce qu'il faut faire", et finissant donc par réussir. L'objection que l'on peut faire aux stalinistes est simple. La méthodologie des programmes de recherche ne nie pas que les scientifiques utilisent souvent des procédures qu'ils ne peuvent expliciter. Elle ne cherche pas non plus à

---

1. Littéralement: "senti du bout des doigts"; un instinct tactile.

éliminer de telles procédures de la science. Elle affirme qu'il y a moyen d'évaluer leurs *effets*, à l'aide de modèles, et que c'est de cette manière que la science s'est faite, consciemment ou non, par le passé. Pour disposer de *cette* affirmation, il faut critiquer les modèles. Jusqu'ici, aucun staliniste n'a offert la critique exigée. Il y a un autre point, que nous devons à Kuhn[1], et auquel on ne peut répondre si rapidement, si toutefois on le peut. Selon Lakatos, Kuhn doit faire appel à une "psychologie des masses" pour expliquer les révolutions. Mais la méthodologie des programmes de recherche peut, elle, en donner une explication "rationnelle". Mais on ne voit pas comment cela pourrait être vrai. C'est la révolution qui a amené la science moderne qui a également introduit les modèles, et on ne peut par conséquent se servir d'eux pour la juger. (Rappelons-nous que la seule justification invoquée par Lakatos pour ces modèles est qu'ils sous-tendent ce qu'il y a de meilleur dans la science moderne.) De nombreux partis sont impliqués dans les révolutions qui suivent. Conformément aux modèles choisis, les actions de n'importe quel parti sont tout aussi "rationnelles" que celles de n'importe quel autre. Le fait qu'un parti réussisse et qu'un autre échoue est donc un phénomène purement sociologique que l'on peut expliquer en invoquant les modèles; et c'est cela que Kuhn essaie de dire. Par contre, le sceptique ne sera absolument pas impressionné par les modèles qui sont compatibles avec n'importe quelle action. Pour lui, de tels modèles ne sont des modèles qu'en apparence, et il soutiendra qu'en réalité, cela revient à admettre qu'un programme de recherche est aussi bon qu'aucun autre. Il semble que ce point ait produit une certaine impression sur Imre Lakatos, et vers la fin de sa vie, il essaya de vaincre le

---

1. T.S.Kuhn, *The structure of scientific revolutions*, International Encyclopedia of Unified Science, Chicago U.P., Chicago, 2e éd., 1970.

scepticisme, non pas à l'aide d'arguments, mais en invoquant le sens commun: Où est le sceptique qui sort par la fenêtre au lieu de prendre l'ascenceur? Mais cette réponse n'est pas convaincante. D'abord parce qu'on peut sérieusement douter que cette différence dans le comportement soit le résultat d'une compétition entre différents programmes de recherche évalués conformément à des modèles de progressivité: chez certaines espèces, les réactions à la hauteur sont innées. Deuxièmement, aucun sceptique n'a jamais soutenu que les sceptiques sont des hommes courageux, libérés de tout préjugé. Le problème est le suivant: ont-ils *raison*? Et il ne semble pas que la méthodologie des programmes de recherche donne une réponse à *cette* question.

IX

Il est donc clair que la méthodologie des programmes de recherche, malgré les progrès formidables qui ont été accomplis, est toujours pleine de défauts, et qu'elle n'a pas encore dépassé ses concurrents sur tous les points. Pour un disciple de Mill, cela n'a rien de surprenant. Ce n'est pas pour autant qu'un faillibiliste s'en remettra à Kuhn ou aux sceptiques. La raison en est simple. Kuhn offre un exposé très général des développements scientifiques (et des autres), alors que Lakatos contraint le lecteur à chercher des détails spécifiques: où se trouve le noyau dur, quelle est la courroie de protection, quelle est la méthode heuristique, comment ces éléments sont utilisés dans l'explication d'un phénomène particulier, et ainsi de suite. En tant qu'instrument pour effectuer une recherche en histoire des idées, la théorie de Lakatos est largement plus sophistiquée que celle de Kuhn; c'est pourquoi elle conduira à plus de recherches détaillées et à plus de découvertes. Il est possible que ces découvertes finissent par se retourner contre Lakatos, mais cela ne le discrédite pas *aujourd'hui*, puisque aucune autre théorie actuelle ne fournit un inventaire de suggestions aussi détaillé. C'est également comme cela que le débat avec le scepticisme peut être résolu. *D'une manière abstraite*, il semble que le sceptique ait raison. Mais il peut avoir tort dans *ce* monde, car ce monde peut être inspecté, au point que l'on peut en effet séparer les meilleures théories des pires et donner des raisons pour nos préférences. Le matériau que les disciples de Lakatos découvriront au cours de leur recherche est pertinent pour cette question. On a du mal à concevoir comment le sceptique, en suivant *sa propre* philosophie pourrait jamais le découvrir. Il lui faut la méthodologie des programmes de recherche pour disposer des faits qui pourraient montrer que le monde n'est pas si ordonné qu'on le croit et que le scepticisme est la position correcte qu'on doit y adopter.

REFERENCES DE L'ARTICLE
DE PAUL FEYERABEND

Bacon, F. (1608). *Novum organum*.

Boltzmann, L. (1905). *Populaere Schriften*, Leipzig.

Cohen, M. (ed.) (1961). *The philosophy of John Stuart Mill*.

Dodds, E.R. (1957). *The Greeks and the irrational*.

Einstein, A. (1936). "Physics and reality", in *The Journal of the Franklin Institute*, **221**, pp. 313-382.

Feyerabend, P.K. (1970). "Classical empiricism", in R.E. Butts and J.W. Davis (eds.): *The methodological heritage of Newton*.

Gingerich, O. (1974). "Aesthetics versus crisis in copernican astronomy", in A. Beer (ed.): *Vistas in astronomy*, **17**.

Hegel, G.W.F. (1817). *Encyclopaedia*, Lasson (ed.).

Kocher, H.R. (1953). *Science and religion in elizabethan England*.

Lakatos, I. (1963-1964). "Proofs and refutations", in *British Journal for the Philosophy of Science*, **14**, pp. 1-25, 120-139, 221-243, 296-342.

      (1968). "Changes in the problem of inductive logic", in I. Lakatos (ed.): *The problem of inductive logic*, pp. 315-419.

      (1970). "Falsification and the methodology of scientific research programmes", in I. Lakatos and A. Murgrave (eds.): *Criticism and the growth of knowledge*, pp. 91-196.

      (1971). "History of science and its rational reconstructions", in R.C. Buck and R.S. Cohen (eds.), *Boston Studies in the Philosophy of Science*, **8**, pp. 91-135.

Mach, E. (1919). *Die Leitgedanken meiner Naturwissenschaftlichen Erkenntnislehre und ihre Aufnahme durch die*

Zeitgenossen, translated in S. Toulmin (ed.): Theory and reality.

Mill, J.S. (1859). *On liberty*.

Nietzsche, F.W. (1873). *Wahrheit und Lüge im Aussermoralischen Sinn.*

Nilsson, M.P. (1949). *Greek folk religion.*

Popper, K.R. (1972). *Objective knowledge.*

Szabò, A. (1969). *Die Anfänge der Griechischen Mathematik.*

Wilamowitz-Moellendorf, U. von (1955). *Der Glaube der Hellenen.*

Richard Wollheim

Notice biographique et bibliographique

Richard Wollheim a occupé la chaire de Philosophie de l'Esprit et de Logique à l'*University College* de Londres.

Il a publié: *F.H. Bradley* (1959), *Art and its objects* (1968; réimprimé par Cambridge U.P. en 1980), *Freud* (1971; trad. fr. M. Goutallier, Seghers, Paris, 1971), *On art and the mind* (1973), *Painting as an art: the A.W. Mellon Lectures in the Fine Arts, 1984* (Princeton U.P., 1987), et *The sheep and the ceremony: the Leslie Stephen Lecture, 1979*, (Cambridge U.P., 1979). Il a également publié un roman: *A family romance* (1969). Il est actuellement membre de l'Académie Britannique.

Richard Wollheim

Mill : La Finalité de la Vie et les Préliminaires de la Moralité[1]

I

Dans le chapitre introductif à *De la liberté*, John Stuart Mill a soutenu que l'utilité est l'arbitre ultime de toutes les questions éthiques et qu'il renonçait à tout avantage qu'il aurait pu tirer de l'idée d'un droit abstrait au cours de son argumentation[2]. Dans "John Stuart Mill et la question des fins de l'existence", Isaiah Berlin remet en question cette présomption de Mill[3]. Il présente son point de vue de la manière suivante : bien que Mill reconnaisse qu'il fait appel au concept d'utilité, son engagement vis-à-vis de ce concept n'est pas réel. Pour le maintenir, Mill se voit forcé d'élargir les notions de bonheur et de plaisir jusqu'à la vacuité. Il s'engage en réalité en faveur de plusieurs valeurs distinctes, comme la liberté individuelle, la variété, et la justice. Si

---

1. La traduction est établie d'après le texte publié dans *The idea of freedom: essays in honour of Isaiah Berlin*, A. Ryan (ed.), Oxford U.P., 1979.
2. *Collected Works of John Stuart Mill*, J.M. Robson (ed.), Toronto, London, 1963- , vol. 18., p. 224. *Note de l'auteur.* (Voir, supra, p. 17.)
3. "John Stuart Mill et la question des fins de l'existence" in *Eloge de la liberté* (trad. fr. de *Four essays on liberty*, Oxford U.P., 1969, par J. Carnaud et J. Lahana), Calmann-Lévy, 1988, ch. 4.

l'ensemble de ces valeurs forme une totalité cohérente, il est possible que dans certains cas de figures, ces valeurs imposent des exigences qui coïncident avec celles de l'utilité; mais on ne peut leur donner une interprétation utilitariste cohérente.

Dans de nombreux écrits, Berlin nous livre un message d'une grande force et d'une grande importance, à savoir que les valeurs humaines sont nécessairement plurielles, qu'il n'y a pas de valeur unique, et que parmi les multiples valeurs, il n'y en a pas une à laquelle les autres devraient être surbordonnées. Les valeurs se présentent sous la forme de systèmes, et les systèmes de valeurs ont le genre de structure complexe qui permet à leurs différents constituants d'entrer en interaction. Le monisme est incompatible avec la morale, et le pluralisme auquel la morale peut s'adapter est d'un genre relâché *(loose)*; c'est un pluralisme sans hiérarchie.

Il faut prendre soin de remarquer que ce message a des implications profondes et subversives aussi bien pour la pensée pratique que théorique, que nous ne les avons pas encore assimilées, et qu'il se rapporte exclusivement à la nature interne de la moralité individuelle. Il ne nous dit rien sur les relations entre les principes moraux d'individus distincts. En particulier, il ne nous dit pas s'il doit y avoir, ou s'il peut y avoir, une multiplicité de morales indivi-duelles. Il est probable que Berlin lui-même, qui a toujours défendu un type de méta-éthique volontariste, croit à ce genre de pluralisme. Mais le pluralisme dont il est question ici est parfaitement compatible avec la croyance en un système unique de valeurs, auquel les différents systèmes défendus par des individus distincts doivent se conformer et vers lequel ils doivent converger. Pour autant que je puisse en juger, le message que j'ai attribué à Berlin est compatible avec l'objectivisme éthique, et même avec le réalisme éthique[1].

L'idée que la lecture ou la relecture que Berlin nous propose de Mill s'enracine dans ce message acquiert une certaine plausibilité pour peu que nous nous en fassions une conception claire. On peut retracer son cheminement de la manière suivante: Berlin trouve en Mill un penseur qui va dans la bonne direction et dont les conceptions en matière de morale et de société s'accordent avec les siennes. Il juge qu'il est impossible d'arriver à ces conceptions sur la base de la morale moniste que l'utilitariste doit, selon lui, professer. Par conséquent, quoiqu'il prétende, Mill ne s'engage pas dans l'utilitarisme. Il soutient plutôt une morale pluraliste; et qui plus est, une morale lâchement pluraliste: c'est de là que viennent ses meilleures réflexions.

Dans cet essai, je m'efforcerai de suivre un chemin difficile. J'accepte de tout cœur les critiques de Berlin à l'encontre du monisme moral, et en réalité à l'égard de tout ce qui n'est pas du domaine du pluralisme relâché en matière de morale. Je partage sa haute opinion de Mill. Mill est pour moi aussi un penseur qui va dans la bonne direction en ce qui concerne les questions de morale et de société. Je rejette néanmoins la lecture qu'en fait Berlin et j'accepte la conception que se fait Mill de sa propre position. Autrement dit, je crois que Mill est resté un utilitariste et qu'il a certainement continué à concevoir l'utilité exactement comme il disait la concevoir: comme le dernier recours de toutes les questions éthiques. Mais il me semble que Mill lui-même apporte une caractérisation cruciale lorsqu'il ajoute qu'il parle de l'utilité "au sens le plus large",

---

1. Le problème du réalisme en éthique a fait récemment l'objet d'un recueil d'articles: *Essays on moral realism*, G. Sayre-McCord (ed.), Cornell U.P., 1988. On consultera sa très utile bibliographie pour d'autres publications récentes sur le même sujet.

en tant que "fondée sur les intérêts permanents de l'homme conçu comme être capable de progrès[1]". Cette extension substantielle de la notion d'utilité est centrale pour mon interprétation de Mill. Elle est cruciale pour comprendre la révision de l'utilitarisme qu'il nous propose. Contrairement à ce que croit Berlin, elle n'élargit pas la notion d'utilité jusqu'à la vacuité. A mes yeux, c'est justement cette précision qui explique à la fois pourquoi Mill reste un utilitariste, et pourquoi il nous apparaît comme un penseur intéressant et pour lequel nous éprouvons de la sympathie. En introduisant cette précision dans la notion d'utilité, il me semble que Mill nous présente non seulement une morale plus vraisemblable, mais une morale qui est plus authentiquement utilitariste que celles qui reposent sur la notion moins raffinée d'utilité qu'ont soutenu ses prédecesseurs et ses successeurs immédiats.

Il reste une autre question: Berlin insiste sur la diversité des valeurs humaines. Mill voit de la complexité dans la seule valeur à laquelle il souscrit. Etant donné qu'en parlant de complexité, Mill réussit à faire justice à tout ce à quoi pense Berlin en matière de diversité; étant donné également que Mill montre que l'utilité, si on la conçoit correctement, peut prétendre à cette complexité, peut-il encore concevoir l'utilité comme la valeur complexe centrale de la morale? Je ne chercherai pas ici à répondre à cette question.

II

En 1826, John Stuart Mill souffrit d'une grave crise mentale, à laquelle les événements de son passé contribuèrent dans une large mesure et dont sa vie future allait bénéficier. Mill lui-même écrivit à propos de cette crise qu'elle constituait un événement de son développement intellectuel. C'était en réalité bien plus que cela, mais c'est

---

1. Voir, *supra*, p. 17.

seulement en tant qu'événement de son développement de philosophe de l'éthique que je veux m'y rapporter. Mill se trouva un jour face à la question suivante :

> "Supposez que tous les buts de votre vie soient réalisés, que tous les changements qu'il vous tarde de voir réalisés dans les institutions et dans les opinions le soient à cet instant même: cela vous apporterait-il une grande joie et un grand bonheur[1]?"

La réponse ne se fit pas attendre. La question était à peine posée que :

> "une conscience de soi irrésistible répondit immédiatement: "Non!" Et alors mon cœur se serra: tout le fondement sur lequel reposait ma vie s'écroula. J'avais trouvé tout mon bonheur dans la poursuite continuelle de cette fin. Son charme avait disparu. Comment les moyens pouvaient-ils désormais avoir un quelconque intérêt? Il me semblait que ma vie n'avait plus aucun sens."

La manière dont Mill pose la question est un des détails frappants de l'incident, ou tout au moins de la manière dont il nous le rapporte. Il ne se demande pas, comme on pourrait s'y attendre, s'il considère toujours que l'idéal utilitariste est un bon idéal, ou s'il l'approuve toujours comme objectif moral ou politique. Il se demande si la réalisation d'objectifs utilitaristes lui procurera du plaisir et si l'accomplissement de l'idéal utilitariste lui apportera une satisfaction. Le lecteur peut y voir quelque chose qui relève

---

1. John Stuart Mill: *Autobiography*, London, 1873, pp. 133-134. *Note de l'auteur.*

du détail personnel, une note poignante qui révèle à quel point sa crise intellectuelle affectait son être tout entier, et combien elle avait ébranlé cette manière sèche et abstraite de voir les choses qui lui était naturelle. Une réflexion assez rapide suffira à montrer qu'il s'agit là d'une faute d'interprétation. En posant la question comme il le fait, Mill montre avec quelle fermeté il se tient toujours dans le cadre de l'utilitarisme. Car pour l'utilitarisme, le fait qu'il doit y avoir une correspondance précise entre le contenu du jugement moral (c'est-à-dire ce qu'il contraint un agent à faire), et la force qui émane de la motivation qu'il produit chez lui (c'est-à-dire sa capacité à l'inciter à agir conformément à ce jugement dans la mesure où il l'a parfaitement compris), que le jugement soit général ou particulier; ce fait, donc, impose une contrainte à la morale. De plus, l'utilitarisme se piquait d'être une morale - la seule en réalité - qui pouvait satisfaire cette contrainte. En attribuant de cette manière un contenu au jugement moral, en termes d'un bénéfice net de plaisir pour les agents, l'utilitarisme prétendait fournir une raison bonne et unique pour chaque agent d'appliquer ce jugement: celle donnée par la perspective d'un bénéfice net de plaisir pour son propre compte. Et c'est donc à partir du moment où il soupçonna que la réalisation de l'idéal utilitariste ne lui apporterait pas le bonheur, que Mill accepta l'une des thèses cardinales de l'utilitarisme afin d'en mettre une autre au défi. Quand le soupçon se transforma en certitude, sa crise mentale atteignit son apogée.

La guérison de Mill coïncida avec la tentative de remettre en parallèle le contenu du jugement et la force de motivation de l'utilitarisme. Ou plutôt, si l'on veut être plus réaliste - car Mill ne prit jamais vraiment au sérieux l'idée qu'il puisse y avoir une morale à laquelle, au cas où elle serait correctement comprise, personne ne résisterait - elle coïncida avec la tentative de ressaisir l'attrait de la motivation *(motivational appeal)* de l'utilitarisme. Il a dû penser qu'il y avait en réalité deux moyens de faire cela. Soit il repensait entièrement le contenu de la morale utilitariste pour le remettre en valeur, en partant de la simple théorie de Bentham qui l'avait si profondément déçu; soit il proposait un exposé modifié de la motivation humaine, pour montrer que la morale utilitariste, avec son contenu d'origine, était après tout capable de nous déterminer à agir.

Il y avait une difficulté évidente qui empêcha Mill de s'engager dans la deuxième voie. Il lui aurait fallu renier l'expérience la plus importante de sa vie. Pour réinterpréter les motivations humaines, il lui aurait fallu réinterpréter les siennes propres, et admettre qu'au moment même où il était absolument convaincu que les idéaux qu'on lui avait enseignés étaient lettre morte, il avait en réalité une motivation pour agir d'après eux - quelle que fût la description de cette motivation -, et ce en dépit de la voix de sa conscience. Autrement dit, Mill aurait dû sortir de sa crise intellectuelle en perdant les bénéfices de ce qu'elle semblait lui enseigner; et il n'est pas surprenant qu'il ait choisi la première voie en tentant de ressaisir l'attrait de la motivation.

Il sera plus commode de considérer que la révision du contenu de la morale utilitariste que Mill nous propose se fait en deux étapes. Il ne s'agit pas de deux étapes chronologiques, et il y a de bonnes raisons de penser que la pensée de Mill n'est pas faite pour l'étude chronologique dont ses détracteurs sont naturellement si friands[1]. Mill était un penseur perspicace. Il devançait parfois sa propre pensée en considérant avant terme les conclusions

---

1. Voir, par exemple, l'introduction aux *Essays on politics and culture*, G. Himmelfarb (ed.), (New York, 1962); G. Himmelfarb: *On liberty and liberalism* (New York, 1974). On consultera sur ce point: John Rees, "The thesis of the two Mills", *Political Studies*, vol. 25 (1977), pp. 369-382. *Note de l'auteur.*

auxquelles elle allait le conduire. Mais il était également très préoccupé par l'impression que son écriture pouvait produire sur le lecteur, et cela l'amena parfois à utiliser une terminologie qui ne coïncidait plus avec sa pensée, afin de dissiper le soupçon qu'il avait abandonné les idées directrices de ses jeunes années. En proposant de considérer le changement en deux étapes effectué par Mill dans sa conception de la morale utilitariste, je ne prétends pas proposer une thèse historique. Dans la première étape, nous assistons au passage d'une morale fondée sur une conception moniste de l'utilité, à une morale fondée sur une conception pluraliste mais hiérarchique. Dans la seconde, il s'agit du passage d'une morale fondée sur une conception de l'utilité pluraliste et hiérarchique, à une morale fondée sur une conception pluraliste mais non hiérarchique. On trouve déjà des traces de cette dernière étape dans l'essai sur Bentham de 1838, et on trouve encore des traces de la première dans l'*Utilitarisme* de 1861.

En expliquant cette révision du contenu de la morale utilitariste, je garderai en mémoire deux questions. Premièrement: Ce changement de contenu permet-il de redonner une force aux motivations de l'utilitarisme? Deuxièmement: Prend-il place dans le cadre même de l'utilitarisme, ou s'agit-il plutôt d'une sortie hors de l'utilitarisme?

Finalement, une fois cette révision expliquée, j'attirerai l'attention sur un corollaire conçu par Mill. Selon ce corollaire, la morale utilitariste peut être intégrée à un ensemble plus large de règlements. J'appellerai ce cadre plus large une "éthique". Mill propose une éthique à trois niveaux, et c'est là un des aspects les plus intéressants et les plus négligés de son œuvre de philosophe de la morale.

III

On pourrait s'attendre à ce qu'un problème prioritaire surgisse dans nos considérations relatives à la révision de l'utilitarisme proposée par Mill. Mais en réalité, nous n'avons pas besoin de nous en inquiéter. Pour Mill, ce problème était déjà résolu. Il s'agit du problème de la transition d'une morale de l'égotisme pur *(purely egotistic morality)* - qui constitue la forme dans laquelle s'exprime originellement l'utilitarisme, conformément à une interprétation largement acceptée - à une morale non égotiste. C'est-à-dire à une morale qui prescrit la maximisation du plaisir, mais qui reste indifférente au problème de savoir à qui il revient, et qui ne fait aucune distinction entre le plaisir de l'agent et celui d'autrui[1]. Je supposerai ici que cette transition est effectivement réalisée.

La première étape proposée par Mill dans le changement de contenu de la morale utilitariste consiste dans le passage d'une conception moniste de l'utilité à une conception pluraliste mais hiérarchique. A côté du principe fondamental de l'hédonisme - le principe de maximisation du plaisir -, nous trouvons des principes seconds. L'éducation de l'esprit, la formation et le développement de l'amour physique et de l'affection familiale, le patriotisme, le maintien de la dignité de la personne, l'attachement à la beauté, sont des exemples de tels principes. Bien évidemment, à l'instar du principe fondamental, ces principes seconds peuvent être non égotistes. Les principes seconds déterminent *(fix)* les buts de l'agent: la finalité de son action est identique à la finalité

---

1. Dans deux de ses premiers essais: *Remarques sur la philosophie de Bentham* (1833), qui fut publié anonymement, et *Le discours de Sedgwick* (1835), Mill proteste contre l'identification de l'utilité avec l'intérêt égoïste *(selfish)* ou purement personnel. Dans le plus ancien, il utilise cette remarque contre Bentham, et dans le deuxième, pour le défendre contre ses critiques. On trouvera les deux essais in *Collected Works of John Stuart Mill*, vol. 10. *Note de l'auteur.*

de ces principes. Mais il n'y a aucune raison pour que ses buts ne relèvent que de son intérêt propre, ou se rapportent exclusivement à lui. Cependant, ce qui est caractéristique de cette étape de la pensée de Mill et ce qui la différencie de l'autre, c'est que ces principes seconds sont strictement subordonnés au principe fondamental; et c'est pour cette raison que le pluralisme introduit par les principes seconds est de nature hiérarchique.

Pour comprendre comment cette hiérarchie fonctionne, prenons comme cas paradigmatique - ce sera le cas le plus clair -, celui où l'agent moral en appelle à la morale utilitariste pour décider comment il doit agir[1]. Une fois que nous avons compris comment la hiérarchie fonctionne dans ce cas, nous pouvons passer aux cas dérivés, c'est-à-dire à ceux dans lesquels les effets de la hiérarchie se font sentir: ceux où un agent décide s'il a agi comme il le devait, ou bien où un critique décide de la manière dont les autres doivent agir ou bien s'ils ont agi comme ils le devaient.

---

1. Pour la clarté de l'exposition, je ferai comme si l'utilitarisme devait être analysé comme utilitarisme de l'acte (*act-utilitarism*). J'ai tendance à penser que c'est l'analyse correcte. Mais tous mes exemples pourraient très bien être interprétés de façon à accomoder l'utilitarisme de la règle *(rule-utilitarism). Note de l'auteur.*

(Pour la distinction entre les deux formes d'utilitarisme, on pourra consulter J.L. Mackie: *Ethics, inventing right and wrong*, Penguin, 1977, pp. 125-140. La distinction entre l'utilitarisme de l'acte et l'utilitarisme de la règle tient au critère de l'action juste. Selon l'utilitarisme de l'acte, l'acte juste est celui qui produit *directement* le plus de bonheur pour l'agent lui-même et tous ceux qui sont affectés par lui. Selon l'utilitarisme de la règle, l'acte juste est celui qui le produit *indirectement*, par une procédure en deux étapes. Pour agir de manière juste, l'agent doit agir conformément à des *règles* qui *s'interposent entre* le choix individuel de l'agent et la considération de l'utilité. L'utilitariste, dans ce deuxième sens, évalue un acte en prenant en considération le résultat que produirait son accomplissement *répété*.)

Dans le cas paradigmatique, l'agent peut se référer au principe fondamental pour arriver à prendre une décision. Ou alors, il peut se référer à l'un ou l'autre, ou même à plusieurs de ses principes seconds. Supposons qu'il se réfère aux principes seconds. Ce faisant, il arrive à prendre une décision. Il lui reste alors la possibilité de se référer au principe premier pour arriver à une autre décision. Il n'est pas obligé de le faire, mais pour autant que cela ne lui coûte pas trop, il s'agit là d'une action rationnelle, puisque s'il y a une divergence dans les deux décisions, ce qu'il doit faire est déterminé par la décision qu'il prendra en se référant au principe fondamental. Il devra alors abandonner la première décision. Bien évidemment, si les principes seconds ont été conçus avec soin, de telles divergences doivent être rares. Mais si certaines font surface, le principe fondamental fonctionne dans le raisonnement de l'agent comme s'il était le seul disponible; et c'est là une manière pour les principes seconds de montrer leur subordination au principe fondamental; autrement dit, c'est une manière pour la hiérarchie de se manifester.

C'est là une manière relativement directe. Pour comprendre ce qu'il en est de la manière indirecte, supposons à présent que l'agent se réfère au principe fondamental pour arriver à décider comment il doit agir. Il va donc passer en revue toutes les actions qu'il peut mettre à exécution. Il attribuera à chacune les conséquences qu'elle est le plus susceptible d'avoir pour lui-même et pour les autres, et il calculera pour chaque conséquence la balance nette de plaisir et de peine qu'elle devrait produire. Pour arriver à une décision, il lui suffira de sélectionner l'action dont les conséquences maximisent le plaisir, ou celle qui produit la balance nette la plus élevée de plaisir. La clause de non-égotisme est respectée par l'indifférence quant au problème de savoir à qui le plaisir reviendra. Pour calculer le montant de plaisir et de peine qui résulterait de chaque action, l'agent devra prendre en compte la manière dont ses actions peuvent interférer avec celles d'autrui, et il devra donc connaître les actions dans lesquelles sont engagés ceux qui sont affectés par les siennes. Néanmoins, on pourra avoir décidé de ces actions de deux manières: soit en se fondant sur le principe fondamental, soit en se fondant sur un ou plusieurs des principes seconds. Supposons maintenant que toutes les actions décidées par ceux qui sont affectés par l'action de l'agent l'ont été sur la base de principes seconds, et que l'agent le sache. Tous ceux qui sont affectés par son action agissent conformément à des principes seconds. Dans ce cas, pour calculer le montant de plaisir et de peine que son action est susceptible de produire, l'agent trouvera certainement naturel de mettre en équation, pour une personne particulière, le plaisir avec la réalisation de l'un ou de plusieurs des buts déterminés par un ou plusieurs des principes seconds conformément auxquels cette personne agit. C'est ainsi que l'agent commencera à considérer son action dans ses rapports avec celles d'autrui. Mais, une fois ce calcul effectué, il est rationnel pour cet agent d'effectuer un calcul supplémentaire, bien qu'il n'y soit pas obligé. Cette fois-ci, l'agent calcule le montant de plaisir et de peine que son action est susceptible de produire, en ignorant le fait que ceux que son action peut affecter ont décidé d'agir en se fondant sur des principes seconds. Il suppose que tous ceux qui peuvent être affectés par son action agissent conformément au principe fondamental. Par conséquent, pour une personne donnée, il met le plaisir en équation, non pas avec la réalisation des buts déterminés par le ou les principes seconds sur la base desquels cette personne agit en réalité, mais simplement avec ce que le principe fondamental lui prescrit de faire. Mais il reste que l'agent doit toujours comptabiliser dans les peines de cette personne toutes les déceptions quelle peut subir au cas où un ou plusieurs des principes seconds sur lesquels elle se fonde pour agir, fût-ce même à tort, serait contrarié. Dans cette deuxième hypothèse, l'agent prendra une nouvelle décision, et si les deux décisons divergent, c'est la deuxième qu'il préférera. Autrement dit, il doit agir comme si c'était le principe fondamental qui était le seul disponible; cette fois-ci, non pas dans le raisonnement de l'agent, mais dans le raisonnement d'autrui. Voici donc l'autre manière dont les principes seconds peuvent être subordonnés au principe fondamental, ou dont la hiérarchie peut se manifester.

A cette étape de la pensée de Mill, la subordination des principes seconds au principe fondamental a pour conséquence que les différents principes seconds sont dans une relation particulière avec le but déterminé par le principe fondamental : la relation des moyens à une fin. Les buts de l'agent sont et doivent être évalués comme des moyens en vue du plaisir. Cette relation moyens-fin est tout à fait en accord avec la motivation qui incite à ce premier changement de contenu de la morale utilitariste. La motivation est essentiellement d'ordre pratique, et Mill l'exprime au mieux lorsqu'il parle de l'utilité comme d'"un but trop complexe et indéfini[1]" pour qu'un agent moral puisse dresser continuellement l'inventaire de tous ses aspects afin de calculer ce qu'il doit faire ou ce qui serait le mieux pour lui et pour les autres. Ce calcul reste un calcul utilitaire, mais il peut s'avérer plus pratique d'obtenir un résultat si on l'effectue en prenant en compte des concepts à la fois plus simples et plus précis que celui d'utilité. Ce sont précisément ces concepts que fournissent les principes seconds, en déterminant des buts subsidiaires.

La première révision de Mill fait bien plus que de faciliter la tâche de l'agent. Et c'est cela qui renforce l'attrait de la morale utilitariste. Car cette révision nous montre qu'un agent, lorsqu'il décide ce qu'il doit faire, doit désormais considérer comme pertinent tout un ensemble de pensées qu'il partage avec autrui - ainsi que les attitudes et

---

1. Voir John Stuart Mill: *Collected Works*, vol. 10, p. 110. *Note de l'auteur.*

les sentiments qui s'y rapportent –, et que toute personne sensible doit considérer comme étant les plus intéressantes parmi toutes celles que les agents peuvent avoir. Je veux parler, bien évidemment, des pensées qui servent à définir ses propres buts ou ceux d'autrui. Car ces pensées doivent maintenant entrer en ligne de compte dans ses calculs, dans la mesure où il pense que du plaisir lui reviendra ou reviendra aux autres de par la satisfaction des principes seconds sur lesquels tous se fondent pour agir. Mais dans cette mesure seulement. Cet ensemble de pensées acquiert une certaine pertinence pour ses calculs, mais cette pertinence n'est que provisoire. A partir du moment où il semble à l'agent que le plaisir est moins susceptible de lui revenir de cette manière, et où il n'est plus convaincu que les buts des principes seconds constituent les meilleurs moyens en vue de la finalité du principe fondamental, alors ces pensées cessent de l'intéresser. Il peut les chasser de son esprit, et c'est même là un devoir.

La manière purement provisoire dont ces pensées prennent part aux calculs de l'agent et, parallèlement, la manière dont elles peuvent être supplantées de manière appropriée par la considération directe du plaisir ou de l'utilité, témoignent de la hiérarchie qui, à cette étape, impose sa contrainte au tout nouveau pluralisme de la morale utilitariste. Mais elles témoignent également de quelque chose de plus. A savoir du degré auquel le concept de plaisir, ou de bonheur, ou d'utilité – et je n'ai jusqu'ici trouvé aucune raison de les distinguer – ne pose lui-même aucun problème. Plus précisément, il ne semble pas que le concept requière pour son élucidation aucune des pensées intéressantes que j'ai mentionnées, ou aucune des fins déterminées par les principes seconds. Tout ceci change néanmoins lorsque la morale utilitariste subit sa deuxième révision, et c'est vers elle que nous nous tournons maintenant.

IV

La seconde étape du changement dans le contenu de la morale utilitariste consiste dans le passage d'une conception pluraliste et hiérarchique de l'utilité, à une conception pluraliste et non hiérarchique. Non seulement on trouve maintenant les principes seconds à côté du principe fondamental, mais ils ne lui sont plus subordonnés. Les buts déterminés par les principes seconds ne sont plus dans une relation de moyens à fin avec le but déterminé par le principe fondamental. Ou tout du moins, ils ne le sont plus exclusivement. Ils servent également à l'élucider.

Le fait que les buts déterminés par les principes seconds servent maintenant à élucider le but déterminé par le principe fondamental implique que cette dernière finalité, l'utilité, ne va plus sans poser de problèmes. Que l'utilité soit maintenant un concept problématique est une caractéristique de l'utilitarisme dans sa phase de deuxième révision. Mais il est important de comprendre pourquoi. Ce n'est pas seulement que Mill, le philosophe moral, trouve l'utilité problématique. C'est plutôt que dans sa philosophie morale, Mill donne une analyse du fait que l'agent moral trouve - et doit effectivement trouver - que l'utilité est problématique. Et sa philosophie propose ensuite d'expliquer comment l'agent moral tente de résoudre le problème pour son propre compte. Il y est représenté comme essayant de rendre l'utilité non problématique en souscrivant aux principes seconds.

La nature éminemment abstraite du concept d'utilité contribue au fait que l'agent moral le trouve problématique. L'agent ne voit pas comment la compréhension d'un concept si abstrait pourrait contribuer à une décision concernant la manière dont il doit agir, comme l'utilitarisme voudrait le lui faire croire. Même avec toute l'information requise à sa disposition, il aura toujours une compréhension imparfaite de ce qu'il doit faire pour maximiser l'utilité. Il faut donner corps *(fill out)* à ce concept abstrait, et nous pouvons le faire de deux manières. On exige d'abord que l'agent moral ait ce qu'on peut appeler une conception de sa propre utilité. C'est seulement à ce prix qu'il comprend comment il peut la promouvoir. On ne peut néanmoins ni lui donner ni lui inculquer cette conception. Il s'agit de quelque chose qui fait l'objet d'une formation, par le processus du jugement et de la reconnaissance de l'erreur. Il essaie un certain nombre de principes seconds et finit par souscrire à ceux dont les buts lui donnent ou lui enseignent ce qu'il veut. Dans un deuxième temps, l'agent moral exige des autres qu'ils aient - c'est-à-dire qu'ils forment - une conception de leur propre utilité, car c'est seulement à ce prix qu'il sait comment il peut, lui, promouvoir *leur*[1] utilité. Il s'agit toujours d'une conception qu'ils doivent former, par le processus du jugement et de la reconnaissance de l'erreur, et elle est codifiée dans leurs principes seconds.

C'est une chose de penser qu'on ne peut aspirer à la morale utilitariste à moins que chacun ne se forme une conception de sa propre utilité, et que de telles conceptions sont formées en souscrivant à des principes seconds. C'en est une autre, bien évidemment injustifiée, de mettre en équation le fait de souscrire à n'importe quel ensemble de principes seconds avec la formation d'une conception de sa propre utilité. Il doit certainement y avoir une contrainte imposée aux principes seconds auxquels ont souscrit. Plus précisément, il doit y avoir une restriction sur les buts que ces principes peuvent déterminer. Pour dire les choses différemment: il se peut tout à fait que l'aspiration à une morale exige l'adhésion à des principes seconds. Mais que doit-il en être de ces principes pour que la morale qu'ils justifient soit authentiquement utilitariste?

J'ai en réalité exagéré en disant qu'à ce stade de la révision de la morale utilitariste proposée par Mill, l'utilité

---

1. Les italiques sont miennes.

est considérée comme problématique, si l'on entend par là que l'utilité est *radicalement*[2] problématique. Il reste un aspect non problématique de l'utilité, et c'est ici qu'il faut en appeler à la distinction traditionnelle entre plaisir et bonheur. Il va sans dire que l'utilité renvoie au plaisir, s'il est entendu que le plaisir est un genre de sensation ou de complément de la sensation. Tant que l'on donne cette interprétation éminemment restrictive de l'utilité, l'agent moral peut parvenir à prendre des décisions utilitaristes concernant la manière dont il doit agir, sans pour autant se former une conception de sa propre utilité, et sans que les autres se forment une conception de la leur. De telles décisions concernent la maximisation de la sensation privilégiée ou de son complément. C'est seulement à partir du moment où l'agent estime que les décisions utilitaristes ne peuvent être limitées de cette manière que le concept d'utilité devient problématique à ses yeux. Deux conditions doivent être réunies pour que l'on puisse sortir de cette situation. Il faut d'abord reconnaître que l'utilité renvoie à quelque chose de plus que le plaisir. Elle renvoie également au bonheur, et c'est ainsi qu'on doit percevoir leur rapport. Deuxièmement, pour que le concept d'utilité dans son acception plus large puisse être applicable, il faut que les agents forment une conception de leur propre utilité. Ils le font, comme nous l'avons vu, en adhérant à des principes seconds. Si nous demandons maintenant à quoi ressemblent ces principes, ou quelles sont les restrictions imposées aux buts déterminés par les principes seconds si on doit considérer que la conception qu'ils contribuent à former est une conception de l'utilité de la personne, ou si on doit considérer que la morale à laquelle ils contribuent est une morale utilitariste, la réponse est simple à trouver. Il semble que la contrainte soit la suivante: les buts

---

2. Les italiques sont miennes.

déterminés par les divers principes seconds doivent systématiquement se rapporter au plaisir.

Mais il ne suffit pas de dire que les buts des principes
seconds doivent systématiquement se rapporter au plaisir
pour sortir l'utilitarisme d'affaire. Ils peuvent s'y rapporter
de diverses manières. Par exemple, certains philosophes
soutiendront que la relation systématique doit être d'un genre
conceptuel. On doit dériver les buts à partir du concept de
plaisir. Je voudrais suggérer que la relation systématique est
d'un genre génétique, et que c'est ainsi que Mill concevait la
chose. Autrement dit, l'utilitarisme, avec les changements
introduits, exige qu'il soit possible de représenter sur le
même arbre le plaisir et les buts déterminés par les
principes seconds d'un agent moral, avec les buts à
l'extrémité des branches et le plaisir à la base de l'arbre; le
diagramme tout entier représentant l'agent moral tel qu'il
nous apparaît aux lumières de la meilleure théorie de la
nature humaine dont nous disposons[1].

Ce dernier point a une conséquence importante. Pour
dire ce que c'est, pour une morale qui consiste en un
principe fondamental prescrivant la maximisation de l'utilité
et en divers principes seconds non subordonnés au principe
fondamental, d'être globalement utilitariste, il faut disposer
d'une psychologie du développement relativement
sophistiquée. C'est seulement avec l'aide d'une telle

---

1. A deux reprises dans son édition de l'*opus magnum* de son
père, Mill tente d'anticiper ceux qui critiquent l'idée que les fins
sont dérivées de la recherche du plaisir sous prétexte que les
deux genres de fins sont dissemblables. Il fait remarquer que,
lorsque la dérivation génétique est très longue, "le sentiment
qui résulte semble non seulement assez dissemblable de
n'importe lequel des éléments qui le composent, mais
également tout à fait dissemblable de la somme de ces
éléments". James Mill, *Analysis of the phenomena of the
human mind*, John Stuart Mill (ed.), London, 1869, vol. 2, p.
321; cf. p. 252. *Note de l'auteur.*

psychologie que nous pouvons dire si les principes seconds se rapportent de manière appropriée au principe fondamental. Bien évidemment, Mill ne disposait pas d'une telle psychologie. Il l'avoue lui-même dans son essai *La sujétion des femmes*, et affirme ailleurs qu'il s'agit là du manque le plus important du savoir contemporain[1]. Il y a néanmoins un passage où il indique clairement ce que doit être la structure interne d'une morale pluraliste, non hiérarchique et utilitariste, et en quel sens elle présuppose une théorie de la nature humaine. Je me réfère au passage de *De l'utilitarisme*, largement tourné en ridicule, dans lequel Mill parle des plaisirs élevés et des plaisirs inférieurs[2]. Pour comprendre de quelle manière ce passage se rapporte à notre discussion, le lecteur doit prendre une orientation appropriée. En général, on interprète ce passage comme constituant ce que Mill a à dire sur la différence entre les deux genres de plaisirs, ou sur les variations qualitatives entre les plaisirs. Mais on peut également interpréter ce passage comme rapportant ce que Mill a à dire sur ce que les plaisirs élevés et les plaisirs inférieurs ont en commun, sur

---

1. "De toutes les difficultés qui entravent le progrès de la pensée et la formation d'opinions bien fondées sur la vie et la société, la plus grande, de nos jours, est l'incroyable ignorance et indifférence de l'humanité en ce qui concerne les influences qui forment le caractère humain." John Stuart Mill, *The subjection of women,* London, 1869, pp. 39-40. Mill avait parlé de cette science dont l'absence est à regretter, sous le nom d'"éthologie" au livre VI, chapitre 5 de son *Système de logique. Note de l'auteur.*

(Le titre du chapitre est "De l'éthologie, ou la science de la formation du caractère". Voir J.S. Mill (1987) dans la bibliographie de John Stuart Mill à la fin de ce volume, section I (1).)

2. John Stuart Mill, *Collected Works*, vol. 10, pp. 210-213. *Note de l'auteur.*

la raison pour laquelle les uns et les autres sont des *genres de*[1] plaisir. Pour Mill, en gros, les plaisirs élevés et les plaisirs inférieurs sont les uns et les autres des genres de plaisir parce qu'ils sont fonctionnellement équivalents à différents niveaux du développement psychologique d'un individu donné. C'est également pour cette raison - toujours approximativement - qu'un genre de plaisir est qualitativement supérieur à l'autre. C'est ainsi que Mill fait tout reposer sur la question du développement psychologique, et sur celle de savoir comment ses différents niveaux doivent être identifiés et sur ce qui se passe à chaque niveau. Mill est naturellement incapable de répondre à ces questions puisqu'il lui manque une théorie psychologique. Mais ce qui est déterminant pour l'interprétation correcte de Mill, c'est qu'il a compris exactement ce dont nous avions besoin pour répondre à ces questions, et d'où les réponses pouvaient venir.

J'appellerai "utilitarisme complexe", l'utilitarisme sous sa deuxième révision, son contenu lui étant conféré par le principe fondamental de l'hédonisme et les différents principes seconds qui n'y sont pas subordonnés, mais qui permettent de l'élucider. Je pose maintenant la question de savoir dans quelle mesure l'utilitarisme complexe redonne une force aux motivations de l'utilitarisme.

Fondamentalement, l'utilitarisme complexe redonne cette force, non seulement en permettant à l'agent de prendre en compte les pensées qui sont parmi les plus intéressantes que les hommes puissent avoir, mais en le contraignant à le faire lorsqu'il doit se décider à agir (ou à prendre une décision qui se rapporte à l'action). Autrement dit, il le contraint à prendre en compte les pensées qui sont spécifiques aux buts déterminés par les principes seconds, que ce soient celles de l'agent ou celles d'autrui. Et en les prenant en compte, l'agent est également contraint à prendre

---

1. Les italiques sont miennes.

en compte les sentiments et les attitudes qui gravitent autour de ces pensées. Et ceci est à présent quelque chose qui ne peut être éliminé. Il ne s'agit pas de quelque chose de provisoire, qui pourrait être écarté au cas où surgiraient d'autres considérations qui auraient priorité sur les principes seconds et leurs buts. L'utilitarisme finit par se soucier de l'homme dans toute sa complexité, en tant qu'être développé; et seule une conscience de soi sinistre et desséchée pourrait répondre "non" à la question de savoir si la recherche du bonheur de l'homme, lorsque l'homme est envisagé de cette manière, est un but qui laisse entrevoir la possibilité d'une grande joie.

V

Néanmoins, on pourrait maintenant avoir l'impression que l'utilitarisme complexe rétablit l'attrait de l'utilitarisme, mais au prix d'un affaiblissement de sa force et de sa portée. Voici pourquoi.

L'agent moral, nous dit-on, doit prendre en compte les principes seconds d'autrui et les siens propres; et cela ne peut être éliminé. Mais ce n'est possible que si lui-même et les autres ont de tels principes et si, de plus, ils s'y tiennent sans les subordonner au principe fondamental. Dans le cas contraire, sa prise en considération serait éliminable. L'agent et les autres doivent avoir formé des conceptions de leur propre bonheur. L'agent doit également prendre connaissance des conceptions d'autrui, et vice versa. Mais cette condition n'est pas universellement satisfaite. C'est d'abord dans la vie de l'espèce qu'elle représente un accomplissement, et seulement de manière dérivée dans la vie de l'individu. L'utilitarisme complexe gagne notre sympathie par le fait qu'il prend en considération toutes les ressources des hommes. Mais, du même coup, il perd de sa force si les hommes ne sont pas pleinement en possession de toutes leurs facultés. En tentant de faire justice à la capacité qu'a l'homme de se développer, l'utilitarisme complexe acquiert en quelque sorte lui-même cette capacité. C'est tout du moins ce qu'il semble. Est-ce réellement le cas? Mill l'a-t-il compris de cette manière?

Nous savons que Mill, à l'instar de Bentham et de son père, considérait qu'il était impossible, en dernière analyse, de défendre une morale non utilitariste. Mais que pensait-il de ce genre d'utilitarisme, qu'il fût une question d'histoire universelle ou de biographie personnelle?

Mill ne souleva jamais cette question explicitement. Mais je pense qu'il a dû le faire implicitement, par le simple fait qu'il lui donne une réponse qui constitue, comme je l'ai déjà dit, un des aspects les plus intéressants et les plus négligés de son œuvre de philosophe de l'éthique. Mill inséra l'utilitarisme complexe dans une structure plus large, conçue de manière appropriée comme une éthique à trois niveaux, en attribuant à chaque niveau des conditions conformément auxquelles un agent est tenu d'agir.

Au plus haut niveau de cette éthique, il y a l'utilitarisme au sens propre, celui que j'ai commenté sous le titre d'utilitarisme complexe. Cet utilitarisme prescrit la maximisation de l'utilité, comprise en termes de la conception du bonheur propre à l'agent et à tous ceux qui sont affectés par son action. L'utilitarisme complexe n'a de sens que si les gens ont effectivement formé leur propre conception du bonheur, s'ils connaissent les conceptions d'autrui, et qu'ils se donnent l'utilité pour but en fonction de ces connaissances. Il n'a de sens que si les hommes sont en pleine possession de toutes leurs facultés. Au niveau immédiatement inférieur ou intermédiaire, nous trouvons l'utilitarisme simple, et ceci inclut l'utilitarisme fondé sur une conception moniste de l'utilité et l'utilitarisme fondé sur une conception pluraliste et hiérarchisée de l'utilité. L'utilitarisme simple n'a de sens que si les hommes n'ont pas encore formé une conception de leur propre bonheur et qu'ils recherchent le plaisir plus que le bonheur, pour eux-mêmes comme pour les autres. C'est l'éthique des hommes dont les facultés ne sont pas encore entièrement développées. Au troisième niveau, le plus inférieur, nous trouvons ce que j'appellerai l'utilitarisme préliminaire. L'utilitarisme préliminaire prescrit de faire tout ce qu'il est nécessaire aux gens de faire, soit pour former, soit pour maintenir (au cas où ils les auraient déjà formées) des conceptions de leur propre bonheur, et d'envisager les conceptions que les autres se font de leur propre bonheur (mais je laisserai ce deuxième aspect de côté). Les conditions auxquelles cet utilitarisme a un sens sont de nature disjonctive. En ce qui concerne la formation de différents concepts du bonheur propre des individus, l'utilitarisme a un sens dans la mesure où elles ne sont pas complètement formées. En ce qui concerne le maintien de ces conceptions, il a un sens dans la mesure où elles le sont déjà. Et donc l'utilitarisme préliminaire contient toujours une vérité. Finalement, lorsque les prescriptions de l'utilitarisme préliminaire sont en conflit avec les prescriptions de l'utilitarisme simple ou complexe, à moins qu'il n'en coûte trop eu égard à l'utilité, ce sont celles de l'utilitarisme préliminaire qui sont prioritaires. L'éducation poussée jusqu'au point où le bonheur peut être atteint a plus de valeur que l'obtention du plaisir ou du bonheur.

Pour finir, j'attirerai l'attention sur trois passages dans lesquels Mill argumente en faveur de lignes de conduite ou de pratiques fondées sur l'utilitarisme préliminaire.

Il y en a deux dans l'essai *De la liberté*.

Le premier passage se trouve au chapitre 4 où Mill, après avoir distingué les actions de l'agent "qui ne concernent que lui-même" (c'est sa propre expression), de celles "qui concernent autrui" (ce n'est pas sa propre expression), exempt les premières de la sphère d'intervention de l'Etat. On ne pourrait prononcer ce verdict ni en se référant à l'utilitarisme simple, ni en se référant à l'utilitarisme complexe. Et ce pour deux raisons distinctes. Tout d'abord, bien que l'on puisse discuter sur la manière dont Mill a effectué cette distinction, il semble que les actions qui ne concernent que l'agent ne soient pas identiques à celles qui n'empiètent en aucune manière sur le domaine propre autrui. Il doit s'agir des actions qui affectent les autres, mais seulement dans une mesure négligeable[1]. Il se peut donc qu'une action qui ne concerne que l'agent soit en réalité plus nuisible qu'une autre de ses actions. Pourquoi, selon l'utilitarisme simple ou complexe, une telle action ne devrait-elle pas faire l'objet d'une intervention de l'Etat? Deuxièmement, les actions qui ne concernent que l'agent, de quelque manière qu'on les définisse, affectent l'agent lui-même. Pourquoi ne pourrait-on pas décider, en se fondant sur l'utilitarisme, que l'Etat devrait imposer celles qui n'ont qu'un effet bénin, et interdire celles qui ont un effet virulent? Le contre-argument de Mill semble être le suivant: les actions qui ne concernent que l'agent sont cruciales pour ces "expériences de vie" sans lesquelles les conceptions individuelles du bonheur ne pourraient être formées, ou, au cas où elles le seraient, finiraient pas disparaître[2]. Nous avons là un cas où l'utilitarisme préliminaire l'emporte sur l'utilitarisme simple ou complexe.

Le deuxième passage se trouve au chapitre 2, lorsque Mill discute de la liberté d'opinion, qui, encore une fois, est considérée comme absolue. L'argument de Mill en faveur de la liberté absolue d'opinion fait appel à deux considérations: la vérité et la rationalité. Dans les deux cas, le recours est

---

1. Voir J.C. Rees, "A re-reading of Mill on liberty", *Political Studies* 8 (1960), pp. 113-129; Alan Ryan, "Mr. McCloskey on Mill's liberalism", *Philosophical Quarterly* 14 (1964), pp. 253-260; C.L. Ten, "Mill on self-regarding actions", *Philosophy* 43 (1968), pp. 29-37; Richard Wollheim, "John Stuart Mill and the limits of state action", *Social Research* (1973), pp. 1-30. *Note de l'auteur.*
2. John Stuart Mill, *Collected Works*, vol. 18, p. 261. *Note de l'auteur.*

subtil. Mais une question fait surface. Pourquoi un utilitariste, et même un utilitariste complexe, devrait-il accorder une telle valeur à la vérité et à la rationalité? Elles pourront faire, et feront certainement partie des buts fixés par les principes seconds des différents citoyens. Mais cela suffit-il à expliquer la force de l'engagement de Mill? Il semble que l'utilitarisme préliminaire doive apporter sa contribution à l'argument. S'il ne permet pas de rejeter l'utilitarisme au sens propre du terme, il le complète.

Le troisième passage se trouve dans les *Considérations sur le gouvernement représentatif*. Mill soutient que le gouvernement représentatif est la forme idéale de gouvernement, puisque "c'est le seul, dans la mesure où il est possible de l'élire, qui produira le plus de conséquences bénéfiques, présentes et à venir". Il semble que ce soit l'utilitarisme au sens propre qui s'exprime. Mais il n'en est rien. En poursuivant son argument, Mill présente deux critères permettant de juger du mérite des institutions politiques. L'un a trait à la manière dont elles "organisent l'ensemble de notre patrimoine moral et intellectuel afin d'obtenir le maximum de résultats dans les affaires publiques[1]. Si cela ressemble à de l'utilitarisme, que faire du deuxième critère? Celui-ci a trait à la manière dont les institutions politiques "promeuvent le progrès général de la communauté". Si cela est à mettre au compte de l'utilitarisme au sens propre - et je ne nie pas cela -, cela fait montre de l'influence de l'utilitarisme préliminaire.

Il n'est pas surprenant de trouver des critiques qui voient dans ces passages la preuve des rechutes de Mill dans

---

1. John Stuart Mill, *Collected Works*, vol. 15, p. 392. On trouvera d'intéressantes observations sur les rapports entre l'intérêt porté par Mill à la formation du caractère et ses opinions politiques *in* R.J. Halliday, "Some recent interpretations of John Stuart Mill", *Philosophy* **43** (1968), pp. 1-17, reproduit in *Mill : A collection of critical essays*, J.B. Schneewind (New York, 1968). *Note de l'auteur.*

l'utilitarisme. On peut les comprendre, dans la mesure où ils ne perçoivent pas le caractère complexe de son engagement; bien plus complexe, en réalité, qu'un simple engagement vis-à-vis de l'utilitarisme complexe. Néanmoins, une interprétation correcte de Mill nous conduit à les rejeter. Si on l'interprète correctement, on peut montrer non seulement que Mill est en accord avec le pluralisme relâché professé par Berlin en matière de morale, mais également avec un autre de ses soucis, non moins urgent, non moins généreux, et certainement apparenté, pour la valeur qui importe par-dessus tout: la liberté. Mais ceci est, dans une certaine mesure, une autre histoire[1].

---

1. Je n'ai pas inclus la bibliographie choisie par Wollheim dans la traduction. Elle est assez courte et recoupe en grande partie celle qu'on trouvera ici en fin de volume.

CHRONOLOGIE

1789

Jeremy BENTHAM (1748-1832): *Introduction to the principles of morals and legislation.*

1798

Thomas Robert MALTHUS (1766-1834): *Essay on the principle of population.*

1806

20 mai. Naissance de John Stuart Mill, fils aîné de James Mill, à Petonville.

1809-1820

James Mill, partageant les idées de Bentham sur l'éducation, et insatisfait du manque de rigueur du système éducatif conventionnel, entreprend d'éduquer son fils entièrement à la maison. Premiers cours de grec à l'âge de trois ans, de latin à huit, et de logique à douze.

1817

Claude Henri de ROUVROY, comte de SAINT-SIMON (1760-1825): *L'industrie, ou discussions politiques, morales et philosophiques, dans l'intérêt de tous les hommes livrés à des travaux utiles et indépendants.*

1822

François Marie Charles FOURIER (1772-1837): *Traité de l'association domestique agricole*.

1823

A la suite de son père, Mill entre au service de la *East India Company*, entreprise semi-privée administrant les territoires des Indes sous contrôle britannique. Il la quittera, arrivé au plus haut poste, en 1858.

1825

Samuel Taylor COLERIDGE (1772-1834): *Constitution de l'Eglise et de l'Etat*.

Abrogation de la loi de 1799 contre les syndicats ouvriers.

1826

Mill fait une dépression nerveuse, suivie d'une convalescence qui durera deux années. Lecture des romantiques, Wordsworth en particulier.

Auguste COMTE (1798-1857): *Considérations sur le pouvoir spirituel*.

1829

Emancipation des catholiques.

1830

Première rencontre avec Harriett Taylor, femme de John Taylor, puissant homme d'affaires londonien. Lecture de Coleridge, Carlyle, Saint-Simon et Auguste Comte.

Auguste COMTE: *Cours de philosophie positive* (1830-1842).

1832

Malgré l'obstruction tory à la Chambre des lords, Charles Grey, premier ministre de Guillaume IV, fait passer la première grande réforme électorale de l'Angleterre: les classes moyennes seront largement représentées à la Chambre des communes.

1835

James MILL (1773-1836): *A Fragment on Mackintosh*.
Charles Alexis Henri CLEREL de TOCQUEVILLE (1805-1859): *De la démocratie en Amérique* (premier volume).

1836

Mill fonde, et publiera jusqu'en 1840, la *London and Westminster Review*. Il y publie un compte-rendu de lecture du premier volume de *De la démocratie en Amérique* de Tocqueville.

Mort de James Mill.

1837

Victoria Ire succède à son oncle, Guillaume IV.

1840

Compte rendu de lecture du deuxième volume de l'ouvrage de Tocqueville, publié la même année.

1843

System of logic, ratiocinative and inductive, being a connected view of the principles of evidence and the methods of scientific investigation.

1845-1847

Grande famine d'Irlande. Mill rédige pour le *Morning Chronicle* des articles polémiques contre l'incapacité du gouvernement à faire face à la situation irlandaise.

Karl Heinrich MARX (1818-1883): *L'Idéologie Allemande*.

1848

The principles of political economy.

1849

Mort de John Taylor.

1851

Mariage avec Harriett Taylor.

1854

Mill tombe gravement malade et voyage en Europe pour sa convalescence. Il commence, avec sa femme, la rédaction de *On liberty*.

1857

La mutinerie des Cipayes éclate aux Indes, à la suite des annexions opérées depuis 1843 (le Sind avait été annexé en 1843, et le Penjab en 1849).

1858

Liquidation de la Compagnie des Indes, dont les biens sont annexés à la Couronne. Le gouverneur général des Indes devient vice-roi.

Septembre. Mill prend sa retraite de la *East India Company*.

Novembre. Mort de Harriett Mill en Avignon.

1859

On liberty.
Mort de Tocqueville.
Charles DARWIN (1809-1882): *De l'origine des espèces par voie de sélection naturelle.*

1861

Considerations on representative government.

1863

Utilitarianism. Le volume réunit les essais de philosophie morale publiés en 1861 dans le *Fraser's Magazine*.

1865

Auguste Comte and positivism.

Mill est élu membre de la Chambre des communes sans faire de campagne électorale, sa crédibilité reposant entièrement sur sa réputation d'écrivain. Il y représente la circonscription de Westminster. Il tentera vainement de modifier le *Reform Bill* de 1867 pour donner le droit de vote aux femmes.

1868

Mill perd son siège à la Chambre des communes.

1869

The subjection of women.

1873

7 mai. Mill meurt en Avignon à l'âge de soixante-sept ans.

Publication posthume de son autobiographie, sous la direction de sa belle-fille, Helen Taylor.

1879

Publication posthume des *Chapters on socialism* dans la *Fortnightly Review*.

BIBLIOGRAPHIE

I

BIBLIOGRAPHIE DE JOHN STUART MILL

(1) <u>Œuvres de John Stuart Mill en langue anglaise</u>

-*The Collected Works of John Stuart Mill*, volumes I-XXI, F.E.L. Priestley and J.M. Robson (eds.), The University of Toronto Press, Toronto, London, 1963-.

- *The logic of the moral sciences*, A.J. Ayer (intr.), Duckworth, London, 1987.

(2) <u>Œuvres de John Stuart Mill en traduction française</u>

- *La liberté*. M. Dupont-White (trad. et intr.), Guillaumin. Paris, 1877.

- *Auguste Comte et le positivisme*, G. Clemenceau (trad.), F.Alcan, Paris, 1903 (7ème édit.).

- *L'utilitarisme*, G. Tanesse (trad., chron., préf., notes), Garnier-Flammarion, Paris, 1968.

- *L'asservissement des femmes*, M.-F. Cachin (trad. et préf.), Payot, Paris, 1975.

- *Système de logique déductive et inductive*, Louis Peisse (trad.), Pierre Margada, Liège, Bruxelles,1988.

II

BIBLIOGRAPHIE SUR JOHN STUART MILL

Berlin, I., *Four essays on liberty*, Oxford U.P., London, 1969.

Cowling, M., *Mill and liberalism*, Cambridge U.P., Cambridge, 1963.

Gray, J., *Mill on liberty: a defence*. Routledge and Kegan Paul, London, Boston, 1983.

Himmelfarb, G., *On liberty and liberalism: the case of John Stuart Mill*, Knopf, New York, 1974.

Rees, John C., *John Stuart Mill's On liberty*, Clarendon Press, Oxford, 1985.

Schneewind, J.B. (ed.), *Mill: a collection of critical essays*, Notre Dame U.P., New York, London, 1970.

Skorupski, J., *John Stuart Mill*. Routledge. New-York, 1989.

Ten, C.L., *Mill on liberty*, Clarendon Press, Oxford, 1980.

III

BIBLIOGRAPHIE GENERALE

Cavell, S., *The claim of reason: Wittgenstein, scepticism, morality and tragedy*, The Clarendon Press, Oxford, 1979.

Dworkin, R., *Taking rights seriously*, Harvard U.P., Cambrige, Mass., 1977.

Foot, P. (ed.), *Theories of ethics*, Oxford Readings in Philosophy, Oxford U.P., Oxford, 1967.

Macintyre, A., *Whose justice? Which rationality?* University of Notre Dame Press, Notre Dame, 1988.

Mackie, J.L., *Ethics, inventing right and wrong*, Penguin, 1977.

Nozick, R., *Anarchy, state and utopia*, Basil Blackwell, Oxford, 1974.

Putnam, H., *Raison, vérité et histoire*, (trad. fr. A. Gerschenfeld), Collection "Propositions", Minuit, Paris, 1984.

Quinton, A., *Utilitarian ethics*, Open Court, Illinois, 1989.

Rawls, J., *Théorie de la justice* (trad. fr. C. Audard), Le Seuil, Paris, 1987.

Récanati, F. (éd.), *Lectures philosophiques 1: éthique et philosophie politique*, L'âge de la science, Odile Jacob, Paris, 1988.

Williams, B., *Ethics and the limits of philosophy*, Harvard U. P., Cambridge, Mass., 1985.

TABLE DES MATIERES

Achevé d'imprimer en août 1990
sur les presses de Cox and Wyman Ltd
(Angleterre)

Dépôt légal : septembre 1990
Imprimé en Angleterre